Copyright © 2016 Ler Editorial

Texto de acordo com as normas do novo acordo ortográfico da língua portuguesa (Decreto Legislativo Nº54 de 1995).

Todos os direitos reservados. Proibida a reprodução total ou parcial, de qualquer forma ou por qualquer meio, mecânico ou eletrônico, incluindo fotocópia e gravação, sem a expressa permissão da editora.

Editora – Catia Mourão
Capa – Renato Klisman
Revisão – Vanuza Rúbia F. Freitas
Diagramação – Catia Mourão

Dados Internacionais de Catalogação na Publicação (CIP)

Terra, Fernanda

O Deputado: livro 1, série Entre o Amor e o Poder – 3. ed
Rio de Janeiro: Ler Editorial, 2016

ISBN 978-85-68925-24-9

1. Ficção, Romance
I. Título II. Série

CDD 869.3　　　　　　　　　　　　　　　　　　CDU 82-3

Índice para catálogo sistemático:
1. Ficção: Ficção, Romance 869.3

Foi feito o depósito legal.
Direitos de edição:

O DEPUTADO

Livro 1

Fernanda Terra

3ª edição
Rio de Janeiro — Brasil

"O que for teu desejo, assim será tua vontade. O que for tua vontade, assim serão teus atos. O que forem teus atos, assim será teu destino."

Deepak Chopra

Sumário

07	Capítulo 1
14	Capítulo 2
23	Capítulo 3
32	Capítulo 4
38	Capítulo 5
45	Capítulo 6
51	Capítulo 7
62	Capítulo 8
71	Capítulo 9
81	Capítulo 10
87	Capítulo 11
95	Capítulo 12
104	Capítulo 13
109	Capítulo 14
116	Capítulo 15
127	Capítulo 16
137	Capítulo 17
146	Capítulo 18
157	Capítulo 19
169	Capítulo 20
180	Capítulo 21
192	Capítulo 22
210	Capítulo 23
222	Capítulo 24
233	Capítulo 25
243	Capítulo 26
253	Capítulo 27
267	Capítulo 28
276	Capítulo 29
290	Capítulo 30
306	Capítulo 31
315	Agradecimento

Capítulo 1

Linda

Naquele dia o relógio despertou religiosamente às sete e meia. Abri os olhos me espreguiçando em minha enorme cama king size tomando coragem para mais um dia de trabalho.
Meu nome é Linda Marilyn Stevens. Tenho vinte e dois anos, e trabalho em um dos jornais mais importantes da cidade.
    Formei-me na *New York University* há um ano. Por sorte e, é claro, uma ajudinha do meu pai, consegui um estágio no jornal ainda na faculdade. Depois de formada, continuei trabalhando lá e ganhei uma coluna especifica falando sobre política, minha área de trabalho e pesquisa na faculdade.
    Minha família é de Washington, onde nasci e fui criada. Porém, na época da faculdade vim para Nova Iorque estudar e realizar meu

sonho de trabalhar em um grande jornal.

Meus pais ainda moram em Washington e vou para lá sempre que dá, ou principalmente quando dona Ruth grita comigo ao telefone, exigindo a presença de sua única filha em casa. Meu pai, Sal, é chefe da divisão de segurança do Pentágono, o que nos rendeu uma posição financeira muito boa a vida inteira. Por isso, mamãe resolveu dedicar sua vida totalmente a mim e ao papai, se tornando uma dona de casa exemplar, mas acima de tudo feliz por sua escolha. Eu amo meus pais, sinto falta deles não posso negar, porém não troco por nada minha vida em Nova Iorque.

Tenho o trabalho que sempre almejei, minha melhor amiga ao meu lado, e o apartamento que sempre venerei.

É... ainda me faltava o amor, mas não pensava naquilo por enquanto. Tinha muito que evoluir profissionalmente antes de me aprofundar em um relacionamento.

Quer dizer...

Eu pensava...

Sempre pensei, mas esse sonho ideal estava longe de se concretizar.

Mesmo que Mary, minha melhor amiga desde os tempos da faculdade e minha parceira no jornal, sempre me dizia que quando meu amor chegasse, ele traria consigo todas as idealizações profissionais e emocionais que eu precisava ter.

Não era louca de discutir sobre as previsões de Mary, que tinha uma sensibilidade sem igual. Pois sabia da minha existência mesmo antes de trombarmos pelos corredores da universidade. Ela me procurou e me achou. E depois de tudo, aprendi a não discordar da minha melhor amiga, porém isso sempre me fez pensar, mesmo que sofresse por uma realidade muito distante de mim.

Ainda mais naquele dia...

— Você sabe que horas são? Nós já estamos atrasadas, Lindinha o Victor deve estar uma fera. — Mary adentrou meu quarto, esbaforida como todos os dias. — Hoje é o dia da tão famosa festa de lançamento da candidatura de Artur Sebastian Scott ao Senado.

Arrepiei-me ouvindo aquele nome novamente e tentei disfarçar sorrindo e beijando a bochecha de minha amiga, já calçando os sapatos.

— Já estou pronta, Mary, que pressa é essa? Temos ainda alguns minutos.

— E o trânsito não conta? — Sempre histérica.

— Mary, nosso prédio fica a duas quadras do jornal. — Peguei minha bolsa junto com a pasta empurrando-a para fora do quarto. — Vamos. Mas antes passaremos na *Starbucks*. Eu preciso urgente de um *mocha*. — Na verdade precisava relaxar. Não! Eu só relaxaria com dois calmantes.

— Linda, não vai dar tempo. — Ela revirou os olhos.

— Vai, Mary.

Saímos do apartamento direto para garagem e fomos com o meu carro.

Mary morava no mesmo prédio que eu, e todos os dias era o mesmo desespero.

Chegamos ao décimo andar do jornal no horário. Fomos recepcionadas por Laila, nossa secretaria, enquanto arrumava o vestido tubo preto e rosa antigo até o joelho e equilibrava meu mocha, que comprei mesmo com Mary reclamando.

— Bom dia, Linda! Bom dia, Mary! O Victor já está à espera de vocês na sala dele — ela nos avisou vindo em nossa direção.

— Bom dia, Laila! Já estamos indo, deixe só eu guardar minhas coisas.

— Deixe que eu guardo. O humor dele não está dos melhores hoje.

Mary me olhou e disse:

— Eu avisei!

— Calma, hoje é o dia da festa de lançamento, não é a toa que ele esteja uma pilha. Vamos ver logo o que ele quer. — Entreguei minhas coisas para Laila e fomos em direção à fera.

Victor Packer era um ótimo profissional. Já o admirava desde a época da faculdade e agora trabalhando com ele só vinha aprendendo mais sobre a arte da política, como gostava de dizer. Porém ele era exigente ao extremo e não admitia erros, fazendo com que nosso trabalho beirasse a perfeição. O que não era de todo ruim, já que minha coluna era uma das mais lidas e mais comentadas em nosso site.

— Bom dia, Victor! — falamos da porta e ele fez um sinal para que entrássemos.

— Bom dia! Vocês já receberam os convites da festa de hoje?

— Sim, já estamos com eles — Mary respondeu.

— Vocês sabem que esse lançamento é muito importante para o nosso jornal, não é? — sempre tão duro — Quero tudo redigido com a opinião de vocês duas, em um artigo até amanhã no final da tarde. Essa candidatura vai ser uma das mais bombásticas da atualidade.

Com certeza, Victor tinha toda razão. Os Scott sempre estiveram na política. Eles estavam no poder há décadas, isso desde a época do Presidente Sebastian Scott. George Scott, seu filho, também tinha o sangue da política correndo nas veias. Já foi Deputado, Senador e Governador do Estado de Nova Iorque. E agora com a candidatura do seu único filho, Artur Sebastian, o nome que me arrepiava desde os doze anos de idade, ao Senado a família marcava mais uma vez seu brasão no campo político dos Estados Unidos.

E como todos os outros homens da família Scott que já fizeram parte do poder, Artur também era duro, frio e calculista, quando se tratava do seu poder. Porém a sua garra para fazer justiça era impecável e inimaginável. Os Scott eram cruéis com os corruptos e honestos em suas propostas.

Estudei muito sobre eles para meu trabalho de conclusão de curso, o tema da minha pesquisa foi a política daquela família. Mas bem antes já havia me encantado com o menino de cabelo bronze rebelde, que já conservava um corpo másculo em um metro de oitenta e cinco e, principalmente aquele olhar arrogante e superior, com apenas dezoito anos.

Artur Sebastian Scott sempre foi a peça mais envolvente do meu trabalho, sempre tive fascínio para descobrir como era o homem no interior daquela casca dura em forma de arrogância.

Quem sabe um dia teria a chance de uma entrevista, onde eu poderia conhecer um pouco mais daqueles olhos verdes que me encantavam há mais de dez anos, porém que me davam medo de chegar perto, por sua prepotência e seu autoritarismo.

Quem sabe um dia eu teria a oportunidade de conhecê-lo, ou

dele me conhecer.

Suspirei sendo tirada dos meus pensamentos com Mary me puxando e se despedindo de Victor que já havia dado seu recado.

— Ainda bem que já compramos nossos vestidos, estou uma pilha, amiga. — Ri mais uma vez do seu desespero.

— Vamos trabalhar e tirar a tarde para nosso momento de beleza. — Ela bateu palminhas. — Precisamos estar perfeitas para essa festa, Mary.

— Parece um sonho, não é, Linda? Nós, cobrindo a festa de lançamento da candidatura de Artur Sebastian Scott. — Sorri, lembrando-me das noites que passamos conversando, pesquisando e suspirando sobre a vida dos Scott para meu trabalho. — Quem sabe você não consegue aquela tão requisitada entrevista, hein?

— Aí sim meu ideal como jornalista política estaria completo. — Mary revirou os olhos.

— Linda... ideal jornalístico? — ela ironizou. — Eu sei muito bem o que tem dentro desse coração aí. — Mary tocou meu peito, fazendo-me suspirar. Ela me conhecia como ninguém.

— Mary, para! Olhe pra mim — apontei para meu próprio corpo. — Uma reles plebeia indo à festa da família real.

Ela me abraçou.

— Quem disse que uma plebeia não pode ultrapassar as barreiras do castelo?

— Vamos trabalhar e deixar os contos de fadas para as crianças. Vem.

Puxei-a e cada uma foi para sua sala, porém a cada minuto que se aproximava da hora da festa eu ficava mais nervosa, o que me fez lembrar o dia que o vi pela primeira vez.

— Mamãe, vem. Nós vamos perder o início do discurso. — Puxei minha mãe pela mão para não perder nada da posse do novo Governador de Nova Iorque, o querido George Scott.

Estávamos na cidade a passeio, e como todo americano não perderíamos essa posse por nada.

— Calma, bebê, nós estamos quase chegando. — Ruth sorriu

acariciando meu rosto. — Linda é inteira você quando se trata de política, meu amor. — Sal sorriu orgulhoso, mas assim que chegamos mais perto do Palácio do Governo me deparei com algo que nunca mais sairia da minha mente.

— Mamãe, quem é aquele garoto? — Apontei para sacada onde o nosso novo Governador já fazia seu discurso de posse, tendo toda a família ao seu lado, e também a companhia de um garoto de mais ou menos dezessete, dezoito anos.

Ele tinha a beleza mais perfeita que eu já havia visto, porém com o semblante sério e incógnito. Era perceptível até para uma menina de doze anos, como eu.

— Aquele é Artur Sebastian Scott, meu amor — mamãe como toda americana fascinada por política, e ainda morando na capital disse suspirando e aplaudindo sem parar.

— O maior e único sucessor para o trono político dos Scott. Um garoto de apenas dezoito anos, mas com o futuro brilhantemente traçado e promissor à sua frente — Sal completou como sempre muito orgulhoso da Família Scott.

Sempre havia sido assim.

Em casa aprendendo o que era o certo e errado, papai e mamãe me mostraram que na política americana sempre tínhamos que ter um Scott no comando. Eles eram a mão de ferro para combater a corrupção e comandar guerras, o que aconteceu na época do Presidente Sebastian Scott. E os olhos da necessidade do povo, nunca os deixando desamparados.

— Mas, papai, há quanto tempo eles estão no comando? — perguntei um dia, sentada na mesa de nossa sala de jantar, enquanto Sal me ajudava com a tarefa.

— A mais de trinta anos meu amor, e foi através do seu governo durante esse tempo inteiro que a política começou a ser valorizada como se deve — Sal disse orgulhoso. — Enquanto para os corruptos, pulso firme, para seus eleitores o necessário para a educação, saúde, trabalho e moradia.

E foi naquela época, mesmo tendo ainda doze anos, que a Família Scott começou a fazer parte da minha vida, e aqueles olhos verdes-acinzentados parte dos meus sonhos. E mesmo sem ao menos Artur Sebastian saber da minha existência, ele já se tornava *a cada dia mais presente em minha humilde vida. E por um encantamento sem igual por ele e por sua família que decidi cursar jornalismo com ênfase em Direitos Políticos.*

Relaxei um pouco mais na parte da tarde com nosso momento de beleza, que sempre é uma diversão ao lado de Mary.

E as oito em ponto, a limusine contratada pelo jornal para nós levar, estacionou a porta de nosso prédio.

Chegamos ao hotel Hilton diante de muitos flashes. Dava a sensação que a imprensa do mundo inteiro estava ali.

Entramos e meu coração parecia sair pela boca.

Todo o trabalho, toda minha pesquisa ali, isso porque a parte mais envolvente do meu projeto nem havia colocado os pés nos luxuosos salões do Hilton.

Tentei me distrair andando com Mary, conversando com alguns colegas de trabalho. Porém quando as salvas de palmas começaram, minhas pernas bambearam, e quando eu o vi, lindo, com um smoking sofisticado e aquele cabelo bronze bagunçado, sorri involuntariamente. Artur Sebastian estava maravilhoso e cumprimentando todos ao seu redor.

Aos poucos fui tentando disfarçar meu encantamento adolescente pelo o homenageado da noite, mas isso mudou quando o garçom me entregou uma taça de champanhe e acenou para ele.

Meu Deus eu não estava acreditando.

Artur Sebastian Scott estava oferecendo uma taça de champanhe à plebeia e ainda brindou de longe comigo, sem tirar aquele sorriso torto dos lábios.

Quando percebi aqueles olhos verdes fixados aos meus, não consegui mais negar: Sempre fui completamente e irrevogavelmente apaixonada pelo meu *homem de ferro*.

Capítulo 2

Artur

Estacionei meu *Audi* na garagem de um dos prédios mais imponentes de Manhattan e desci para mais um dia de reuniões intermináveis, onde se ajustariam os acertos finais da minha campanha ao Senado.

Com apenas vinte e oito anos já era o político mais bem cotado para a Presidência nas próximas eleições. Também não era para menos, os Scott estão no comando há décadas, e isso passou de geração a geração.

Foi com a política que construímos o império que temos hoje, tudo administrado por aqui, a *Scotts Corporation*. Comandamos praticamente o país inteiro. Se não fosse nossa fortuna, os Estados

Unidos estaria em maus lençóis.

Comandamos tudo de cima, desde petróleo, indústrias químicas, fazendas, tudo com o brasão dos Scott.

Chegamos ao topo não por acaso, somos enérgicos e competentes no que nos propomos a fazer. Tudo que passa por nossas mãos se torna rentável. E com a política nunca foi diferente.

Subi até o último andar pelo meu elevador privativo e fui recebido por minha secretaria Natalie.

— Bom dia, Senhor Scott. O senhor McCartney já está a sua espera.

— Minha agenda de hoje, Natalie. — Estendi o braço e peguei o tablet de suas mãos. — Você já fez contato com aquele correligionário de Miami, Ethan?

Abri a porta de meu escritório.

— Bom dia para você também, Artur. E sim, ele já está por dentro das nossas exigências, inclusive estará na festa hoje. Podemos conversar sobre suas ideias e amanhã marcaremos um almoço para fecharmos o acordo.

— Ótimo! — Entreguei minha pasta à secretária. — Agora, vamos aos assuntos do dia.

— Ninguém fala de outra coisa a não ser no lançamento de sua candidatura hoje.

Olhei para Natalie que estava parada feito um dois de paus na minha frente.

— Mais alguma coisa, Srta. Jones?

— Não, senhor. — Ela saiu tropeçando em seus pés.

— Eu tenho pena de seus funcionários. — Olhei ironicamente para ele.

— Você é meu funcionário, Ethan.

— Mas acima de tudo sou seu melhor amigo, queridão.

— Vamos parar de besteira e ir para o que interessa. Como estão os preparativos para a festa?

— Sua mãe está empenhadíssima. — Sorri pela primeira vez no dia, vendo que a Senhora Scott estava feliz organizando mais uma de suas recepções.

Emma Scott era uma pessoa muito especial, não porque era minha mãe, mas por ser um ser humano único. Abandonou sua carreira promissora como atriz para se dedicar à família, minha educação e a carreira de meu pai. Não se arrependendo nem um minuto de ter abdicado e se tornado a primeira dama mais querida e exemplar de todos os tempos.

E é nessa tecla que ela bate diariamente comigo, dizendo que na profissão que escolhi, preciso de alguém forte ao meu lado, me dando apoio e principalmente me amando. Porém, ainda não tinha encontrado essa pessoa que me completasse. Eu sabia que era muito exigente em tudo em minha vida, não só no campo profissional, e por causa disso nunca tive relacionamentos longos.

Melissa foi uma das únicas que conseguiu me prender por mais de seis meses. Inteligente, divertida, linda e uma ótima companhia social. Porém quando me exigiu o tão esperado amor, eu não pude retribuir da mesma maneira, terminando nosso relacionamento para que não tivéssemos problemas futuros. Hoje somos amigos, pois nossas famílias, além de conhecidas de longa data, são parceiras políticas desde a época do meu avô Sebastian.

Tinha todas as mulheres que queria, por uma noite em uma suíte presidencial. Era tudo que elas desejavam. Lindo, rico, e famoso, entretanto elas nunca me interessavam por mais de um orgasmo e no final da noite voltava satisfeito e pronto novamente para retomar meus assuntos profissionais, que era apenas o que me interessava no momento.

— Vamos começar a nos mexer então, McCartney. Não tenho muito tempo hoje. Onde estão as papeladas para eu assinar?

— Já estão todas aqui esperando sua assinatura para mandar para o partido.

— Então, vamos logo com isso.

Sentei-me em frente a minha mesa começando a ler os papéis indicados por Ethan e assinando todos.

Já sozinho na minha sala, depois que meu assessor saiu com a papelada, me vi perdido e encantado, como todas as manhãs pelo artigo de Linda Stevens, a melhor colunista política da atualidade.

E segundo o currículo liberado pelo *New York Times*, jornal para que trabalha, essa jovem jornalista, contava apenas com vinte e dois anos, porém tinha uma inteligência e perspicácia única, dificilmente encontrada nos dias de hoje. Sabia de cor os detalhes de sua carreira curta, mas promissora.

Sorri, imaginando como fazia em todas as manhãs, o que encontraria por de trás daquela tela. Uma garota de vinte e dois anos, *nerd* com óculos fundo de garrafa e ainda com aparelhos nos dentes.

Sim. Era assim que eu imaginava Linda Stevens.

E essa era uma das minhas curiosidades primordiais, conhecer a tão famosa e inteligente jornalista. Como era da minha festa de lançamento da campanha ao Senado que seu artigo falava, quem sabe essa seria a oportunidade.

Depois de ler seu artigo, passei o resto do dia inteiro entre reuniões e assinaturas de projetos. No fim da tarde fui para meu triplex me arrumar.

Lá era meu refúgio, o lugar onde eu conseguia relaxar e respirar um pouco de normalidade. Saí da casa dos meus pais já há algum tempo, e o triplex, além de ser famoso apenas por ser meu, era um dos pontos mais comentados de Nova Iorque. Não por noites de farras ou qualquer coisa parecida, mas por ser a casa do solteiro mais cobiçado do mundo, e também um dos endereços mais caros da cidade e que quase ninguém conhecia. Ali poucas pessoas entravam e tinham acesso a minha intimidade, mulheres de uma noite então, nem pensar, eu tenho respeito a minha mãe e a Miranda. Ali entravam somente pessoas convidadas e de minha extrema confiança.

Chegando lá meu telefone tocou.

— Oi, mãe! Já estou em casa, não precisa me xingar. — Escutei-a sorrir tirando também um sorriso involuntário do meu rosto.

— Que bom que não vou precisar sair do salão e ir pessoalmente até seu apartamento te arrumar. — Revirei os olhos e como se adivinhasse, ela complementou:

— Não adianta revirar os olhos, Artur Scott. Vá para o banho e esteja a altura da festa que organizei.

— Estarei, mamãe. Até lá!

— Beijos, querido!

Desliguei o celular e fui direto para o quarto onde tomei meu banho calmamente.

Seria um dos dias mais importantes da minha vida política.

Minha candidatura ao Senado, mais um passo para o topo, onde eu queria chegar e não sair tão cedo.

Arrumei-me metodicamente colocando o melhor smoking. Saí e fui recepcionado pela limusine que já estava à minha espera junto com alguns dos seguranças, comandados por Jonathan.

Em menos de quinze minutos estávamos em frente a um dos mais luxuosos hotéis do mundo.

Desci sendo ovacionado por milhares de flashes em minha direção. Sorri e acenei para todos os lados entrando nos amplos salões do Hilton sendo escoltado por Jonathan e Tim, e assim que coloquei os pés no saguão do hotel, Ethan já estava vindo em minha direção.

— Pronto, futuro Senador? — Ele me estendeu a mão e apertei em sinal de nossa parceira de anos.

— Pronto! — Ethan fez um sinal para os organizadores do evento e as portas do grande salão foram abertas.

Todos no salão se levantaram e aplaudiram intensamente minha entrada. Cumprimentei algumas pessoas e fui até dona Emma que sorria orgulhosa ao lado de George, que era mais que um pai, era meu mentor e orientador, junto com meu avô que não estava mais entre nós.

— Filho, parabéns! Você merece toda essa receptividade. Sua campanha vai ser um sucesso. — Eu a abracei e beijei carinhosamente seus cabelos.

— Obrigado, mãe! Farei o possível para não decepcionar meus eleitores. Pai... — Ele apertou forte minha mão e sorriu vitorioso.

— Como eu gosto de ver. Imponente.

— Sempre, Governador. — Sorri para ele.

— Vamos! Temos algumas pessoas para angariar fundos.

— George — minha mãe chamou sua atenção.

— Emma, esse não é assunto seu, faça a sua parte que já está de bom tamanho. Até já, querida! — Ele beijou seus cabelos e saiu comigo recebendo do garçom duas taças de champanhe. A noite política ia começar.

Estava distraído com a conversa de meu pai com o famoso Deputado Nicholson quando meus olhos cruzaram com a mais bela escultura criada por Deus, se é que ele existe.

Uma dama de vermelho com os olhos de um intenso chocolate, e o sorriso mais sincero que já vi.

Estava completamente fascinado por aquela visão quando fui tirado abruptamente de meus pensamentos por meu pai.

— Artur, algum problema? — Olhou-me severo. Devo ter perdido algo importante da conversa.

— Claro que não, está tudo bem. Vocês me deem licença que preciso cumprimentar algumas pessoas.

— Fique a vontade, caro colega — o Deputado disse formal.

Fui até onde estava Ethan e o puxei para um canto.

— Algum problema, Artur?

— Preciso saber quem é aquela mulher. — Apontei-a para ele. — Nome, contato, procure tudo.

— Artur, nós estamos no meio de sua festa de candidatura, mas eu já a aviso para esperá-lo na suíte presidencial como sempre. — Bati em seu peito com tanta força lhe pressionando contra a parede que o deixei assustado, e por fim falei raivoso.

— Seu incompetente, eu lhe pedi para descobrir quem ela é. Não a compare com qualquer uma, McCartney. Essa mulher é especial. Porém o que tem dentro de suas calças não o deixa enxergar, não é? — Ethan continuava assustado, por nunca ter me visto tão raivoso, principalmente se tratando de uma mulher.

— Me desculpe, Artur. Eu pensei...

— Você não é pago para pensar e sim para obedecer minhas ordens. Mas, tudo bem — fechei os olhos em vinco, mostrando toda minha irritação ali —, eu mesmo descubro.

Chamei o garçom e pedi que ele oferecesse uma taça de champanhe para a mais linda dama da noite em meu nome.

Observei atentamente os seus movimentos e quando ele lhe serviu acenando para minha direção, cumprimentei-a erguendo minha taça. E de longe observei a cena mais graciosa. Eu a vi corar.

Uma linda princesa tímida. Pensei antes de ser interrompido por Ethan, aumentando ainda mais a ira que sentia por ele naquele momento. Como ele poderia compará-la com qualquer uma?

— Espero que seja importante — disse sem tirar os olhos dela.

— Seu pai quer que você converse com o correligionário de Miami. — Virei-me um segundo tirando os olhos da minha princesa, porém quando voltei meu olhar ela não estava mais.

— Fale para ele que eu já vou. Antes preciso resolver uma coisa. — Sorri olhando para a sacada a vendo recostada no pilar. — Cerque aquela sacada com alguns seguranças. Não quero ser interrompido. — Saí em direção a ela sem olhar para trás.

— Mas, Artur?

— Você é pago para obedecer e não me questionar, Ethan.

Segui em direção à sacada, e a vi encantadoramente distraída, levando sua taça de champanhe à boca, e aquilo me deixou mais alucinado.

Aproximei-me devagar e aspirei seu perfume, morangos silvestres. Minha dama de vermelho tinha o mais apetitoso cheiro.

— O que uma dama tão bela faz sozinha nessa sacada? — Senti seu corpo endurecer quando ouviu minha voz, porém doce e maliciosamente me respondeu.

— Apenas apreciando a taça de champanhe oferecida pelo anfitrião. — Foi então que ela se virou e pude ver seu lindo rosto de perto sorrindo e retribuindo meu brinde feito há pouco.

Sua pele branca contrastava com os olhos castanhos, de um chocolate intenso, fechava perfeitamente a moldura de seu rosto, com lábios carnudos em um batom vermelho.

— Então, façamos um brinde senhorita...

— Stevens. Linda Marilyn Stevens.

— Linda. — Sorri sabendo de quem se tratava. E ainda mais encantado por estar a tornando real em minha vida sem os óculos e os aparelhos.

Meu Deus ela fazia jus ao nome, que em espanhol traduzia-se em bela, magnífica, maravilhosa.

— Sim. O Senhor me conhece?

— Eu quis dizer — sorri me aproximando mais —, você é linda, Senhorita Stevens. Porém, é um prazer enorme saber que a linda dama de vermelho, também é a inteligente jornalista política de um dos jornais mais importantes do país. — Seu rosto ficou surpreso e não pude deixar de sorrir quando ela baixou levemente a cabeça e corou novamente. — A senhorita fica ainda mais linda quando cora — disse levantando seu pequeno queixo com a ponta do meu dedo. E nesse momento, com apenas aquele pequeno toque senti meu corpo pegar fogo.

Um fogo que me consumia desde a hora que coloquei os olhos em cima dela. Um fogo que parecia ser recíproco, pois seus olhos agora vidrados nos meus, me diziam a mesma coisa.

— Então, dispensamos as apresentações, Deputado. — Sorri mais uma vez com sua leveza.

— Digamos que formalmente sim, pois temos muitas coisas ainda para apresentar um ao outro. — Corou mais uma vez, me deixando cada vez mais encantado.

— Parabéns pelo evento! Está esplendido. E pela candidatura também. Tenho certeza que sua campanha será mais uma vez inteligente e perspicaz como todas da sua família até hoje. — Sorriu iluminando toda a sacada, na verdade iluminando minha vida.

— Um elogio junto com uma crítica construtiva vindos de quem entende do assunto me deixa muito confiante.

— O senhor não precisa de elogios e muito menos de críticas, sabe muito bem o que faz. Sabe muito bem até onde ir. — Essa conversa estava mesmo sendo sobre meus meios de dirigir na política ou estávamos partindo para onde eu queria?

— Fico feliz pelo depósito de sua confiança em mim. Pois além de crítica política também é uma eleitora. — Ela sorriu novamente.

— Sim. E com certeza já tenho minha opinião formada há muito tempo. — Cada vez mais enigmática.

— Então, vamos dizer que conhece meu trabalho a fundo, senhorita? — Fiquei curioso.

— Desde sempre. A família Scott tem uma história fascinante para todos que se interessam por política. — Tínhamos então algo em comum, pois também conhecia sua curta, mas meteórica carreira como a palma da minha mão.

— Creio então que teremos muito que conversar, Senhorita Stevens?

— Creio que sim, Deputado. — Atentado à forma que a palavra deputado saía de sua boca, não percebi que não estávamos mais sozinhos na sacada. E mais uma vez quis matar Ethan.

— Com licença. Desculpem atrapalhar, mas seu pai está impaciente à sua espera, Deputado. — Ele disse praticamente em um sussurro sem chegar muito perto, pois sabia que isso poderia ser a causa de sua morte. O jogaria da sacada facilmente nesse momento.

— Me dê cinco minutos, Ethan. Já converso com ele. — O fuzilei com o olhar e ele saiu praticamente na mesma hora. — Me desculpe, Senhorita Stevens. Mas terei que me ausentar.

— Estamos em sua festa, Deputado. Nada mais cordial que recepcione seus convidados, principalmente quando se tratam de correligionários e apoios políticos. — Sua inteligência e perspicácia ao falar sobre política era o que mais me fascinava nela.

— Ainda temos muito que conversar, Linda Marilyn. Não me escapará tão fácil.

— Eu não quero, Senhor Scott — ela disse com o rosto praticamente colado em mim. — Meu cartão. Estarei à sua inteira disposição.

— Lembrarei disso. — Peguei sua mão e levei até minha boca depositando um beijo casto, porém quente. — Foi um prazer, linda dama de vermelho. — Sorrimos juntos sem tirarmos os olhos um do outro.

— O prazer foi todo meu, nobre Deputado!

Eu tinha que sair dali o quanto antes, pois mais dois minutos ao seu lado, cometeria a maior loucura da minha vida.

Essa mulher tinha mexido completamente com meus sentidos.

Ela tinha despertado algo em mim ainda desconhecido, mas que eu iria descobrir.

Aquele corpo pequeno em formas perfeitas, distribuído muito bem em um vestido vermelho sangue, me alucinaram. Porém, quando me deparei com seus olhos do mais vivo chocolate, concluí...

Ela seria minha e de mais ninguém.

Capítulo 3

Linda

Estava em estado de choque, ainda parada na mesma posição que ele havia me deixado.
Anestesiada seria a palavra certa.
Meu sonho de praticamente todas as noites, meu amor platônico, havia acabado de falar comigo.
Não, isso só poderia ter sido um sonho, eu precisava sair daquele lugar, precisava da minha casa, da minha cama. Era muita emoção para uma mesma noite.
Artur Sebastian Scott sempre foi a parte mais envolvente e intrigante da minha pesquisa sobre a Família Scott. Na época, Mary enchia-me todos os dias, por eu não parar de falar nele um minuto sequer.

E em sua festa, no seu templo, onde ele tinha o poder. Foi pra mim que ele olhou. Foi a mim que ele ofereceu uma taça de champanhe. Foi atrás de mim que ele foi naquela sacada.

Ele me conhecia...

Como eu o conhecia...

Conhecia profundamente meu trabalho... Eu só poderia estar ficando maluca, ele devia fazer isso com todas e eu era apenas mais uma delas, que se derreteu aos encantos *do homem de ferro*, apelido dado por mim e Mary na época da faculdade, por causa de seu espírito autoritário, prepotente e poderoso de ser.

Procurei-a em meio às pessoas do salão e a encontrei conversando com Jared Walker, o seu amor platônico e assessor de imprensa de Artur.

— Com licença, Mary. Eu posso falar com você um minuto? — Puxei-a para o lado, que me olhou assustada.

— Linda, o que foi, você está pálida?

— Eu estou indo, a gente se fala amanhã no jornal.

— Você está gelada. O que aconteceu amiga? Eu vou com você. — Ela pegou em minha mão que estava trêmula. — Amiga, fala comigo.

— Eu preciso ir, Mary.

— Só um minuto que nós vamos juntas, nunca deixaria você sair nesse estado. Deixe só pegar o contato de Jared. Acho que dessa vez nossa entrevista com o *homem de ferro* sai. — Ela não imaginava que a entrevista seria pequena perto do que estava para lhe contar. — Pronto, vamos.

Saí da festa sem ao menos olhar para trás. Eram tantos sentimentos controversos em meu coração que não saberia nem por onde começar a contar à Mary.

Ela me puxou literalmente para a limusine e não me perguntou nada até chegarmos ao meu apartamento.

E quando cheguei em casa, respirando seu cheirinho gostoso — não algo especial, mas o perfume de aconchego e amor — me senti novamente em paz.

Por anos desejei internamente que ele me olhasse, e hoje depois de tudo que me aconteceu não sabia como lidar com esses sentimentos tão conturbados dentro do meu peito.

— Podemos conversar agora.

Estávamos sentadas de pijama já em minha cama, como na época da faculdade. E é claro que no meu estado, Mary não me deixaria nunca sozinha.

— Mary, o que você me diria se eu te contasse que Artur Sebastian Scott, nosso *homem de ferro*, me mandou uma taça de champanhe, brindou comigo de longe sorrindo linda e tortamente, e ainda por cima foi atrás de mim na sacada do salão?

Mary estava em choque como eu fiquei, mas depois começou a rir.

— Amiga, eu diria que isso foi predestinado.

— O quê? Você ficou louca, eu estou aqui me descabelando e você vem me falar em destino, Mary?

— Amiga, sempre te disse que você entraria no castelo pela porta da frente.

— E eu nunca acreditei. — Revirei os olhos tentando não pensar na ilusão que estava se formando na minha cabeça.

— Mas vamos ser práticas, o que ele te disse?

— Que também me conhecia por conta da minha coluna no jornal...

Respirei fundo e relatei tudo o que tinha acontecido enquanto estávamos juntos e por fim, suspirei me jogando na cama.

— Predestinados. — Ela também suspirou e deitou-se ao meu lado.

— Mary — a repreendi, pois estava ficando mais nervosa.

— Linda, presta atenção... O que você sente por ele nunca foi normal, e eu sempre te disse que uma hora ou outra algo iria acontecer. Está aí. — Ela bateu as mãos uma na outra como se fosse a coisa mais perfeita do mundo.

— Mary, estamos falando dele — respirei fundo — do *homem de ferro*.

— Que vai se abrir e mostrar que tem um coração.

— Vamos dormir que amanhã nosso dia será longo, e ainda teremos que montar e redigir o texto sobre a festa de hoje.

— E eu vou ter que observar atentamente para que você não coloque uns corações no meio do texto. — Ela riu deixando-me mais nervosa.

— Boa noite, Mary! Não quero mais falar sobre esse assunto. — Bufei virando-me de costas para ela.

— Não adianta fugir, Lindinha. Que o destino vem atrás de você da mesma maneira.

Rolei de lado para outro a noite inteira, ainda tentando raciocinar sobre o que havia me acontecido naquela noite, e em como eu havia sonhado com esse dia...

— Vamos, Mary. Estamos atrasadas para a convenção.

— Calma Lindinha! Que pressa é essa? É apenas uma convenção política — ela pausou —, ou tem algo aí que não estou sabendo?

— Claro que não, amiga. Eu só não quero perder o início da palestra. — Tentei disfarçar.

— A palestra com aquele gato que se intitula Deputado. — Mary se abanou. — Artur Scott é um deus grego, amiga.

— Eu sei — suspirei cansada.

— Você está me escondendo algo, eu sei.

— Depois, Mary. Agora eu quero chegar logo até o auditório.

Puxei minha amiga pelo braço, e quando adentramos o local Artur já estava em cima do palco, pronto para seu discurso. Parei ainda na porta começando a sentir todo o meu corpo gelar, mesmo estando a metros de distância.

Sempre havia sido assim, desde a primeira vez.

Ele era lindo.

Duro.

Frio.

Principalmente, enigmático. E focado em seu único objetivo: a política.

— Você é apaixonada por ele, Linda. — Mary confirmava, enquanto me puxava para as poltronas.

Apenas suspirei novamente jogando-me na cadeira.

— E você sonha com ele todas as noites, desde então?

— Sim, Mary — suspirei, deitando-me com ela em minha cama do nosso dormitório da fraternidade, logo depois do discurso de Artur na conferência.
— Você escolheu jornalismo com ênfase em política por ele?
— Não... Quer dizer, também. — Levantei, fui até uma gaveta e tirei dali meu maior tesouro. — Olhe. — Mostrei a pasta para minha melhor amiga. — Sou fascinada por política desde cedo, por influência dos meus pais e por morar na capital do país, na verdade acho que herdei esse fascínio de Sal.
Dei de ombros sentando-me novamente, — Porém...
— Porém? — Mary não tirava os olhos da minha pasta que continha fotos de Artur Sebastian Scott desde sempre, e principalmente um apanhado geral da sua família contido ali.
— Eles me fascinam, Mary. Quer dizer. A política Scott me fascina e Artur... — suspirei mais uma vez.
— Ele será a chave principal desse quebra cabeça montado em sua mente e em seu coração. — Balancei a cabeça. — Não discuta comigo, pois sabe do que eu sou capaz.
Sorri lembrando-me de quando nos conhecemos. Ela tinha certeza, mesmo antes de colocar os olhos em cima de mim, que seríamos melhores amigas para sempre.
— Mary, sou apenas Linda Marilyn Stevens...
— Eu sei — ela sorriu e me abraçou —, mas ainda vai entrar pela porta da frente nesse lindo castelo Scott.

Suspirei cansada e quando vi o dia já havia clareado, e a impressão que tinha é que havia passado um caminhão em cima de mim. Porém resolvi me levantar, tomar um banho e me arrumar, pois o dia seria longo.
— Você pulou da cama hoje? — Mary disse sentando-se na cama e coçando os olhos. — Só pode ser feitiço do Deputado.
— Pare de frescura e vá se arrumar. Quero chegar mais cedo no jornal hoje.
— Sim, senhora!
Descemos cumprimentando Angelita, nossa empregada que

estava conosco desde a época da faculdade. E que se revezava agora entre o meu apartamento e o apartamento de Mary.

— Bom dia, meninas! Dormiu aqui, Mary? Aconteceu alguma coisa? Sempre zelosa.

— Problemas do coração, Angelita. — Minha amiga da onça bateu os cílios, fazendo nossa empregada rir.

— Vamos logo com isso que quero chegar mais cedo, Mary.

— Hoje é você quem me apressa. Meu Deus! Isso só pode ser amor mesmo.

— Cale a boca.

Engoli meu café preto, o único que conseguiu descer garganta abaixo e nos despedimos de Angelita.

Fomos no carro de Mary, e o caminho foi feito em silêncio. Ela sabia a hora de parar, e principalmente quando eu estava nervosa. Assim que chegamos ao jornal, Laila veio ao nosso encontro com um sorriso de orelha a orelha. O que será que tinha acontecido, meu Deus?

— *O amor resolveu bater a porta do jornal também?*

— Se o amor resolveu bater a porta do jornal não sei, Linda. Mas que ele bateu na porta da sua sala... — ela sorriu a indicando e eu congelei sendo puxada por Mary.

— Pensei alto de novo, não foi? — Mary segurou meu braço e fomos em direção a minha sala.

— Tome cuidado com o que pensa a partir de agora, amiga. Pois...

Ela parou de falar no instante que adentrou o escritório, e para deixar Mary sem fala teria que ser algo meio... impossível.

— Oh, meu Deus! — foi só o que eu consegui dizer.

Minha sala estava coberta de rosas vermelhas, e ao centro da mesa um envelope vermelho.

— *Que deveria ser o cartão... Com o destinatário?*

— Como se você não soubesse quem foi.

— Mary! — resmunguei pegando o cartão em minhas mãos que tremiam muito. E me xingando por ter pensado alto mais uma vez.

— Quem foi eu não sei, Linda. Mas que está literalmente disposto a te conquistar... — foi à vez de Laila suspirar.

— Estou dizendo isso para ela desde ontem.

— Será que daria para as duas fecharem as matracas. — Abri o envelope me deparando com sua caligrafia pessoal.

Senhorita Stevens.
Como já deve saber não sou um homem de muitos rodeios, e não faltei com a verdade quando disse ontem que teríamos muito ainda que conversar. Na verdade, não costumo mentir, principalmente se estou falando de algo que quero.
E nesse momento o que eu mais desejo é um jantar...
Apenas eu e você, sem amarras ou protocolos.
Te pego oito horas em seu apartamento. E não se preocupe, sendo Artur Scott descubro facilmente onde mora.
A única coisa que peço é para que esteja tão linda quanto ontem.
Atenciosamente,
Deputado Artur Scott

— Meu Deus! Arthur Scott? — saí do transe com o grito de Laila e logo percebi que havia lido o cartão em voz alta.

Mas graças a Deus, Mary estava mais lúcida que eu, e respondeu sua pergunta prontamente.

— Sim, Laila. Artur Scott, mas ninguém precisa saber disso, embora não esteja acontecendo nada, não é amiga? — Estava em choque ainda com o que tinha acabado de ler e levei um cutucão de leve.

— É.

— Meninas, não precisam se preocupar, sou eu *Lay*, não vou falar nada, e o que precisarem de mim é só pedir. Descrição é o meu nome.

— Obrigada, *Lay!* Mas agora pegue uma água com açúcar para Linda, por favor.

— Pode deixar.

Ela saiu da sala ao mesmo tempo em que saí do meu transe e comecei a andar de um lado para o outro.

— Isso não é real, ele não pode ter me mandado flores e me convidado para jantar.

— Por que, não? — Mary me observava calmamente com sua cabeça encostada na mão, enquanto eu surtava.

— Mary, é o *homem de ferro*, lembra? Destemido e sem coração.
— Porque ainda não havia encontrado alguém que mexesse com ele. — Deu de ombros.
— Eu? Mexer com Artur Sebastian Scott. Mary, olhe para mim. — Apontei desesperada para meu corpo.
— Estou olhando. Uma linda e inteligente mulher, que acabou de ser presenteada com uma sala cheia de flores.
— Eu não vou. Ligo para a secretária dele desmarcando.
— Você conhece sua biografia melhor do que eu, e sabe que Artur Scott não aceitará um não como resposta. Agora pare de chilique que ainda temos um artigo para fazer. Um vestido para comprar, e uma mulher para produzir. — Ela se levantou animada, enquanto eu sentava praticamente chorando.
— Eu não vou conseguir. — Coloquei meu rosto entre as mãos.
— Vai sim, e vai realizar seu maior sonho. E o pior que pode acontecer é você descobrir que ele é insuportável...
— Isso eu já sei. — Revirei os olhos.
— Prepotente...
— Isso eu também já sei. — Balancei a cabeça e me levantei arrumando o cabelo.
— E inteiramente gostoso.
— Com certeza — gemi.
— Então, vamos trabalhar porque o Victor não gosta de esperar, e depois vamos produzir a boneca.
— Que Deus me dê a coragem que necessito... Amém.

Mary riu fazendo-me rir com ela, e assim começamos a trabalhar.

As horas passaram-se rápidas, ficamos envolvidas com o artigo sobre a festa de lançamento da sua candidatura, e isso não estava me ajudando nenhum pouco. Se Mary não estivesse ao meu lado, com certeza eu faria o tal coraçãozinho no papel. Mas graças a Deus, o dia passou muito rápido, entregamos os artigos para Victor antes de sairmos em direção ao shopping, onde eu pude escolher um lindo vestido *Gucci*, completando o look com sapatos *Christian Louboutin*...

Mary preparou a banheira com sais e óleos relaxantes assim que cheguei em casa, e depois de meia hora emergida naquela deliciosa água, saí de lá, decidida.

Eu estava pronta para o jantar com o tão temido *homem de ferro*. Aquele que dominava meus pensamentos, me deixando completamente fascinada por seu jeito totalmente sedutor de ser.

O porteiro o anunciou, e me despedi de Mary, descendo.

Encontrei Artur como um Adônis esculpido, recostado em um dos seus carros esportivos, feitos especialmente para ele, um *Lamborghini Aventadore*, sorrindo linda e tortamente para mim. Não resisti sorrindo de volta quando nossos olhos se cruzaram.

Capítulo 4

Artur

Aquela mulher havia me fascinado desde o momento em que coloquei os olhos nela.

E saber que minha linda dama de vermelho era nada menos que Linda Stevens, a jornalista que me encantava todas as manhãs, fazia-me querer descobrir mais da sua vida, conversar sobre política, que pelo que já tinha percebido ela entendia muito bem, principalmente a da minha família, seus gostos, opiniões... Enfim, a queria por inteiro.

Sentia que Linda Marilyn ainda me surpreenderia muito. Foi procurando sua fisionomia durante o resto da noite, depois que Ethan nos atrapalhou, que terminei meus compromissos na festa e fui para casa, sem tirá-la da minha cabeça.

Isso nunca havia me acontecido, porém eu a teria novamente ao meu lado e seria em breve.

— Quero o endereço de Linda Marilyn em minha mesa até a hora do almoço, McCartney.

— Artur, você tem certeza disso? Quer dizer... — já estava irritado com ele desde o jantar, mais nada tiraria meus planos de prática.

— Eu sempre tenho certeza do que estou fazendo, Ethan. E encomende flores, as mande com esse cartão para a sala dela no *New York Times*.

— Tudo bem, mas não seria mais fácil marcar com essa jornalista na suíte presidencial, como faz sempre? — ele sorriu malicioso. — Ela é bem gostosa deve ser boa de...

— Não termine seu comentário se não quiser perder seu emprego — esbravejei. — Já disse para não compará-la com as que você come por aí. E não deveria nem estar discutindo isso. Cumpra minhas ordens de bico fechado, se não quiser ir para o olho da rua. Fui claro?

— Sim, Deputado. — Pegou o cartão. — Até a hora do almoço o endereço estará em cima de sua mesa, e as flores serão encomendadas agora.

— Ótimo!

Virei para a janela não conseguindo mais olhar para o rosto de Ethan, que já tinha me irritado ao extremo. Mas hoje nada estragaria meu humor, pois teria mais tempo para conhecer a deusa que havia me encantado por inteiro, e ocupado todos os meus pensamentos.

Sorri em meio a uma reunião lembrando-me do cartão enviado junto com as flores. Queria vê-la tão linda e perfeita como no jantar.

Minha Linda...

Sim, minha, pois desde que coloquei os olhos em seu corpo eu sabia que era ela.

Meu dia passou rápido, com um almoço com o famoso correligionário de Miami, junto com muitas decisões e papeladas para assinar.

Fui para casa mais cedo do que de costume assustando até Miranda, minha governanta, que cuidava do triplex e das minhas coisas com um carinho de mãe. Na verdade ela e Emma eram as únicas pessoas que tinham o dom de me fazer sorrir. Até festa de lançamento, é claro.

Tomei um banho relaxante, depois de um dia duro de trabalho e saí. Iria dirigir, não teria lógica usar o motorista para levá-la para um jantar. Eu disse no cartão que seriamos apenas nós dois, e era isso que a iria proporcionar.

Pedi para reservassem um dos restaurantes mais caros de Nova Iorque, o meu predileto também. Por sempre respeitar e preservar as informações sobre seus frequentadores, e era isso que eu queria ao lado de Linda Marilyn, uma noite tranquila para apenas conversarmos e nos conhecermos melhor.

Escolhi meu *Lamborghini Aventador*, feito sob encomenda para mim, depois de ter conversado com os seguranças que iriam em um carro logo atrás do meu.

Chegando ao seu prédio reparei que minha deusa também tinha muito bom gosto. O edifício ficava em Manhattan e era um dos mais bonitos.

Pedi para ser anunciado e em menos de dez minutos ela desceu maravilhosa em um vestido tentador curto, justo, porém sofisticado. Seus cabelos soltos e lisos balançavam com o vento tranquilo das noites de verão de Nova Iorque

Sorri involuntariamente ao vê-la tão magnífica, vindo em minha direção, e quando nossos olhos se cruzaram, Linda sorriu também.

— Definitivamente perfeita. — Estendi meu braço pegando em sua mão gélida e a beijei carinhosamente. — Boa noite, Linda Marilyn!

— Boa noite, Deputado! À altura?

Uma das maiores qualidades de uma mulher com certeza era seu senso de humor. E nesse momento ela me perguntava do vestido.

— Como eu já disse, perfeita.

Nossos olhos se cruzaram e ali eu pude ver que o fogo nos consumia mutuamente. Então resolvi que era hora de irmos, antes que eu desistisse de tudo e a agarrasse ali mesmo. Pois estava lutando e brigando tanto com Ethan, por Linda não ser qualquer uma que não poderia fraquejar agora. Eu queria conhecê-la, e era isso que iria fazer.

— Vamos! — Abri educadamente a porta do carro dando sinal para os seguranças.

— Obrigada! — Ela se acomodou no banco do passageiro, enquanto eu dava a volta e me sentava ao seu lado, ligando o carro. — Seguranças?

— Sempre. Na verdade é um hábito que nos adaptamos a ter — Linda sorriu.

— Eu entendo. Um homem público tem que se precaver de todas as maneiras.

— Exatamente. — Dirigi pelas ruas de Nova Iorque, porém prestando apenas a atenção nas curvas do seu corpo, no perfume e em como essa mulher mexia tanto comigo. Mas logo me dispersei, pois havíamos chegado ao restaurante e entrei pela sua garagem subterrânea.

— Maravilhoso! — Linda estava encantada com o lugar escolhido.

— Que bom que gostou.

— Esse é um dos lugares mais lindos da cidade. E a vista... — Ela então conhecia. Linda Marilyn definitivamente havia nascido para estar ao meu lado.

— Então você vai amar nossa mesa. — Ela sorriu animada.

Fomos levados até lá, e minha princesa continuou sorrindo, enquanto eu pedia nossas bebidas.

— Me conte de você, Linda Marilyn. Quero saber um pouco mais sobre sua vida. — Tentei não transparecer minha curiosidade já de algum tempo.

— Sou de Washington, capital. Nasci e cresci lá, vindo para Nova Iorque na época da faculdade.

— Interessante. Morei lá alguns anos, quando meu avô foi presidente. — Ela ergueu sua taça me olhando intensamente.

— Eu sei. Sua família sempre foi a mais querida no Pentágono.

— Pentágono?

— Sim, meu pai... — Sorri ligando o nome ao sobrenome. É claro, ela era filha de Sal Stevens, um dos mais temidos e respeitados chefes de segurança do Pentágono.

— Seu pai é um excelente profissional.

— Sim, ele é. — Linda sorriu orgulhosa, para logo em seguida me olhar com curiosidade. — Você conhece meu pai?

— É claro que sim, o chefe mais respeitado do Pentágono até hoje na história, como não conhecer? — Ela sorriu mais uma vez.

— Ele é ótimo no que faz.

— Tenho que concordar com você. — Linda corou sabendo muito bem que nesse momento eu me referia a ela.

— Sua família também é muito especial para a política americana, quer dizer mundial.

— Tenho que concordar novamente. Os Scott estão no poder a muito tempo e sempre tiveram um papel importante na sociedade americana.

— Eu me encantei com a Política Scott desde muito cedo. Mas na época da faculdade ela se intensificou, tornando-se minha bibliografia favorita.

— Então estamos diante de uma apreciadora da minha família? — indaguei enquanto nossos pratos chegavam.

— Digamos que mais que isso — ela mordeu os lábios me deixando alucinado com aquele gesto —, eu sou uma pesquisadora assídua dessa história, e por isso transformei minha tese em um dossiê.

Estava completamente aturdido com o que acabara de ouvir. Mas ela ainda prosseguiu:

— Seu avô fez um trabalho maravilhoso por todo o país, e pela economia do mundo. O autoritarismo que exerce, mostrou ao mundo quem mandava e quem obedecia. Seu pai governou como ninguém os Estados de Washington e você, desde muito novo, aprendeu que com pulso firme e o respeito que só os Scott possuem, poderia conseguir tudo o que desejava. É claro, nunca passando por cima de ninguém por isso, e usando da mais clara honestidade em todos seus projetos.

Ela parou bebendo mais vinho, deixando-me praticamente boquiaberto por sua astúcia em saber avaliar minha família na política.

Linda me surpreendia por cada palavra saída de sua boca. Nunca a imaginaria mais perfeita...

Sorri sem deixá-la perceber o encantamento extremo que estava sentindo naquele momento.

— Parabéns! Você fez um ótimo trabalho e gostaria muito de lê-

lo. — Ela sorriu.
— Com muito prazer! Mando para o seu escritório.
— Acho que não será preciso. — Agora foi minha vez de levantar minha taça de vinho aos lábios a olhando intensamente. — Então, aceitar meu convite foi um modo educado de querer conhecer um pouco mais, na prática, sua teoria estudada há anos, senhorita Stevens?
— Não diria nesses termos, Deputado. — Tão formal e ao mesmo tempo sedutora. Essa mulher seria minha ruína.
— Poderia ser também um pleito para uma entrevista? — seu semblante ficou sério. Porém logo relaxou novamente.
Sim, eu estava a testando.
— Não. Eu não costumo misturar minha vida profissional com a pessoal, Deputado.
— Quer dizer que faço parte de sua vida pessoal, Linda Marilyn? — Toquei sua mão que estava em cima da mesa.
— Se estamos jantando nesse exato momento, sim, Artur Sebastian. Você faz parte da minha vida pessoal.
E nesse momento, quando meu nome saiu de sua boca pela primeira vez tive a certeza que a queria ao meu lado para sempre.
Não poderia ter feito escolha melhor.
Linda era inteligente, sedutora, conhecedora assídua da história de minha família e acima de tudo linda. Sorri do trocadilho. A mais linda de todas.
O jantar havia se encerrado naquele momento.
— Posso pedir a conta? — Ainda tocava sua mão.
— Você sabe que sim. — Ela sorriu tomando mais um gole de seu vinho, o que me deu a brecha que precisava no momento.
Eu a queria e sabia que esse era um sentimento recíproco, então quando estávamos chegando ao estacionamento a prensei em meu carro, deixando o desejo que eu tinha reprimido falar mais alto.
Beijei-a intensamente, pedindo passagem com minha língua em sua boca, enquanto com meu joelho no meio de suas pernas pedia sutilmente para ela ser apenas minha.

Capítulo 5

Linda

Não sabia exatamente que sentimentos pairavam no meu coração naquele exato momento.

Estava sendo tomada por Artur Sebastian Scott, o meu *homem de ferro*, no capô de seu carro esportivo, e ainda não conseguia acreditar que isso estava acontecendo comigo.

Sempre sonhei com seus beijos e com sua pegada brusca em meu corpo, porém a realidade era muito melhor. Esse beijo estava definitivamente me levando à loucura.

Que homem era aquele que me desmanchava apenas com um olhar, me desmoronava com seu sorriso e me encharcava com seus toques nada sutis?

A sensação de tê-lo praticamente dentro de mim era indescritível.

Artur tinha suas mãos serpenteando meu corpo e segurando minha nuca, enquanto sua boca devorava a minha, que nas horas vagas beijava também meu colo.

— O meu desejo é de tê-la aqui mesmo em cima desse esportivo, Linda Marilyn. Porém, teremos muito tempo para aproveitá-lo ainda. — ele estava bem próximo à minha boca, me deixando completamente sem fôlego, se isso ainda fosse possível. — Quero experimentar você hoje, Senhorita Stevens. — Artur nos desencaixou, me segurando para que eu não caísse no chão.

Conduziu-me até a porta do passageiro, e antes que eu entrasse, prensou-me novamente, agora por trás e pude sentir sua grande ereção em minha bunda. Esse homem seria minha perdição. Mas sem pensar duas vezes, pois pensar se tornava totalmente impossível ao seu lado.

— Vamos para o meu apartamento — raciocinei rapidamente.

Ele sorriu maliciosamente e ligou o carro nos levando até lá.

Tenho certeza que esse amasso no capô do *Lamborghini* deixaria marcas por semanas em minha pele branca, e só de pensar que esse estava sendo apenas o começo da nossa noite, minha excitação crescia ainda mais. Sem contar a lembrança daquela enorme ereção na minha bunda. Com certeza essa seria uma das noites mais importantes da minha vida.

Durante o trajeto até meu apartamento, um silêncio absoluto se instalou, sendo quebrado apenas por seu sorriso presunçoso. Comecei a pensar em toda a minha vida e cheguei a uma única conclusão: Mesmo inconscientemente sempre esperei por Artur Sebastian, e vendo-o tão perto e tão entregue, sabia que havia valido a pena.

Essa noite teria que ser com ele.

Sorri realizada.

— Chegamos — fui tirada dos meus pensamentos com sua voz rouca e aveludada dizendo que já estávamos em frente ao meu prédio.

— Vamos entrar pela garagem, é mais seguro — indiquei o caminho, observando seu sorriso de satisfação.

Conhecia muito bem como a mídia sensacionalista funcionava, mesmo fazendo parte do jornalismo político. E apesar de sempre ter sido um político exemplar, qualquer escândalo perto de uma eleição poderia mudar completamente o foco. E isso com certeza não era o que o futuro Senador Artur Scott queria.

Ele estacionou ao lado do meu carro. Desci depois que cavalheiramente abriu a porta do passageiro, me dando passagem. Não antes de me prensar contra a lataria novamente e morder saborosamente meu ombro.

Subimos no mesmo silêncio de dentro do carro, e também com aquele sorriso presunçoso que ainda não havia saído de seus lábios, me deixando completamente molhada.

Chegamos ao meu andar e caminhamos em direção à porta do apartamento. Estávamos um ao lado do outro, separados por uma curta distância que chegava até a machucar. Abri a porta e dei passagem para que ele entrasse primeiro.

— Belo apartamento! Você tem muito bom gosto, Linda Marilyn — Artur olhou-me intensamente e pude ver que não era do apartamento que conversaríamos naquele momento.

Ainda sentia-me anestesiada com tudo acontecendo tão rápido.

Nem em meus mais lindos sonhos imaginaria Artur Sebastian em minha sala, tocando em meus objetos, louco por mim. Só por mim.

Oh, meu Deus!

Respirei fundo e encontrei minha voz perdida em meio a tantos sentimentos confusos.

— Obrigada! — Quase engasguei me perdendo naqueles olhos verdes e tentadores — Você quer beber alguma coisa? — Virei indo para o bar e pude senti-lo perto demais por sua respiração em meu pescoço.

— Só se for algo que possa ser degustado em cima do seu corpo inteiramente nu.

Minhas pernas perderam completamente as forças e fui segurada por aquelas mãos másculas, que me viraram ao mesmo tempo em que sua boca me invadia. Entrelacei as pernas em sua cintura e o puxei para mais perto, enroscando meus dedos em seus cabelos bagunçados.

— Vamos para o quarto — sussurrou seu hálito perto da minha boca, que voltou a ser devorada enquanto eu indicava o caminho ainda em seu colo.

Chegando ao meu quarto, Artur praticamente me jogou na cama fazendo com que meu corpo quicasse algumas vezes sob o colchão. Mas ao invés de me tomar por inteira, ele apenas me observou da ponta da cama. Isso estava muito longe do que eu queria. Precisava sentir seu peso sobre meu corpo, precisava sentir seu cheiro se aprofundando em minhas narinas, precisava senti-lo inteiramente dentro de mim. Porém quando fiz a menção de levantar e puxá-lo, ele me parou.

— Deixe-me a observar, quero sentir cada pedaço seu — dizendo isso ele foi se aproximando da cama como um leão. — Deixe-me senti-la arrepiar ao meu toque. — Artur tocou minha panturrilha e foi subindo apenas com as pontas dos dedos até o interior da minha coxa. Deixando um rastro de fogo por onde estava passando.

— Você quer me torturar — gemi fazendo-o rir.

— Não, Linda Marilyn. Quero apenas lhe dar prazer.

— Linda — resmunguei. — Apenas, Linda.

— Linda. Não poderia ter nome mais condizente a uma pessoa.

Ele deitou seu corpo sobre o meu e me beijou, deixando suas mãos trabalharem rápido na retirada do meu vestido, sobrando apenas a calcinha e o sutiã.

— Muita roupa, Deputado. — Ele sorriu e deixou que minhas mãos também fizessem o trabalho de tirar suas roupas, o deixando apenas de boxer.

— Perfeitamente linda, como eu imaginei.

Como eu gostaria de dizer o mesmo e ainda complementar. Perfeito como sempre sonhei. Artur retirou o que restava das minhas roupas, e pela primeira vez fiquei completamente exposta para ele.

Sem pensar duas vezes se apossou dos meus seios causando-me sensações completamente alucinantes. Enquanto sua boca chupava e lambia meu seio direito, sua mão tratava de massagear o outro com leves beliscos e mordidas. Eu estava completamente extasiada com seus toques e precisava de mais. Rebolei meu quadril em sua direção o fazendo sussurrar sensualmente em meu ouvido.

— Eu vou te dar o que está querendo, meu amor. Porém, deixe-me te degustar como um vinho saboroso. — Ouvindo isso me rendi sendo surpreendida com sua língua já dentro da minha intimidade. Esse homem seria meu fim. — Goza para mim, Linda. Quero sentir seu gosto em minha boca. Quero sentir você se derramar por mim, apenas por mim.

— Artur — gemi seu nome o fazendo rir e soprar seu hálito fresco tão perto, que na próxima chupada não aguentei mais me derramando em sua boca, o fazendo saborear até a última gota do gozo que eu só derramaria por ele.

Foi assim, desde o meu primeiro orgasmo. Sempre foi ele em meus pensamentos e minha primeira vez, não poderia ser diferente. Era muito mais mágico do que eu tinha sonhado. O céu havia conspirado e os anjos estavam dizendo amém. Só me restaria saber se Artur Scott não se importaria em ser meu primeiro e único homem. E isso eu descobria agora, pois ele já estava tomando minha boca com a sua, completamente nu, e começava a me penetrar depois de colocar a camisinha.

— Linda? — Ele me olhou interrogativo o que me fez travar, começando a ficar nervosa. Será que Artur Sebastian era o tipo de homem que não se envolvia com virgens, com medo que elas pegassem no seu pé? Será que ele era aquele tipo de canalha que evitava mulheres inexperientes? Não sei de onde tirei força e coragem para fazer minha voz sair novamente, mas eu fiz.

— Só não pare, por favor. — Artur sorriu e lentamente recomeçou seus movimentos.

— Eu nunca faria isso, princesa. — Derreti ouvindo ele me chamar de princesa tão carinhosamente. — Porém... — estremeci embaixo de seu corpo o fazendo acariciar meu rosto, ao mesmo tempo em que apertava com força minha coxa. — você será única e exclusivamente minha, entendeu? Nenhum homem te tocará como eu. — Ele colocou seu polegar em meu clitóris me fazendo gritar de tesão. — Nenhum homem te possuirá como eu.

Artur chupou meu seio com força, passando a língua delicadamente no final, fazendo com que minha espinha sentisse arrepios que a própria física desconhecia.

— Nenhum homem te dará prazer, apenas eu. — Ele estocou fundo e o meu corpo se contorceu de dor. — Princesa — nossos olhos cruzaram —, você precisa relaxar. Sinta apenas meu pau entrando e saindo de você — sussurrava em meu ouvido, lambendo toda a sua extremidade, deixando-me alucinada. — Sinta como você é apertada. Como é gostosa.

— Ah, Artur! — gemi seu nome quando nossos quadris começaram a se chocar em uma briga sensualmente perfeita.

— Isso, gostosa. Geme meu nome e se entrega ao prazer, meu amor. — Esse homem sussurrando em meu ouvido com essa voz rouca estava sendo meu fim. Fechei os olhos e me entreguei ao melhor orgasmo da minha vida. — De olhos abertos, princesa. Quero me derramar em você sentindo o prazer vindo de dentro da sua alma.

Caramba, esse homem seria meu fim.

Artur veio logo em seguida se entregando e urrando obscenidades no meu ouvido.

— Isso foi...

— Deliciosamente perfeito — ele completou nos desencaixando, e eu já sentia falta do nosso contato intimo. Deitando-se ao meu lado, me puxou para seu peito. — Meu Deus, Linda. Sabia que iria me surpreender, mas não imaginei que fosse tanto assim. — Levantei um pouco o tronco, deixando meu queixo descansar em seu peito, enquanto ele olhava para cima com os braços abaixo da cabeça.

— Por quê? — Sorri ligeiramente envergonhada e já corando.

— Você será definitivamente minha ruína. — Ele se entregou. — Virgem, Linda? — Sua mão começou a subir e descer em minhas costas, me arrepiando novamente.

— Eu sempre quis que fosse com alguém especial, por isso esperei.

— Você é linda — sorrimos do trocadilho —, mas... — Me apertou ainda mais ao corpo dele para que eu soubesse do que estava falando. — Você será só minha, entendeu? — Como se ele precisasse perguntar.

— Só sua.

Desvencilhei-me de seus braços, e sorrindo arteiramente fui para o meio de suas pernas começando a chupá-lo deliciosamente. Nunca havia feito isso em ninguém, mas pelo estado do MEU homem ali em cima, estava me saindo muito bem.

Não sei o que seria das nossas vidas depois dessa noite tão especial, principalmente para mim. Mas de uma coisa eu sempre teria certeza. Artur Sebastian definitivamente era o homem da minha vida. E nenhum outro faria nem de longe eu sentir o que sentia por meu *homem de ferro*.

Não, depois dessa noite.

Não depois de conhecê-lo tão intimamente.

Não depois de ele me dar a melhor noite de toda a minha vida.

Capítulo 6

Artur

Se não fosse o meu pau que tivesse feito Linda perder a virgindade não acreditaria que essa era a mesma pessoa que estava me levando à loucura com sua boca naquele exato momento.

— Linda, você vai me enlouquecer. — ela sorriu e disse maliciosamente:

— Na verdade, Deputado, essa é a intenção. — E voltou a me chupar deliciosamente fazendo-me pegá-la pelos braços e a sentar já encaixada em mim.

— Agora eu quero ver você rebolar aqui, Linda Marilyn. Vem, goza para mim, gostosa.

— Ah, Artur! Estou tão perto.

Sorri e coloquei meu polegar em seu ponto sensível, sabendo que estava próxima de um novo orgasmo, e o meu viria logo depois dela me apertar com seu orgasmo alucinante.

Linda era uma mulher incrível, mas quando coloquei os olhos em cima dela naquela festa, não imaginaria que me surpreenderia tanto.

Além de ser fascinada por política e muito inteligente, me encantando mesmo antes de conhecê-la, estudou a história da minha família desde seus primórdios políticos. E isso a fazia muito interessante, instigando-me a saber mais sobre o que ela conhecia dos Scott, ou melhor, o que mais gostaria de saber e conhecer. Tirando, é claro, o que eu já havia lhe dado há pouco tempo.

Sorri feito um bobo presunçoso, lembrando-me das suas palavras sobre esperar por alguém especial. E deduzi por sua receptividade comigo desde a noite da festa, que tinha que ser eu. Aconcheguei-me ainda mais em seu corpo nu adormecido ao meu lado, me entregando a um descanso merecido, depois de mais de quatro orgasmos. E como disse no começo da nossa noite, se não fosse meu pau que tivesse descoberto o caminho delicioso da tentação, juraria que Linda Marilyn seria muito experiente no assunto, e isso estava me deixando ainda mais enfeitiçado e hipnotizado por ela. Porém de uma coisa eu tinha certeza, ela seria só minha.

Acordei com meu celular berrando, e tateando ao lado da cama, ainda de olhos fechados tentei encontrá-lo. Mas o que achei foi algo bem mais gostoso que qualquer assunto que pudesse me interessar. Linda Marilyn dormia tranquilamente, apenas com um lençol cobrindo seus seios e sua intimidade com as pernas levemente abertas. Será que até dormindo essa mulher me deixaria de pau duro?

O celular tirou-me dos meus pensamentos nada puros e resolvi atender, já irritado.

— Alô!

— Não costumo pegar no seu pé, Artur. Mas você perdeu sua primeira reunião com o partido hoje, e já se passam das nove da manhã. — Ethan tentava com tato, me repreender do outro lado da linha.

— Porra, Ethan. Você sabe que não gosto de ser importunado. — Fiquei irritado.

— Desculpe, Artur. Mas você não dormiu em casa. Sua mãe e Miranda estão preocupadas. — Fui até a varanda para que Linda não acordasse assustada com meus gritos.

— *Puta que o pariu, Ethan! Não tenho mais quinze anos, e sou eu quem paga seu salário. Então, não lhe devo satisfação.* — Virei-me e vi minha princesa coçando os olhos como uma criança manhosa, contrastando com sua sensualidade, vestindo agora minha camisa. — Chego em uma hora.

Desliguei o telefone sem nem dar a chance dele falar mais alguma coisa, e puxei-a pela mão beijando seus cabelos. — Bom dia. — Apertei ainda mais seu corpo ao meu, descendo minha mão por sua lateral a fazendo sorrir.

— Eu deveria ter te acordado, me desculpe. — Linda me olhou intensamente.

— Perder a hora não é o fim do mundo, Linda Marilyn. Principalmente depois de uma noite produtiva como a que nós tivemos.

— Bom dia, então! — Ela me deu um selinho. — Vamos tomar um banho, e depois podemos tomar café juntos, o que acha?

Minha princesa acordava animada. E essa mistura de menina e mulher que Linda tinha, estava me deixava ainda mais fascinado por ela, se é que isso ainda era possível.

— O banho eu aceito, até porque com você nunca será apenas um banho — disse mordendo seu pescoço. — Mas o café da manhã terei que dispensar, preciso estar no escritório em menos de uma hora.

— Tudo bem! Vamos para o banho então, Senhor Deputado.

Linda me puxou mordendo os lábios, fazendo-me acompanhar seu movimento já de pau duro.

— Vou te comer naquele chuveiro, Linda Marilyn. E quero ver você gritar meu nome bem gostoso na hora em que estiver gozando.

— Faça sua vontade, Deputado.

Não resistindo mais a peguei no colo beijando-a loucamente, e como imaginei um banho nunca seria só um banho com Linda Marilyn. Ela gemeu meu nome, prensada entre meu corpo e aquele azulejo gelado, e alcançamos duas vezes o ápice juntos.

Depois de devidamente vestidos chegamos à sala e fomos recepcionados por duas mulheres, uma me parecia ser a empregada e a outra se não me falhasse a memória, a amiga que estava com Linda na festa.

— Bom dia — falei simplesmente e sorri para Linda que ainda segurava minha mão.

— Bom dia — elas responderam juntas, demonstrando espanto.

— Eu tenho que ir. — Olhei diretamente em seus olhos.

— Eu levo você até a porta. — Fomos em direção à porta do seu apartamento ainda de mãos dadas.

— Um bom dia, senhoras. — Elas sorriram meio anestesiadas com a minha presença. Sim, eu costumava fazer isso com as pessoas.

— Volte quando quiser, *"mi casa, su casa"* — Linda sorriu arriscando o espanhol muitíssimo bem.

— Se isso foi um convite, Senhorita Stevens, ele entrará na pauta de minha agenda pessoal.

— Fique à vontade. — Linda enlaçou os braços em meu pescoço, dando-me um selinho. — Obrigada por nossa noite, Deputado! Ela foi maravilhosa.

— Não agradeça, Linda Marilyn. Nossa história ainda não acabou. — Tirei-a do chão beijando-a loucamente. — Eu tenho que ir.

Nos separamos com dificuldade e saí sem olhar para trás. Pois perderia a coragem de deixá-la ali tão linda e gostosa, como estava parada naquela porta.

Saí de seu prédio e fui direto para o triplex. Precisava trocar de roupa antes de ir para o escritório, chegando lá fui recebido por uma Miranda aflita.

— Artur, onde você se meteu, meu filho? — Sorri com seu desespero e beijei seus cabelos.

— Não é a primeira noite que durmo fora, Miranda. Agora preciso me arrumar, pois tenho que ir para o escritório.

— Desculpe, filho! Mas é que...

— Não se preocupe, Miranda. Só avise a Senhora Emma Scott,

não terei tempo de falar com ela. — Sorri novamente indo para meu quarto. E de lá já entrei em contato com Jared.

— Artur, aconteceu alguma coisa? — Mais um preocupado querendo saber sobre minha vida pessoal.

— Jared, entre em contato com o *New York Times*, quero dar uma exclusiva para a campanha ainda hoje.

— Exclusiva, Artur? Nós ainda não pautamos isso, e precisamos de uma reunião com a equipe da assessoria da sua campanha.

— Eu não pedi sua opinião, Jared. Eu ordenei que você ligue para o *New York Times* e marque uma entrevista com Linda Stevens. Ainda hoje em meu escritório.

— Linda Stevens, a colunista de política?

— Sim, você deve saber melhor que eu. Estou indo para o escritório e chegando lá conversamos. Quero isso agendado assim que pisar na Scott. — Desliguei antes que pudesse ouvir mais alguma pergunta idiota vinda de Jared.

Estava brincando com fogo sim. A queria por perto novamente. Porém, uma exclusiva só poderia ser dada a ela. Linda Marilyn conseguiria enxergar a essência de minhas palavras, só ela poderia encontrar nessa entrevista o meio de mostrar realmente quem era Artur Scott, na política e na vida pessoal.

Tinha que ser Linda.

Cheguei ao escritório sendo recebido como todos os dias por Natalie, que já vinha com meu tablet em mãos, correndo atrás de mim como uma pata choca desengonçada.

— Bom dia, Deputado Scott! Seu assessor de imprensa já lhe espera em sua sala e o senhor McCartney também. — Respirei fundo entrando de uma vez.

— Boa tarde, Artur!

— Não temos tempo para gracinhas, Ethan. Já fez o que mandei, Jared?

— Artur...

— Eu te fiz uma pergunta. — Olhei para Natalie. — E você o que está esperando? Traga-me um café, puro e forte. Agora.

— Em um minuto, com licença.

— Artur, eu fiz o que você me pediu, mas você acha que essa é a hora propícia para uma exclusiva?

— Eu tenho certeza. Nada como uma entrevista exclusiva para que as pessoas conheçam um pouco mais de seu futuro senador. Essa é a hora, Jared. — Estava firme no meu propósito.

— Mas, Artur. Linda Stevens é a...

— Espero que você não conclua sua frase, Ethan. Se não quiser perder seu emprego. — Chamei sua atenção. — Linda Stevens, sim — continuei. — Ela é uma das jornalistas políticas mais respeitadas da atualidade, apesar de sua pouca experiência.

— Você está enfeitiçado, foi com ela que passou a noite, não foi?

— Eu não devo satisfação da minha vida pessoal, McCartney. E pelo que sei, não é nenhum de site de fofoca que paga a porra do seu salário. — Estava irritado. — Agora saiam, preciso resolver algumas coisas antes da entrevista. Para que horas que você marcou, Jared?

— Para as três, Artur. Apenas o tempo para organizarem tudo com a Senhorita Stevens.

Sorri imaginando o rosto da minha princesa sendo escalada para essa exclusiva. Porém, espantada ela ficaria quando a dissesse onde seria nossa entrevista, apenas eu e ela.

Sim, eu tinha planos...

E esse final de semana prometeria uma ótima matéria.

Capítulo 7

Linda

Ainda estava parada na porta do meu apartamento o vendo partir, já sentindo falta do cheiro, do abraço, do carinho, da pegada. Suspirei.

Artur com certeza era tudo que eu imaginava e um pouco mais. Ele conseguia ser carinhoso e autoritário ao mesmo tempo. E isso estava me deixando ainda mais enfeitiçada por aquele homem, que nem em meus sonhos chegava aos pés do que tive na cama.

Nossa noite não poderia ter sido melhor, relaxei completamente em seus braços, enquanto ele me penetrava, levando-me ao céu inúmeras vezes.

Como seria dali para frente eu não saberia dizer. Mas de uma coisa eu tinha certeza. Artur Sebastian sem dúvida nenhuma era o homem da minha vida.

— Planeta Terra, chamando. — Mary estava em minha frente estalando seus dedos perto do meu ouvido.

— Desculpa, Mary. Estava distraída. — Ela gargalhou e me puxou para dentro, fechando a porta.

— Será que vou ter a honra da narração desses pensamentos nada puros, Linda Marilyn. — Sorri para minha melhor amiga.

— Mary, ainda estou em estado de choque. Foi ele que acabou de sair daqui, o meu *homem de ferro*. Eu sempre sonhei com ele, amiga — suspirei me jogando no sofá. — Artur é maravilhoso. — Ela sorriu se jogando ao meu lado. — Ele é autoritário, metido e mandão. Mas também lindo, carinhoso... Mary, compensou esperar.

— Eu sempre disse que valeria a pena, amiga. Vocês foram predestinados. — Balancei a cabeça negando.

— Não sei se destino existe, Mary. Mas a única coisa de que tenho certeza agora — suspirei deitando-me em seu ombro —, é que estou completamente apaixonada. Mas e se foi apenas por uma noite? — indaguei com medo do que o futuro nos reservaria. — E se fui apenas mais uma em sua vasta coleção?

— Lindinha, nunca duvide de minhas palavras. Você ainda vai ser a primeira dama mais linda que esse mundo já sonhou em ver. — Ri de suas teorias de muitos anos. — Mas vamos para o trabalho, pois mesmo tendo algumas horinhas de folga agora pela manhã, Victor não espera.

— Você está certa, mas agora eu tenho que terminar de me arrumar. — Levantei indo até meu quarto e assim que vi a cama ainda bagunçada, suspirei. — Para Linda! Concentre-se garota, e vamos ao trabalho.

Terminei de me arrumar, colocando um vestido preto e rosa, com os acessórios, bolsa e sapatos da mesma cor. E voltando para a cozinha encontrei Angelita e Mary rindo alto, com certeza sobre minha visita noturna. Tomamos café juntas, e acabei contando alguns detalhes sobre a noite mais especial da minha vida. Depois de alguns minutos saímos para o jornal, no meu carro.

Devido nossa matéria ter dado uma ótima repercussão, tínhamos ganhado a manhã de folga naquela sexta-feira maravilhosa, pelo menos para mim. Chegamos sorrindo no jornal e para variar Laila veio em nossa direção correndo, como todos os dias.

— Bom dia, meninas! Linda, o Victor está a sua espera na sala dele. E, Mary, a edição está na dúvida sobre sua matéria para esse fim de semana. — Sorrimos juntas, nosso dia havia começado.

— Ainda bem que tomamos um ótimo café da manhã, amiga. Pois hoje vai ser um dia daqueles.

— Com certeza, nos vemos mais tarde. Vou enfrentar a fera.

Nos despedimos e fui direto para sala de Victor, entregando minha pasta para Laila levar para meu escritório.

— Com licença, Victor. Posso entrar? — Bati na porta.

— Entre, Linda. Temos um furo especialmente para você hoje, minha querida. Uma matéria que vai alavancar sua carreira jornalística.

Nossa! O que seria de tão importante, e que havia deixado meu chefinho tão empolgado?

— Que bom, Victor! Mas agora você me deixou curiosa. Qual será a matéria que vai alavancar minha carreira? — Sorri animada para ele.

— Uma entrevista exclusiva com o candidato ao Senado mais famoso do mundo, Artur Scott

Congelei em frente ao meu chefe. O que estava acontecendo? Entrevista exclusiva com Artur Scott depois da noite que tivemos? Eu não estava entendendo nada, minha cabeça dava voltas e se não estivesse sentada, com certeza já teria caído.

— Victor, só por curiosidade — tentei disfarçar meu nervosismo —, como você conseguiu essa entrevista, sendo que o nobre Deputado — ironizei —, é tão recluso para exclusivas?

— Minha querida! Sinto ter que te vangloriar, porém esse foi um pedido vindo do próprio candidato ao Senado. Ele quer dar essa entrevista especialmente para você, por conhecer e apreciar seu trabalho diário aqui no jornal. Palavras do seu assessor de imprensa particular. — Jared... eu estava começando a ficar irritada. O que Artur Sebastian pretendia com isso, envolvendo minha carreira nessa brincadeira sem graça. — Linda, está tudo bem?

— Desculpe, Victor! Tudo bem sim. Já marcaram a entrevista? —

Tentei não transparecer minha raiva.

— Você vai ter que estar na Scott hoje às três horas.

O quê? Ele estava se achando o dono do mundo mesmo, não é? Só poderia ser. Mas isso não afetaria meu trabalho, eu ia... Porém, Artur Sebastian Scott não perderia por esperar. Eu nunca tive, e nem iria ter medo algum dia do *homem de ferro*.

— Eu estarei lá, Victor. Era só isso? — Levantei-me.

— Linda, esse será seu passaporte para o estrelato, se prepare. Sei que você é capaz de fazer uma das maiores entrevistas que o mundo já viu. O jornal conta com você. Parabéns.

— Obrigada! Vou me doar ao máximo para isso. Com licença, preciso me preparar para o encontro.

— Nos falamos depois.

Saí de sua sala cuspindo marimbondos e acabei trombando com a Mary no corredor.

— Onde é o incêndio, meu Deus? Linda, o que aconteceu?

— Vamos para minha sala, estou explodindo.

— Isso eu estou vendo. O que Victor disse pra te deixar nesse estado? — Sorri ironicamente enquanto fechava a porta.

— Não foi o que o Victor disse, Mary. E sim o que o senhor todo poderoso Artur Sebastian Scott, usando de seus poderes para manipular a vida de quem bem entende, fez.

— Não entendi, Linda. O que Artur fez de tão grave?

— Ele quer conceder uma entrevista exclusiva para mim. — Ela gargalhou pela segunda vez no dia da minha cara. — Não estou achando graça, Mary.

— Isso não foi o que você sempre quis, amiga?

— Não quero privilégios, ou o que ele esteja pensando. Artur não pode se achar no direito de comandar minha vida, ou meu trabalho, só porque dormi com ele uma noite — cuspi. — Eu não sou uma promíscua, Mary.

— Linda, o que vocês menos fizeram foi dormir na noite passada. — Bufei, e ela parou de brincar me olhando sério. — Amiga, você é inteligente, e ele já percebeu isso. Linda... — Mary colocou meu rosto entre suas mãos e fez com que eu a olhasse. — Você mostrou a Artur que é capaz como profissional. Os Scott não brincam com a imagem deles, você deveria saber disso melhor que eu.

— Mary, eu estou tão confusa. — Joguei-me em uma das poltronas de minha sala.

— Amiga, apareça lá usando toda sua imponência. — Ela desfilou na minha frente fazendo-me rir com as mãos na cabeça. — E mostre para seu deputado que você não é qualquer uma, e principalmente, que sua profissão vem sempre em primeiro lugar. Diga a ele também que se isso for algum tipo de jogada, prefere que outra pessoa faça a matéria, e veja a reação dele.

Ela tinha razão. Se Artur Sebastin Scott se achava superior, ele conheceria o poder de Linda Marilyn Stevens.

Levantei arrumando meu vestido e indo para o banheiro retocar a maquiagem, arrumando tudo dentro da bolsa. Despedi-me de Mary saindo do jornal rumo ao edifício mais imponente de Manhattan.

Cheguei ao último andar e fui recepcionada pelo que percebi ser a secretaria de Artur, e sem pensar duas vezes olhei para ela de cima embaixo, dando graças a Deus pela mulher sem sal que via a minha frente. Era mais eu, com certeza.

— Boa tarde! Posso lhe ajudar em alguma coisa?

— Boa tarde! Linda Marilyn Stevens, tenho um horário marcado com o Deputado Artur Scott. — Ela sorriu simpática e olhou sua agenda.

— Ele já está a sua espera, Senhorita Stevens. Vou anunciá-la.

Nesse momento um frio subiu pela minha espinha, por saber que apenas uma porta nos separava, e precisei respirar fundo quando Natalie, claro eu li seu crachá, pediu que eu a seguisse.

Entrei em seu magnífico escritório e o vi, lindo, parado como um deus grego de costas, olhando para a vidraça em sua frente.

— Eu tenho muitos planos para nós hoje, Senhorita Stevens. Pode nos deixar a sós, Senhorita Jones?

— Com licença.

Natalie se retirou, enquanto Artur se virava sorrindo maliciosamente, vindo em minha direção com aquela pose de leão. Porém quem iria atacar seria eu. Quem ele pensava que era?

— Você poderia ter marcado um encontro em sua agenda pessoal, se tinha planos para mim e não para a jornalista, caro

Deputado. — Ele riu mais uma vez e me pegou em seus braços. Força, Linda Marilyn. Eu não poderia fraquejar.

— Mais um de seus encantamentos. Você fica linda irritada, sabia?

Artur estava brincando com fogo, principalmente quando tomou meus lábios ferozmente, me envolvendo com aquela língua que me enlouquecia já no primeiro toque.

— Saudades deles — o cachorro disse mordendo meu lábio inferior.

— Posso saber o motivo de tudo isso? — Ele nos jogou no sofá me ajeitando no seu colo. Mas tive força para me desvencilhar dos seus braços e sentar em uma poltrona a sua frente. — Te fiz uma pergunta, Artur Sebastian.

Sim o chamei por seus primeiros nomes, pois se ele tinha a intimidade de me jogar no sofá, eu teria para chamá-lo assim. Mas o cachorro só me olhou com aquele sorriso torto, apoiando a cabeça em sua mão.

— Está subestimando sua inteligência, Senhorita Stevens. Quero mesmo conceder uma entrevista a você, pois sei que vai ser a única pessoa que conseguirá penetrar meus segredos sem medo. E eu te chamei aqui exatamente para isso.

— Então, podemos começar, Deputado? — Permaneci fria tirando meu gravador de dentro da bolsa.

— Eu não vou lhe conceder essa entrevista agora, Linda.

— Não? — Fiquei confusa.

— Não — ele riu. — Eu disse que tenho outros planos para você hoje. — Artur olhou para a vidraça atrás de sua mesa.

Será que o seu plano era me jogar cem andares abaixo? Não sei. Às vezes sua loucura seria matar suas amantes.

— *Se é que já posso me considerar uma amante, não é?*

— Amante nunca. Você é muito mais que isso, princesa.

— Pensei alto? — Me assustei.

— A parte da amante sim. Por que, você pensou mais alguma coisa absurda, Linda Marilyn?

— Deixa pra lá. Mas voltando ao nosso assunto, se não foi para me conceder a entrevista por que me chamou aqui, Artur Sebastian?

— Por dois motivos, cara jornalista.

Cachorro. Será que eu teria coragem de matá-lo? Só se fosse de tesão... Se concentra, Linda Marilyn.

Artur se levantou, vindo em minha direção mais uma vez, como um leão prestes a atacar sua presa. Que nesse caso era eu mesma.

— O primeiro motivo, Linda Marilyn, é que vou lhe conceder a entrevista exclusiva, só que esse fim de semana na Ilha de Emma. Apenas eu e você. — Minha boca se abriu.

— *Será que vou estar viva para isso?*

— Se não te matar de tesão enquanto te como naquela janela, vai.

— Oi?

— Vou te levar agora para aquela janela, princesa, e te possuir dali. Para juntos sentirmos o gosto de poder estar acima de tudo e de todos.

Ele me pegou delicadamente pela mão levando-me até a vidraça. Gemi involuntariamente tendo minha boca tomada de forma violenta pela dele.

— Veja, Linda Marilyn! Veja como é bom sentir-se no topo do mundo. — Artur me virou para a vista, deixando-me de costas para ele. — Veja como é se sentir imponente e poderosa. — Colocou minhas duas mãos pressionando o vidro, enquanto alisava todo o meu corpo. — Sinta agora como meu pau está louco para entrar em você, gostosa.

Gemi e joguei minha cabeça para trás, tendo meu pescoço tomado por ele em um chupão que me deixaria marcas. Mas quem se importava com marcas com um pau enorme pressionando sua bunda.

— Vem, Deputado. — Já estava completamente entregue, fazendo-o sorrir e sussurrar.

— Então rebola essa bunda que quero te comer gostoso.

Fiz o que ele pediu, ao mesmo tempo em que suas mãos enormes subiram meu vestido na altura da cintura.

Meus dedos voaram para seus cabelos, no momento em que ele afastou minha calcinha abaixando um pouco meu tronco. E rasgando um plástico que imaginei ser a camisinha, penetrou-me sem dó.

— Mais forte, Artur...

— Isso geme meu nome, gostosa. Quero ver você rebolar enquanto eu estoco bem forte.

Sem parar de penetrar Artur tirou meus seios de dentro do vestido os apertando. Gritei de tesão. Que poder era esse que esse homem tinha com as mãos, meu Deus?

— Ai, vai... Tão perto...

— Vou, gostosa. Mas só se vier comigo.

Ele tocou meu clitóris com o polegar e não resisti. O apertei, gritando seu nome, pois era meu nome que Artur urrava, mordendo meu ombro.

Mas, rápido demais nos desencaixou, fazendo-me sentir falta daquele contato maravilhoso, que para mim já deveria fazer parte do meu corpo. E quando me virei Artur estava recostado em sua mesa com os braços cruzados sorrindo linda e tortamente para mim, depois de ter jogado a camisinha no lixo.

— Muito gostosa! E, pelo jeito, insaciável. — Claro que tive que corar violentamente, mas nada melhor que um abraço e um selinho para amenizarem a situação. — Vamos ao trabalho, Senhorita Stevens.

O quê? Ele me comeu na janela e voltou como se nada tivesse acontecido, enquanto minhas pernas ainda estavam bambas?

— Você é maluco, só pode ser. — Balancei a cabeça abismada.

— Não, Linda Marilyn. Apenas aqui eu posso tudo.

— Você é muito prepotente — falei sem pensar.

— Claro que sim. E é o que mais te excita. — O problema é que ele tinha razão e pelo jeito eu não conseguia nem disfarçar. Então, resolvi mudar de assunto.

— Vai me conceder a entrevista apenas se eu for com você para a Ilha de Emma?

— Sim. Não me passou pela cabeça que você iria negar meu convite. — E não ia mesmo. Porém não custava tentar parecer difícil. — Nós vamos apenas unir o útil ao agradável, Linda Marilyn.

— Mas, Artur?

— Não tem nada demais, eu decidi e já está resolvido.

Ele apertou algum ramal de seu telefone, enquanto eu tentava arrumar minha saia, dando um jeito no cabelo que denunciava sexo. E ele? O filho da mãe fechou o zíper e já estava impecável

novamente.
— Jared, quero você em minha sala agora e traga Ethan. — Artur desligou e olhou sério para mim. — Vamos começar a reunião, Senhorita Stevens.
— *Será que com o tempo eu aprendo a ser assim?*
— Questão de prática, meu amor. — Bufei o fazendo rir.
— *Que meus pensamentos em alto e bom som não se tornem rotina.*
— Eu não me importaria. — Bufei mais uma vez, porém fui interrompida por uma batida na porta.
— Com licença, Deputado.
— Entre, Jared, Ethan.
Sorri para Jared, pois ele mais que ninguém sabia da minha vontade de fazer essa entrevista. Já tínhamos conversado inúmeras vezes e o assessor era um cara bem legal. Sempre conseguia as melhores credencias para mim e Mary. Às vezes achava que o amor da minha amiga por ele não era tão platônico assim.
— Boa tarde, Linda! — Artur nos olhou furioso. Então ele era possessivo? Segurei-me para não rir da sua cara.
— Vocês já se conheciam?
— Vindo do pressuposto que ele é seu assessor de imprensa e eu uma jornalista política, com certeza. — Ele murchou. — Boa tarde, Jared, Ethan.
O grandão com cara de desconfiado parecia apenas querer proteger seu amigo e chefe, mas eu sentia que Ethan era uma boa pessoa.
— Boa tarde, Senhorita Stevens! — Acenei apenas com a cabeça. Não vamos atiçar o homem das cavernas, não é?
— Vamos direto ao assunto. Eu não tenho o dia inteiro. — Sorri de seu mau humor. — Vou conceder uma exclusiva a Senhorita Stevens esse fim de semana na Ilha de Emma.
Corei violentamente. Depois disso é claro, eles saberiam que ali não estava apenas a jornalista, e meu rosto em chamas me denunciava por completo.
— Mas, a entrevista vai ter conteúdo pessoal também, já que o Deputado abrirá as portas da ilha para a imprensa? — Ethan questionou, porém fui mais rápida dessa vez em minha resposta.

— Não, Ethan. A entrevista será inteiramente profissional. Saindo daqui já vou marcar com meus fotógrafos a sessão de fotos que pode ser no começo da semana, aqui mesmo no edifício Scotts.

— Gostei — Jared disse sorrindo. — É de jornalistas assim que precisamos. — Artur me olhava admirado. — Mais algum pedido, Deputado?

— Não. Podem sair, qualquer coisa eu os chamo.

Os dois assentiram e se retiraram. E quando me vi sozinha novamente com Artur, ele me abraçou por trás sussurrando em meu ouvido:

— Eu não me enganei com você.

— Eu preciso ir. Tenho que agendar com Jared sua sessão de fotos, para marcar com meus fotógrafos...

— E fazer suas malas. — Me cortou. — Te pego às oito. Embarcamos ainda hoje.

— Adianta dizer que não? — Revirei os olhos virando-me de frente para ele.

— Você sabe que não, Linda Marilyn. — Ele me deu um selinho e se afastou. — Te pego a noite. Vai ser um final de semana inesquecível.

— Disso eu não tenho dúvidas. Até mais. — Artur me pegou novamente pela cintura beijando-me intensamente.

— Não se atrase, não vejo a hora de ter você só para mim, princesa.

Sorri pegando minha bolsa e saindo do seu escritório sem olhar para os lados. Pelo jeito costumava ser escandalosa na hora do sexo, então não iria ter coragem de olhar para quem quer que trabalhasse a metros de distância daquela sala.

Estava completamente anestesiada também. Na verdade me sentia fora da realidade há três dias, desde que nos conhecemos, quer dizer, desde que Artur Sebastian me conheceu.

Conhecê-lo sempre foi meu sonho mais intenso. Que ele olhasse para mim então, nem me fale. Porém depois daquela festa tudo estava acontecendo tão rápido que não havia ainda parado para raciocinar direito.

Primeiro ele olhou para mim, depois me ofereceu uma taça de champanhe. Foi atrás de mim na sacada daquele salão, encheu minha sala de flores no dia seguinte me convidando para jantar. Nesse jantar ele usou todo o seu charme para me seduzir, e me atacou em cima do seu esportivo.

Tive a primeira vez que sempre sonhei, com o homem que sempre quis, e quando pensei que tivesse acordado em uma manhã normal, meu sonho que já estava perfeito se tornou irreal. Artur Sebastian quis me conceder a entrevista que sempre idealizei, e ainda iríamos passar o fim de semana apenas eu e ele, na ilha mais famosa do mundo político, a Ilha de Emma. Depois de ter literalmente sido comida naquela janela, me fazendo sentir sim, o poder e a sensação de ver o mundo de cima, como ele sussurrou em meu ouvido, enquanto me penetrava por trás.

Enquanto dirigia até minha casa cheguei a uma única conclusão. Não tinha mais para onde fugir, eu estava irrevogavelmente apaixonada pelo meu *homem de ferro*.

Não voltei para a revista, pois não tinha condições psicológicas e físicas. Resolvi tudo com Mary pelo celular, depois de ouvir seus berros em meu ouvido quando contei tudo que havia acontecido na Scotts.

Ela prometeu que resolveria com Jared o ensaio fotográfico para o começo da semana, e que chegaria a tempo de me ajudar a fazer minhas malas. Agradeci entrando na garagem do meu prédio.

Cheguei em casa e liguei para Victor dizendo que a entrevista havia sido um sucesso, porém eu trabalharia nela durante o fim de semana, a entregando na segunda feira. Não menti, pois eu trabalharia mesmo em cima dessa entrevista, embaixo, de lado...

Ai, meu Deus! Estava me tornando uma ninfomaníaca.

Artur tinha o poder de despertar em mim sentimentos completamente desconhecidos.

O que esperava desse fim de semana?

Não sabia...

O que eu esperava da minha vida dali para frente?

Não sabia também...

Porém, de uma coisa eu tinha certeza. Não conseguiria mais viver longe dele. Essa sensação de vazio chegava a doer. E em meu coração isso já era inadmissível.

Capítulo 8

Artur

Depois que Linda saiu do meu escritório as horas demoraram a passar, por isso resolvi ir para casa mais cedo, não antes de dar algumas ordens.
— Ethan, prepare o helicóptero e a lancha. Avise aos empregados para deixarem a ilha em ordem e livre esse fim de semana.
— Você tem certeza disso, Artur?
— Não entendi sua pergunta, Ethan. Você pode ser mais claro?
— Desculpe, Artur. Mas essa jornalista...
— Nem precisa continuar, Ethan — respondi ríspido. — Não lhe dou o direito de se meter em minha vida desse jeito. E muito menos de pensar assim de Linda Marilyn. Isso está me irritando

desde o dia da festa. Eu sei o que estou fazendo. Na verdade sempre soube, e não preciso de babá.

— Tudo bem, Artur. Só estou querendo ajudar. — Ele abaixou a cabeça. — Vou providenciar o que você me pediu.

— Essa é a sua função aqui, McCartney — respondi lhe dando as costas. — Que isso esteja pronto até a hora do meu embarque, e dispense os pilotos, eu mesmo vou pilotar.

— Como quiser, Deputado.

Ethan era também meu melhor amigo, e por isso às vezes se achava no direito de se intrometer em minha vida, porém as pessoas ao meu redor eram pagas para cumprir ordens e não para dar conselhos. E no caso de Linda Marilyn, eu sabia muito bem o que estava fazendo, desde que coloquei meus olhos nela na festa. E a partir desse dia tive a certeza que ninguém me surpreenderia tão intensamente.

Inteligente, por dentro de tudo quando o assunto é política, gostosa e ainda por cima virgem.

Isso poderia soar machista, mas foi tudo que sempre idealizei em uma mulher. Que ela fosse única e exclusivamente minha.

E Linda demonstrou que não estava errado em relação à sua determinação e loucura no ponto certo para estar ao meu lado.

Como minha mulher.

Ela enfrentou Ethan, brigou como profissional para que sua entrevista não fosse vista por mim como um capricho, e me excitou completamente enquanto transávamos naquela janela.

Linda definitivamente havia nascido para estar ao meu lado.

Cheguei em casa sendo recebido por Miranda que prontamente pegou minha pasta.

— Boa tarde, meu querido! Sua mãe ligou. — Sorri da cumplicidade das duas.

— Vou ligar para ela antes de viajar.

— Você vai viajar?

— Vou passar o fim de semana na Ilha de Emma, arrume minhas coisas, saio ainda esta noite.

— Vou preparar agora mesmo, filho. — Sorri com o carinho recebido de Miranda e fui para o quarto já tirando minhas roupas e entrando diretamente no chuveiro.

Não via a hora de ter Linda Marilyn em meus braços novamente. Esse estava se tornando meu maior vício e não queria me curar tão cedo.

Arrumei-me pedindo para que Jonathan, meu motorista e segurança de extrema confiança há muitos anos, levasse as malas para o carro enquanto ligava para minha mãe.

— Pensei que teria que marcar um horário em sua agenda do escritório, caro Deputado. — Dona Emma veio com todo o seu drama do outro lado da linha.

— Me desculpe, mãe, mas estive muito ocupado.
— Quem é ela, Artur?
— Mãe...
— Quem é ela? — Ela perguntou delicadamente.
— Uma pessoa muito especial que se enquadra em seus pré-requisitos.
— Eu não preciso de pré-requisitos, Artur. Apenas quero que seja feliz.
— Eu estou, Senhora Emma Scott. E vou dar uma relaxada na ilha esse fim de semana.
— Meu Deus, filho. Essa mulher é realmente especial. — Sorri me lembrando de Linda.
— Sim, mãe. Ela é. Mas preciso ir agora.
— Tudo bem, meu querido. Falamo-nos semana que vem. Divirtam-se!
— Pode deixar, mãe. E avise o papai para mim.
— Eu aviso, querido. E na volta vou querer conhecer a responsável por essa mudança que nem eu consegui realizar.
— Tudo ao seu tempo. Beijo, mãe!
— Beijo, querido!

Despedi-me de Miranda indo para a garagem onde o motorista já me esperava dentro do carro.

— Assim que me deixar no hangar, Jonathan, quero que pegue a Senhorita Stevens em seu apartamento — disse enquanto sentava no banco traseiro.

— Pode deixar, Deputado.

Cheguei ao hangar e comecei a organizar minha partida com os responsáveis pelo helicóptero, enquanto Jonathan buscava Linda.

Com tudo pronto para nosso embarque meu celular tocou. Olhei para o visor e bufei, não precisaria de mais um sermão agora.

— Antes de me dizer qualquer coisa, não costumo cancelar compromissos para diversão. Então se a pergunta for esta, sua resposta já foi dada, Governador Scott.

— Nós estamos em plena campanha, Artur. Você não pode se ausentar sem me avisar.

— Minha equipe está avisada, Governador. E pode ter certeza que esse final de semana nos fará colher bons frutos para a campanha. — Parei por um momento vendo a graciosidade de Linda Marilyn vindo em minha direção, com um rebolar sexy ao mesmo tempo contido, que só ela conseguia ter. — Preciso desligar, pai. Nos vemos na segunda.

Acenei para que sua bagagem fosse colocada no helicóptero, enquanto desligava o celular e pegava delicadamente sua mão, beijando-a.

— Você está linda — gracejei.

— E pronta para a entrevista — ri da sua determinação.

— Teremos tempo para tudo, Linda Marilyn.

— Só Linda, por favor — respondeu irritada.

— Eu gosto dos seus dois nomes.

— E eu do meu primeiro. — Irritada na medida certa. Continuei rindo, enquanto indicava o caminho para a porta do helicóptero.

Ela me olhou confusa sentando-se ao lado da poltrona do piloto.

— Você vai? — Ela apontou para o manche.

— Não quero ninguém entre nós esse fim de semana e... A habilidade e o poder em dirigir qualquer coisa que seja estão no meu sangue, Linda. — Ela revirou os olhos, e pegando-a desprevenida, beijei profundamente seus lábios. — Agora podemos ir.

— Ainda não. — Linda sorriu e me apertou ainda mais a ela, massageando meu couro cabeludo, enquanto nossas línguas exploraram deliciosamente a boca um do outro. — Agora sim podemos ir. — Terminamos de nos beijar, ainda sem fôlego, sem descolar nossas testas.

Sorri olhando para minha princesa.

Essa era minha Linda Marilyn.

Pedi autorização, colocando meu fone de ouvido, vendo Linda fazer o mesmo com o dela. E prontos, decolamos.

— Então temos mais algumas habilidades para seu currículo?

— Como já te disse, tudo que me dá o poder de dirigir me interessa, Linda.

— É um ótimo ponto de partida — observei sua perspicácia.

— Você vai ter muito material para a entrevista esse fim de semana, princesa.

— Espero que sim. Como meu editor chefe disse hoje, essa entrevista vai ser meu passaporte para o estrelato. — Ela revirou os olhos.

— Isso importa? — testei-a.

— Um bom trabalho me importa e me interessa. Apenas isso, Deputado.

Percebi que minha pergunta a afetou, pois virou seu rosto olhando fixamente para frente.

— Linda, eu não quis te ofender, me perdoe. — Ela voltou a me olhar.

— Só não aceito brincadeiras com a minha profissão, Artur. Espero que essa entrevista não seja apenas um capricho machista. Não quero me decepcionar com você.

Linda era determinada e racional quando se tratava de seu trabalho. Eu teria que lhe dar a certeza de que essa entrevista só estava sendo concedida por confiar inteiramente nela e em seu profissionalismo, acima de tudo. Mas antes, pousaria o helicóptero, pois essa conversa eu teria olhando diretamente em seus olhos.

Percebendo que já nos aproximávamos do cais, pedi autorização e pousamos.

Quando já estávamos em terra firme, andando um ao lado do outro em direção à lancha, puxei-a e fiz que me olhasse diretamente nos olhos.

— Linda, eu quero deixar algo bem claro antes de entrarmos nessa lancha.

— O que é, Artur? Algum contrato pré-exclusiva? — Ela foi irônica e estava me desafiando.

— Olhe para mim, Linda Marilyn.

Ergui seu queixo delicadamente fazendo com que nossos

olhares se unissem novamente.

— Eu não brinco com o que quero profissionalmente, e se te escolhi para essa entrevista é porque confio em você única e exclusivamente, como profissional, mas acima de tudo como ser humano. Você como já te disse, vai ser a única a enxergar exatamente o que sou, e escrever o que quero que seja publicado. Vai ter a inteligência de saber pontuar cada questão. Eu confio em você, Linda. Quero deixar uma coisa muito clara. — Entrelacei nossas mãos. — O que está acontecendo conosco tem tudo a ver com a minha escolha. — Ela tentou retroceder, mas não deixei. — Foi através de nossos encontros que pude ter a certeza que aquela jornalista que me interessava todos os dias por seus artigos, era a pessoa perfeita para estar comigo nesse exato momento, para me entrevistar, e para ser minha melhor companhia nesse fim de semana.

— Desculpe, Artur. Mas está acontecendo tudo muito rápido, não quero ser confundida com uma mulher promíscua. Eu estudei, batalhei para estar onde estou. Não quero que você pense...

Com um Beijo delicado eu a interrompi, mas demonstrando todo o meu carinho e confiança depositados nele.

— Eu vou lhe mostrar que não precisa ter medo.

— Confio em você. — Nos beijamos novamente só conseguindo nos separar quando o ar nos faltou.

— Vamos! A Ilha de Emma nos espera. — Apontei para a lancha.

— Apenas nós dois novamente?

— Só eu e você. — Ela me deu um selinho ficando na ponta dos pés, e abrindo seu primeiro sorriso do dia me puxou para a lancha.

Sorri aliviado, pois pelo menos estávamos nos entendendo, e isso seria de muita importância para a programação do nosso fim de semana.

Durante o trajeto, até por causa do barulho do motor e das ondas batendo na lancha ficamos em silêncio, mas nada que atrapalhasse nossas mãos entrelaçadas, e os sorrisos enviados um para o outro.

Avistei a ilha de longe e apontei.

— É ela? — Linda estava animada.

— Sim. — Beijei sua mão.

Estacionei no píer da ilha e desci primeiro com as bagagens, voltando para ajudar Linda logo em seguida, servindo também de apoio para que ela tirasse seus saltos altos.

— Melhor assim. — Ela sorriu para mim.

— Vamos entrar?

— Sim. — Entrelaçamos nossas mãos novamente e seguimos até a casa. — Meu Deus, é lindo. — Minha princesa se encantou com a entrada.

— A Senhora Emma Scott tem bom gosto.

— Ela é uma pessoa muito especial, não é?

— Sim, minha mãe é um ser humano único. — Linda ainda estava fascinada, enquanto entrávamos na casa indo em direção aos quartos.

— Nós estamos sozinhos aqui também? — Percebi malícia em sua pergunta por sua mordida de lábios.

— Absolutamente.

— Ótimo, então não teremos problemas em fazer amor na areia, apenas com a lua como testemunha, certo?

Linda se desfez da sua blusinha fina, deixando a mostra um sutiã tomara que caia preto que começava a me enlouquecer. Caminhando pela porta da varanda que dava diretamente para a praia, olhou para trás me chamando:

— Você não vem? — Foi então que percebi que ainda estava parado como um dois de paus perto de sua blusa jogada no chão.

— Você está brincando com fogo, Linda Marilyn. — Comecei a tirar a camisa e os sapatos.

— Eu adoro me queimar, Deputado.

Nesse momento aproximei-me dela, que mais parecia uma escultura iluminada apenas pela luz do luar, e a abracei por trás. Com minhas mãos habilidosas trabalhei demoradamente em todas as partes de seu corpo a arrepiando e ajudando tirar sua calça, para logo depois brigar com o fecho de seu sutiã.

— É fácil. — Ela o desabotoou e riu, virou-se de frente para mim, e empurrou meu corpo, fazendo-me cair na areia. — Vamos brincar um pouco, Deputado.

Linda literalmente tinha o dom de me enlouquecer. Ela abriu minha calça devagar, abaixando-a até a altura do joelho, massageando meu membro ainda coberto, e voltando para o elástico da boxer, a tirou também.

— Feche os olhos e sinta minha boca. — Puta que o pariu! Falando desse jeito eu gozaria como um moleque de quinze anos em sua primeira vez.

Linda me chupava, lambendo toda a extensão, se lambuzando. E eu só conseguia gemer e estocar naquela boquinha que seria minha morte. Ela era perfeita na cama, mais seu sexo oral com certeza era o melhor que eu já havia recebido.

— Eu não quero gozar aí. — A puxei para cima, mas ela não veio, e com um ar desafiador me olhou.

— Mas eu quero. Goza para mim, Deputado. Quero sentir seu gosto.

Gozei, principalmente quando logo após falar, lambeu novamente todo o pau, dando a chupada final e engolindo todo o líquido, enquanto eu me contorcendo embaixo dela.

— Gostoso demais. — Ela completou.

Sentia que esse seria o começo do fim do meu autoritarismo. Com Linda Marilyn eu estaria literalmente perdido, em suas mãos.

Quando estava me acostumando com seu peso em cima do meu corpo senti um vazio e um frio inexplicáveis, foi então que percebi que estava sozinho naquela areia, e Linda corria para longe de mim sorrindo feito uma criança travessa.

— Você não vai conseguir fugir de mim, princesa. — sorri ao me sentar, apoiando meus braços nos joelhos.

— Quem disse que eu quero fugir, vem você está muito fraquinho hoje.

— Fraquinho? Foi isso mesmo que escutei. — Levantei-me rápido ajeitando a boxer e comecei a correr atrás dela. — Corra, Linda Marilyn. Vou te dar uma margem, pois quando te pegar... — Comecei a andar lentamente em sua direção, ela me olhava fixamente andando de costas.

— Você vai me dar uma lição, Deputado? — Mordia os lábios me provocando, pois a última coisa que Linda queria agora era correr.

— Vai aprender a não deixar um homem sozinho nessa situação. — Aproximei-me pegando-a pela cintura e mordendo seu pescoço. — Agora vou fazer você gemer gostoso e pedir por mais.

— Eu quero mais, Artur — ela sussurrou e enlaçou as pernas em minha cintura.

— Então vem, gostosa. Quero ver você gritar meu nome bem alto, porque já vimos que o silêncio não é seu forte.

Ela riu e rebolou ainda mais em meu colo, enquanto a deitava na areia penetrando sem dó em sua intimidade apertada.

— Ai... Isso Artur, vem...

— Eu criei um monstro, meu Deus. — Mordi seu ombro estocando mais fundo. Nossos corpos se chocavam e palavras incoerentes saiam de nossas bocas praticamente ao mesmo tempo. — Vem, Linda. Estou quase.

— Eu vou... Ah!

Ela se entregou a um orgasmo alucinante, apertando-me totalmente, deixando sua entrada ainda mais estreita. E sem alternativa joguei-me desse penhasco de sensações junto com ela.

Ficamos mais um tempo na praia. Eu deitado sobre seu corpo, tomando cuidado para não esmagá-la, escutando apenas as batidas do seu coração, e as ondas batendo na areia.

Depois de um tempo começou a esfriar e a senti se arrepiar inteira debaixo de mim.

— Vamos entrar, princesa. Precisamos de um banho, e ainda quero você naquela cama quente essa noite. — Ela sorriu e deixou-se ser pega no colo.

— Depois eu que sou insaciável, não é? — ela sussurrou passando a língua pelo lóbulo da minha orelha.

— Por você sempre, Linda Marilyn.

Tomamos um longo banho com direto a massagens, óleos aromatizantes e uma transa calma no chuveiro. E saciados, dormimos depois de mais uma vez nos entregarmos ao prazer.

Eu estava inteiramente nas mãos de Linda. Ela tinha poderes sobre mim que eu mesmo desconhecia, e até me assustava um pouco, porém ela era e seria para sempre minha.

Disso eu nunca abriria mão. Mesmo se para isso tivesse que aprender a lidar com essa nova situação que a vida tinha me apresentado.

Um novo Artur Scott se reverenciando a uma mulher.

Uma única mulher... Linda Marilyn... Minha Linda.

Capítulo 9

Linda

Acordei depois de um sonho bom, tendo aquela sensação de ainda estar dentro dele, o que me deixava sentir até o cheiro do mar.

Sonhei que fazia amor com meu Artur Sebastian à noite inteira na famosa Ilha de Emma, com ele me dizendo palavras bonitas, e ao mesmo tempo obscenidades. Coisas que só de lembrar me deixavam molhada.

Tateei a cama na esperança da minha realidade ser pelo menos um pouco parecida com a do meu sonho, mas nada, eu estava sozinha.

Tomei coragem então para começar mais um dia em minha vida

pequena e mundana, e mesmo sendo sábado gostava de me programar, ainda que fosse para ficar estirada no sofá sem fazer nada comendo pipoca com Mary. Mas daria até para arriscar uma caminhada no Central Park. Porém quando comecei a abrir meus olhos devagar por causa da claridade, percebi que ainda estava sonhando, ou não?

Meu Deus!

Sentei-me na cama tentando raciocinar minha vida nos últimos três dias. Eu realmente tinha passado a noite transando e — sorri — fazendo amor com Artur, com ele me dizendo tudo aquilo de verdade.

Oh, meu Deus! Eu estava na Ilha de Emma, mas onde estava meu *homem de ferro*?

Levantei-me e percebi que estava nua e dolorida, então me enrolei em um lençol e saí a sua procura. Mas não precisei andar muito para encontrá-lo.

Pela porta janela que dava para a varanda vi Artur saindo do mar apenas com uma sunga branca, e chacoalhando aquele cabelo, que era a minha loucura na hora em que estávamos... Bom deixa para lá.

Não conseguindo controlar minha excitação, esfreguei minhas pernas uma na outra em busca de contato.

Aproveitei que ele não havia me visto e corri de volta para o quarto, não antes de observar e sorrir para a mesa de café da manhã montada na varanda.

Tomei um banho rápido, fazendo minha higiene pessoal e vestindo um biquíni minúsculo branco, com uma saída de praia da mesma cor, pegando na mala meus chinelos e óculos de sol.

Saí do banheiro levando um susto ao vê-lo parado na porta da varanda.

— Não me esperou para tomarmos banho. — Artur fez uma careta engraçada.

— Você não me esperou para tomarmos banho de mar juntos, então estamos empatados. — Ele sorriu vencido.

— Um a zero para você, Linda Marilyn. — Revirei os olhos e ele se corrigiu. — Linda. Com fome?

— Muita fome. — Olhei maliciosamente para ele, não sabendo

onde estava guardada essa ninfomaníaca dentro de mim.

— Então vamos. — Nos direcionou até uma mesa abarrotada, posta para o nosso café da manhã na varanda.

— Vai me dizer que esse é mais um de seus dons, caro candidato? — Me sentei depois que Artur puxou a cadeira educadamente.

— Sinto te desapontar, cara jornalista, mas esse não é um dos meus dons. — Ele sorriu torto.

— Então, não estamos sozinhos aqui? — Percebi meu desapontamento de longe, imagine ele, que continuou rindo da minha cara.

— Você é muito transparente, Linda. E isso a deixa com muito mais charme. — Claro que corei violentamente depois desse elogio. — Mas voltando a sua pergunta, estamos sozinhos sim, os funcionários deixaram tudo pronto e um café, acho que aprendi a fazer. Salve a cafeteira elétrica. — Gargalhei aliviada e feliz. Não queria que ninguém nos interrompesse e fazer amor na areia era muito bom.

— Vamos experimentar o café de Artur Scott, então.

Ele serviu minha xícara e logo em seguida a dele. E não era que seu o café era bom?

— Aprovado? — Me olhou ironicamente.

— Sim, aprovado! Está uma delicia. — Sorri para ele. Começando a beliscar alguns dos itens de nosso café da manhã.

— Ótimo! Podemos começar a entrevista a hora que você quiser, senhorita.

Aproximei nossos corpos para mostrar que ainda não era a hora de ser profissional. Eu queria brincar. E quando estávamos praticamente colados disse:

— Ainda não — Artur passou sua língua sensualmente pelo lábio e tentou me beijar —, ainda quero dar um mergulho.

Saí correndo tirando minha saída de praia e meus óculos, deixando-o inconformado novamente.

— Vem, Artur. Quero ver se a água está boa.

Artur se levantou em câmera lenta vindo em minha direção sorrindo, pronto para dar o bote, mas com uma ruga de preocupação bem no meio de sua testa. E sabia qual era o seu problema. Ele gostava de comandar, só que ao meu lado se via completamente sem ação, pois eu tirava forças de não sabia onde para domá-lo, mesmo sem querer. E estava amando essa minha nova faceta.

— Já disse para você hoje que está brincando com fogo, Linda Marilyn? — Neguei apenas com a cabeça, sorrindo. — Então eu vou repetir novamente. — Pegou minha cintura levando-me para água. — Você adora brincar com fogo, não é?

— Para, Artur — ele nos jogou no mar, enquanto ríamos e as ondas batiam em nossos corpos colados. Prendendo-me ainda mais em seus braços, aproveitei para enlaçar as pernas em sua cintura, sentindo que não era apenas eu que estava animada naquele momento.

— Você vai aprender de uma vez por todas que não se deve deixar um homem louco, Linda Marilyn. — Gemi e me enrosquei ainda mais a ele, tentando com os pés, descer sua sunga. — Com pressa?

— Eu quero você, Artur. Agora. — Ele gargalhou afastando a calcinha do meu biquíni e brincando com minha entrada, me deixando completamente alucinada.

— É disso que você gosta, não é, gostosa? — Meu Deus ele estava brincando com seu membro no meu clitóris.

— É! Mas preciso de você. Eu quero mais. — Artur continuou gargalhando, mas de uma só vez me penetrou, fazendo-me gritar de desejo e jogar a cabeça para trás.

— Agora rebole, se delicie com meu pau entrando em você... Hu*m*, Linda! Como você é apertada. Sinta como fico louco com isso. — Ele estocava forte, comigo revirando os olhos. Esse homem seria minha perdição.

— Ai, Artur... Só para você. — Eu estava apaixonada, porém na hora do sexo é que me via completamente entregue.

— Só minha, gostosa. Vem, estou quase lá. — Mordi seu pescoço o fazendo urrar alto, me sentindo poderosa por isso.

— Eu também, amor. — Não tive como conter e o chamei de amor. Mas quando pensei que havia estragado tudo, Artur me beijou apaixonadamente, chegando junto comigo a um orgasmo alucinante.

— Perfeita!

Beijou-me novamente nos levando para a areia e deitando meu corpo praticamente em cima do dele. Ficamos em um silêncio gostoso, apenas escutando as ondas do mar, até eu quebrá-lo.

— Você deveria ter me acordado. — Artur sorriu beijando meus cabelos.

— Você não iria conseguir me acompanhar. Meus dias começam muito cedo, Linda. E quando estou aqui gosto de correr, dando um mergulho antes do nascer do sol.

— Mais uma de suas particularidades? — Ergui minha cabeça o encontrando completamente entregue, com os olhos fechados.

— Sim. Sempre acordei muito cedo. Gosto de praticar exercícios logo pela manhã, antes dos meus compromissos.

— Nossa! Exercícios? — Sorrimos juntos.

— Exercícios... eu pratico esporte desde criança.

— E foi desde criança que você idealizou seguir os mesmos passos do seu pai e seu avô? — Sentei-me começando minha tão sonhada entrevista.

Artur me acompanhou, acomodando meu corpo no meio das suas pernas, deixando-nos de frente para o mar.

— Sim! Desde muito cedo idealizei estar no poder, como meu avô e meu pai. Na época em que morávamos em Washington, meu avô estava na Presidência, e meu pai era já era um dos deputados mais temidos. Eu os olhava, apenas com doze anos, admirado e decidido a seguir aquela mesma vida. Apesar de todas as intransigências de uma vida pública.

— Isso te aborrece ou te atrapalha?

— De maneira alguma. Ter uma vida pública nos priva de algumas coisas, principalmente a vida pública política, não podendo haver nenhum deslize. Porém sempre foquei meus ideais em minha profissão, e estou conseguindo chegar aonde quero...

— No topo? — Olhei para trás encarando seus olhos verdes que estavam fixados ainda no mar.

— Sim, no topo. Com a honestidade e liderança nata da Família Scott. Porque não somos simpáticos e adoráveis, Linda. Somos competentes e sabemos o que estamos fazendo. Um político de verdade não pode se apegar a promessas e sorrisos. — Ele respirou profundamente. — Um político de verdade tem que ter o dom da liderança, e a perspicácia de mostrar para seu eleitor o motivo para ser votado. Estamos no comando há mais de quarenta anos por termos as mãos de aço na hora de fazer justiça e o discernimento correto na hora de governar. — Olhei para seu rosto intocável, feliz e orgulhosa do homem que estava ao meu lado naquele momento.

O homem dos meus sonhos...

O homem da minha vida...

Artur sempre me daria orgulho quando o assunto fosse política, ele e sua família sabiam como ninguém governar um país.

Conversamos por um bom tempo ainda sobre sua vida profissional, seus ideais, sua vida pública e suas propostas para essa nova jornada, quando sua barriga roncou.

É... Meu *homem de ferro* não deixava de ser apenas um ser humano frágil também.

— Acho que temos alguém com fome aqui. — Ele sorriu.

— Podemos fazer uma pausa então, cara jornalista?

— Pausa concedida, Deputado. — Dei-lhe um selinho me levantando.

— Preciso providenciar nosso almoço. — Eu gargalhei, enquanto ele se levantava sem entender.

— Vai me dizer que vamos pedir em um *delivery*, Deputado Scott? — Artur estreitou os olhos me fazendo rir ainda mais.

— Não, Linda Marilyn. Pedi para deixarem alguns pratos congelados.

— Nada disso. Eu vou cozinhar para nós. — Desafiei-o colocando as mãos na cintura.

— Mais uma de suas facetas?

— Mais um dos meus *hobbys*. — Sorri para ele, tentando tirar a areia do meu corpo. — Eu adoro cozinhar, me relaxa.

— E quais são suas especialidades, Linda Marilyn? — Artur me abraçou pela cintura, deixando nossos corpos colados e nossos rostos mais próximos.

— Você vai conhecê-las, Deputado. — Mordi os lábios, mas fui interrompida por um beijo furioso que me tirou o fôlego e o juízo. Enrosquei-me em seus cabelos. — Vamos para o chuveiro? — E a fome foi esquecida no momento em que pedi um banho.

— Você quer um banho, princesa? — Ele estava testando meus limites, pois dizendo isso, mordeu meu pescoço e passou a língua por toda sua extensão.

— Nunca será apenas um banho com você. — Gemi as palavras sofregamente, enroscando ainda mais nele, sentindo sua ereção crescer no meio de nós.

E como deduzi nosso banho não foi apenas um banho. Fizemos amor novamente no chuveiro, prensados na pia e na borda da banheira. Conseguindo sair do banheiro muito tempo depois.

Fomos para a cozinha e fui observada atentamente por ele, sentado em um banco recostado na bancada, enquanto preparava um espaguete ao molho *funghi* e manjericão.

Artur tinha aberto um vinho e me ajudado a colocar a mesa. Isso me deixou toda derretida por tê-lo assim tão intimamente. Não queria pensar muito no que aconteceria depois conosco, pois como diria vovó Stevens, o futuro a Deus pertence. Mas com certeza eu não saberia como reaprender a viver sem Artur na minha vida.

— Linda? — Fui tirada de meu transe com ele me chamando. — Está tudo bem?

— Sim! Vamos almoçar. — Sorri e lhe dei um selinho.

— Vamos ver se já está aprovada também como *chef* de cozinha.

— Também?

— Linda. — Ele deu a volta no balcão prensando-me novamente —, você é uma excelente profissional. — Beijou a ponta do meu nariz. — É divertida e inteligente... — beijou meu pescoço —, e Perfeita na cama. Se não fosse eu a sentir você se rompendo para mim duvidaria que fosse virgem. — Artur sussurrou no meu ouvido, deixando-me completamente entregue em seus braços.

— Não fala assim, Artur.

— Eu só estou falando a verdade, princesa.

— Para de me deslumbrar que comer macarrão frio não é bom. — Usei toda minha força e consegui me desvencilhar dos seus braços, com ele gargalhando.

— Então eu te deslumbro, Linda?

— Você deslumbra todas as mulheres da face da Terra, Artur Sebastian Scott.

— Mas só uma me interessa. — Ele me olhou tão intensamente

que perdi até o ar. — Vamos comer? — Apenas confirmei e nos sentamos.

Nosso almoço foi agradável, sem muitos jogos de sedução que me corassem violentamente, ou me deixassem mais molhada. Apenas elogios para meus dotes culinários com conversas sobre amenidades como viagens e família. Além de mais material para minha entrevista, quando o assunto era política.

Quando conseguimos sair da mesa já era fim da tarde. Fomos para a área da piscina e deitamos juntos em uma das espreguiçadeiras, vendo um lindo pôr do sol.

— O que você deseja se elegendo, futuro Senador?

— Ter o pulso firme para combater a falta de caráter e a desonestidade. A perspicácia e inteligência para governar sabendo realmente o que a população mais necessita. — Sorri concluindo ali minha entrevista e não vendo a hora de colocá-la no computador.

Ficamos mais um tempo ali até Artur me levar no colo para dentro, quando percebeu que eu tinha cochilado.

— Desculpe! Acabei dormindo. — Ele depositou meu corpo na cama macia.

— Estará desculpada apenas se ficar quietinha, enquanto me delicio nesse corpo que é só meu. — Estremeci com sua voz rouca descendo e distribuindo beijos por todo meu corpo.

— Eu fico — sussurrei sem força, e Artur tirou minha calcinha, começando a brincar comigo, deixando-me já encharcada.

Ele começou lentamente a passar sua língua por toda a minha extensão, comigo se contorcendo e gemendo de prazer. Artur tinha o dom do sexo. Meu Deus, que homem era esse?

Mas eu não queria gozar na sua boca. O queria dentro de mim, estocando forte, me comendo loucamente. Então instintivamente tentei fechar as pernas, o fazendo me olhar sem entender.

— Eu não quero gozar aí — estava ofegando —, quero você dentro de mim, Artur Sebastian. Quero você me estocando forte. Quero...

— É isso que você quer, princesa?

Não sei como ele fez isso, mas nem mesmo terminei a frase e Artur já estava dentro de mim estocando como um louco, completamente másculo e suado.

— É... eu quero gozar junto com você... Mais forte... Vem, Artur...

Deixei-o completamente alucinado, só conseguindo ouvir depois disso nossos gemidos, quer dizer, os urros dele dizendo que estava perto.

Gozamos mais uma vez em sincronia. Caímos nus e suados na cama.

— Me desculpe, Linda! — Artur olhou para mim preocupado, deixando-me assustada. — Nós esquecemos a camisinha. — Sua delicadeza me agradou e eu sorri para ele.

— Não se preocupe eu tomo pílula.

— Mas se era virgem, por que tomar anticoncepcional, então? — Senti uma ponta de ciúmes e adorei.

— Minha menstruação sempre foi desregulada e tomo por conta disso. Não se preocupe.

— Isso nunca me aconteceu. — Agora foi minha vez de ficar com ciúmes. Ele não ia expor suas relações sexuais, ia?

— Já disse que não precisa se preocupar, Artur. — Fui fria demais.

— Eu não estou preocupado comigo, princesa, e sim com você. — O cachorro sabia me pegar de guarda baixa.

— Está tudo bem mesmo, agora será que dá pra calar a boca e me beijar um pouco.

Artur deu aquele sorriso safado e fez o que pedi, para minutos depois nos entregarmos a um merecido cochilo do final da tarde.

Acordei um tempo depois e fiquei apenas observando como ele era lindo.

Poderia estar descabelado, sujo, suado e cheirando a sexo, porém mesmo assim ele ainda era completamente perfeito.

Pensar que ali naquela ilha ele era apenas meu, fazia-me sentir poderosa. Porque, caramba, eu tinha Artur Sebastian Scott na minha cama, nu e gritando meu nome.

Foi com esse sentimento que me levantei sem fazer barulho indo atrás do notebook que havia trazido. Precisava redigir sua entrevista, ela estava completa na minha cabeça e enquanto não a visse perfeita na tela do meu note não sossegaria.

É, Linda Marilyn Stevens, você era uma pessoa de muita sorte mesmo. Realizou seu maior sonho que era entrevistar Artur Scott, e ainda o levou para cama, fazendo-o realizar seu outro maior sonho.

Estar com ele nos braços.

Naquele momento estava feliz e realizada.

E com esses pensamentos sentei-me em uma mesa na frente da nossa cama, o observando dormir e comecei a digitar.

"Com o dom e o poder de dirigir correndo em suas veias, Artur Scott nos surpreende em uma exclusiva, onde nos revela um pouco mais dos seus desejos, paixões e propensões para o cargo que está concorrendo..."

Capítulo 10

Artur

Acordei assustado e sozinho na cama. Onde Linda Marilyn teria se metido? Já estava se tornando um vício incurável acordar e tê-la ronronando nos meus braços, e isso teria que ser resolvido quando voltássemos para Nova Iorque. Ela não ficaria solta por aí. Eu precisava dela comigo, ao meu lado, o tempo inteiro.

Tentei preguiçosamente abrir os olhos e o que vi na minha frente foi a cena mais sexy da face da Terra. Linda estava digitando em seu notebook, vestindo apenas minha camisa, com um coque no cabelo e óculos vermelhos em seu rosto angelical.

Sim, existia o tal famoso óculos, mas não de fundo de garrafa. Os de minha princesa não poderiam ser mais quentes. Era vermelho em um estilo menor.

Tão diferente de quando ainda imaginava aquela promissora jornalista todos os dias em minha sala, lendo suas matérias.

Sorri maliciosamente.

Linda tinha o dom de me deixar duro apenas por estar de pernas abertas, sem calcinha, e concentrada no que estava fazendo. Tão concentrada, nem reparou que eu já havia acordado, então resolvi chamar sua atenção.

— O que tem de tão interessante aí? — A vi pular de susto enquanto me acomodava melhor na cama para apreciar essa que seria uma das minhas prediletas maneiras de acordar a partir daquele momento.

— Que susto, Artur — Ela riu e colocou a mão no peito. — Estava redigindo sua entrevista.

— E aí, está pronta?

— Prontíssima, mas eu gostaria de te pedir um favor. — Linda mordeu aqueles lábios, arrumando seus óculos, e mesmo sem querer me deixou ainda mais duro.

— Se estiver ao meu alcance. — Ela revirou os olhos ironicamente.

— Você é Artur Scott, meu amor. Aquele que tudo pode. — Gargalhei e gostei de como soou o "amor" saído de sua boca.

Pensei que nunca diria isso, mais Linda conseguia mexer com toda a estrutura imponente do famoso Artur Scott.

— Diga o que você quer. — Tentei parecer rude, mas estava completamente derretido.

— Que você leia a entrevista antes de mandar para meu editor.

— Você me concederia essa honra? — Ela sorriu e mordeu a ponta da caneta. Porra, essa mulher trabalhava assim naquele jornal? Eu não permitiria que Linda fizesse isso na frente de mais ninguém.

— Eu leio, quer dizer. — Bati na cama e a chamei com o dedo. — Venha e leia para mim. Quero ouvir a visão que tem sobre mim através da sua própria voz.

— Você tem certeza? — Ela corou, fazendo-me sorrir. — Eu não sei se vai gostar.

— Eu confiei em você, Linda. E sei que o conteúdo que está na sua frente vai me agradar.

— Tudo bem. — Ela se levantou com o notebook nas mãos e se acomodou no meio de minhas pernas, dando-me a visão do seu corpo escultural e gostoso perto do meu, junto com seu notebook.

— Perfeito. Podemos começar.

— Artur — Linda olhou para trás —, se quiser mudar alguma coisa, se quiser...

— Linda — dei-lhe um selinho —, confio em você. Agora comece, por favor.

— Com o dom e o poder de dirigir correndo em suas veias, Artur Sebastian Scott...

Linda começou a ler minha entrevista e a cada palavra pontuada e colocada no tom exato, só confirmava o que enxerguei quando olhei para ela naquela festa. Linda seria a mulher ideal para estar ao meu lado. Ela usou de toda sua inteligência, perspicácia e acima de tudo delicadeza para redigir todos os pontos da entrevista. Essa sem dúvida nenhuma ia ser a melhor entrevista publicada do famoso e temido Artur Scott

— ...E finalizando, como lema o futuro Senador espera ter o pulso firme para combater a falta de caráter e a desonestidade, sem perder a sensibilidade e inteligência para governar, sabendo realmente o que a população mais necessita.

Parei ainda analisando cada ponto, enquanto Linda praticamente nem respirava. Depois de mais ou menos dois minutos ela jogou o computador em um canto da cama e se virou de frente para mim, olhando-me atentamente por debaixo daqueles óculos vermelhos tentadores.

— E aí, fala alguma coisa, Artur. Não me deixe mais nervosa. — Mordeu os lábios fazendo-me rir, acabando ali com o suspense.

— Está perfeita, cara jornalista. Eu não costumo me enganar com minhas escolhas. Linda, sua entrevista está excelente. — Senti que ela devolveu o ar para seus pulmões.

— Ai — relaxou e aproveitei para ajeitá-la no meu colo —, assim você me mata.

— Eu amo sua espontaneidade.

Beijei seus lábios, já a invadindo com minha língua e explorando aquela boca gostosa que era só minha. Linda gemeu deixando-me mais aceso, e percebendo isso rebolou no meu colo.

— É tão incontrolável e vergonhoso, mas quero você de novo. — Gargalhei beijando seu pescoço.

— Então me tenha, princesa. — Sem pensar duas vezes, ela abriu lentamente minha camisa, tirando os óculos e se desfazendo do coque. — Puta que pariu, princesa! Assim você me faz gozar antes da hora. — Ela gargalhou tirando minha boxer. — Esses óculos estão me matando, coloque novamente, por favor. — Linda maliciosamente os colocou de volta ao rosto.

— Assim, amor? — Ela o ajeitou em seu nariz. — Você gosta dos meus óculos?

— Muito, gostosa — urrei empurrando meu quadril no dela e Linda foi descendo lentamente, enquanto guiava meu pau em sua entrada me fazendo gemer.

— Ai, isso... Nossa como você é gostoso, Artur. — Ela sorriu devassa e mordeu meu lábio inferior.

— A camisinha? — perguntei.

— Não quero nada entre a gente, amor.

Sorri a apoiando completamente. Linda era como meu prato predileto, e nada poderia atrapalhar esse momento, nem que fosse um mísero plástico fino. Não era a mesma coisa que senti-la completamente quente dentro de mim.

— Então, quero que você cavalgue no meu pau agora, Linda Marilyn. Sinta ele todo dentro de você e me faça gozar — sussurrei mordendo seu ombro e dando um leve tapa na sua bunda. — Você vai ser minha perdição, Linda Marilyn.

— E você a minha. — Gememos juntos no momento em que loucamente ela começou a cavalgar em mim, deixando-me alucinado. — Ah! — Gemeu, girando o quadril no meu. — Você é tão bom... Artur. — Por tê-la tão entregue, não tive dificuldade de sentar-me e passar meus braços por sua cintura.

— Geme, vai gostosa. Geme que quero ver você se derretendo, apertando meu pau e gritando meu nome.

Fiquei em uma posição que me dava livre acesso aos seus seios, que se movimentavam a cada mexida, e não resistindo caí de boca neles, me deliciando com seus mamilos duros e empinados no ponto certo.

Não demoramos muito dessa vez, caindo em um abismo sem

volta, nos jogando nus e suados sobre a cama.

Linda preguiçosamente se aninhou em mim, ronronando como uma gata, tirando seus óculos sedutores.

— Você é deliciosa, Linda. — Passei os dedos por sua coluna molhada de suor a fazendo gemer, e se retrair comigo ainda dentro dela.

— Você também, Deputado. — Rimos sem forças e ficamos um tempo em um silêncio gostoso, apenas sentindo a respiração um do outro.

Nosso final de semana estava sendo absolutamente intenso. Linda tinha um apetite sexual bem parecido com o meu. Estávamos nos descobrindo, e a cada transa identificava um gemido diferente, um lugar mais quente, uma Linda Marilyn completamente entregue. E era isso que me deixava mais louco e viciado por ela.

Tomamos um banho juntos depois de mais um cochilo. Acordamos, fizemos um lanche preparado por ela, e depois de conversarmos bastante dormimos a noite inteira.

As conversas com Linda também fluíam facilmente. Ela era inteligente, entendia como ninguém sobre meu assunto favorito. Era divertido quando falávamos de nossas famílias e viagens, que poderíamos passar a noite batendo papo, se nosso cansaço não fosse maior por conta da maratona sexual intensa do final de semana.

O domingo foi mais tranquilo, ela acordou comigo mais cedo, e dessa vez acompanhou-me no mergulho matinal.

Mais tarde mostrei para ela algumas partes da ilha que tinha belas vistas, e logo depois do almoço embarcamos de volta para casa.

Linda dormiu boa parte da viagem de helicóptero, e quando aterrissei em Nova Iorque a acordei com um beijo singelo.

— Vamos, Bela Adormecida. Chegamos. — Ela me deu um sorriso lindo e corou.

— Dormi de novo, não foi?

— Sim. Mas vamos, você precisa descansar.

Desembarcamos com Jonathan já nos esperando na pista, ele nos levou até seu prédio, entrando pela garagem, exigência dela.

Fiz questão de ajudar com sua bagagem e levá-la até o apartamento. O trajeto foi feito em silêncio e a percebi um pouco tensa.

— Chegamos. — Ela abriu a porta e entramos.

— Chegamos. — Deixei sua bagagem em um canto da sala e voltei meus olhos para os dela que olhava para o chão. — Foi um final de semana maravilhoso, Linda.

— Eu sei. — Sorrimos juntos e toquei seu queixo para que ela me olhasse.

— Obrigado por corresponder minha confiança, Linda! — Fui honesto.

— Obrigada por confiar, Artur! Nunca decepcionaria você.

— Eu sei que não. — Peguei-a pela cintura beijando-a intensamente. — Eu tenho que ir. — Estava praticamente enroscado em seu corpo, com as mãos já subindo sua blusa.

— Tudo bem. — Ela baixou os olhos novamente.

— Obrigado mais uma vez!

— Não tem o que agradecer, eu também gostei.

Dei-lhe um último beijo e saí sem olhar para trás. Não resistiria vê-la parada na sua porta me vendo partir, e via que essa estava se tornando uma das tarefas mais difíceis da minha vida.

Linda definitivamente já fazia parte de mim, tomando um espaço maior que um dia poderia imaginar para alguém. Ficar longe do seu corpo depois desse fim de semana se tornaria praticamente impossível, e por isso teria que pensar no que fazer sem assustá-la. Não ficaria mais um dia afastado do seu cheiro, do seu sorriso, da sua companhia.

Linda Marilyn já havia entrado e tomado conta de todo meu ser, mesmo sem eu permitir.

Capítulo 11

Linda

Eu ainda estava na porta do meu apartamento olhando para o elevador quando Mary surgiu do nada.

— Lindinha, o que você está fazendo aí parada feito um dois de paus, amor?

— Ai, que bom voltar para a realidade! — A abracei forte como se dependesse dela minha salvação.

— O que foi, amiga? — Ela nos empurrou para dentro fechando a porta. — Linda, você está bem, ele te maltratou? Está me assustando. — Eu ri.

— Muito pelo contrário, Mary. Artur é perfeito. Ele é carinhoso... inteligente... divertido... prepotente... e gostoso — suspirei pesado jogando-me no sofá.

— E qual é o problema então? Não estou entendendo nada, Lindinha.

— Foi apenas um sonho, Mary. Mas e agora, o que vou fazer sem ele? Artur me deu a entrevista, se abriu para mim, nós conversamos sobre tudo, mas estou com medo.

— Você não acha que está sofrendo por antecipação, não? — Ela cruzou os braços em frente ao corpo.

— Acho que me viciei nele, Mary — bufei. — E agora?

— Agora nós vamos pedir um japonês e você vai me contar todo o seu fim se semana, e eu vou contar o meu. — Ela bateu palminhas me fazendo rir. — E pare de besteira, será que não passou pela sua cabeça que ele também possa estar viciado em você, Senhorita Stevens? — Neguei sem saber o que pensar. Nessa hora me toquei da sua animação.

— Mary, o que aconteceu no seu final de semana?

— Espera... — Ela estava com o telefone no ouvido já fazendo nosso pedido. — Isso. Obrigada. — Desligou e veio se sentar ao meu lado. — Pronto. Agora podemos conversar. Sabe quem eu encontrei na *Lotus* na sexta, e me ofereceu um jantar ontem?

— Não acredito! — gritei. — Jared?

— Sim — Mary cantarolou —, desencantei o rapaz, amiga. Criei coragem, quer dizer o *Martini* me deu coragem e... — os olhos da minha amiga brilhavam de felicidade.

— Você o convidou para sair? — Fiquei empolgada.

— Sim e não. Na verdade o encontrei na boate e conversamos, bebemos, dançamos, e como ali percebi que o mal de Jared era a timidez, eu o beijei. — Mary deu de ombros me fazendo gargalhar.

— E já rolou? — Estava me corroendo de curiosidade, mas a campainha tocou, fazendo com que Mary sorrisse inocente indo atender a porta.

— Não, ainda não. — Colocou um salmão na boca quando já estávamos à mesa de centro da sala. — Não sou tão pervertida como você. — Joguei meu *hashi* nela que desviou, rindo. — Ainda não, amiga. Mas o beijo... — Mary se abanava com o guardanapo. — E o Jared também não é o destemido Artur Scott, que ataca no primeiro encontro, em cima do capô do seu esportivo de coleção. — Suspirei me lembrando dele. — Mas agora é a sua vez, conte-me tudo.

— Foi um sonho, Mary. Esse que é o problema. Artur se entregou completamente, a entrevista fluiu como uma conversa gostosa e segundo ele ficou maravilhosa. — Lembrei de suas palavras. — Mas voltamos para a vida real, e ele tornou-se novamente o meu *homem de ferro* inatingível.

— Será, Linda? Será que depois desse fim de semana ele ainda será tão inatingível assim?

— Eu tenho medo, Mary.

— Amiga, vamos dar tempo ao tempo, mas eu sinto que essa história está apenas começando. — Sorri da sua forma carinhosa, tentando me botar para cima.

— Acho que preciso dormir — resmunguei.

— Também acho. E me passe a entrevista antes de se deitar, quero ler esse fenômeno maravilhoso — ela gargalhou. — Só pense em uma coisa, amiga. Artur não se entregaria a ninguém tão facilmente, a não ser que fosse especial para ele. — Ela tocou meu rosto carinhosamente. — Deixe-me ir, passo amanhã cedo para irmos juntas para o jornal.

— Tudo bem. E obrigada, Mary. Não sei o que seria da minha vida sem você.

— Nada, amor. — Ela beijou meu rosto sorrindo e saiu.

Fiquei mais alguns minutos ali absorvendo toda a nossa conversa. Levei o resto do nosso jantar para a cozinha. Fui para meu quarto me vendo completamente sozinha. Tomei um banho demorado sem conseguir tirá-lo da mente, passei a entrevista para o *e-mail* de Mary e deitei, sentindo o frio da cama vazia pela primeira vez, depois de tê-la experimentado com Artur Sebastian.

E agora, meu Deus, o que fazer?

Dormi com essa pergunta em mente e tive sonhos nada convencionais com ele, acordando completamente molhada, não só uma vez durante a noite.

Esse homem seria meu fim.

Mas graças a Deus acordei bem disposta e querendo enfiar minha cabeça no jornal.

Segunda era o dia onde eu mais trabalhava, pois pesquisava sobre tudo que havia saído no sábado e no domingo. Costumava me inteirar disso um pouco durante o fim de semana, mas como esse foi atípico, trabalharia em dobro.

Arrumei-me colocando um vestido tubo preto, com a parte de cima florida, sapatos e bolsa da mesma cor, e meu conjunto de joias inseparáveis da *Tiffany*, que meus pais me presentearam no Natal passado.

Chegando à cozinha cumprimentei Angelita que já mexia em alguma coisa logo pela manhã. Ela era uma boa pessoa e uma ótima empregada. Eu e Mary não tínhamos do que reclamar e não vivíamos sem ela.

— Bom dia, Angelita! Tudo bem? Como foi seu fim de semana?

— Bom dia, Linda! Ele foi muito bom, obrigada por perguntar. — Ela se virou servindo meu café enquanto me sentava na bancada. — Hoje vou ao supermercado, você não deixou nenhuma lista. Quer algo em especial?

Pensei em como Artur teve o dom de virar a minha vida, metodicamente correta, de ponta cabeça. Nos finais de semana organizava tudo que gostaria que Angelita fizesse em listas, supermercado, faxina, roupas para buscar na lavanderia. E naquele momento estava completamente perdida.

— Eu penso nisso no caminho, Angelita. Só leve minha roupa que está na mala para a lavanderia e faça as compras de sempre. Depois se precisar de algo mais eu mesma pego. Agora preciso ir, tenho muita coisa para fazer hoje.

— Mais você nem comeu direito, menina. Experimente essa omelete, acabei de fritar. — Olhei-a agradecida pelo seu carinho.

— Obrigada, Angelita. Mas estou sem fome, só um café está de bom tamanho, até mais tarde.

Levantei-me e estava saindo do meu apartamento quando o celular começou a tocar.

— Oi, Mary. Já estou descendo, me encontre na garagem, vamos com o meu hoje.

— Tudo bem, amiga, estou indo.

Peguei o elevador trombando com ela no seu andar.

— Bom dia, meu amor! Dormiu bem? — Ela entrou esfuziante como sempre.

— Tentei — bufei encostando-me ao espelho na parede de trás.

— Ânimo, garota, que a semana está só começando. — Ela pulava de um lado para o outro.

— Vou tentar. — Descemos até a garagem, direto para meu carro.

Chegamos ao prédio do jornal e Mary foi para sua sala, pois tinha muitas fotos para selecionar, e eu fui direto para a minha com Laila logo atrás.

— Bom dia, chefinha! Um café para começar bem a semana?

— Por favor, e bem forte, Laila. — Sentei-me já abrindo meu notebook e mandando a entrevista para Victor.

— Seu café. — Ela entrou deixando o café em cima da minha mesa. — Mais alguma coisa?

— Não, Laila, qualquer coisa eu chamo, na verdade acho que vou ser chamada em cinco minutos por nosso lindo editor. — Mal fechei a boca e meu ramal tocou.

— Bom dia, Linda! Em minha sala agora. — Revirei os olhos mostrando o telefone para Laila, que riu.

— Bom dia, Victor! Já estou indo. — Levantei-me arrumando a saia e respirando fundo. — Vamos começar a semana, Senhorita Webber.

— Vamos, chefinha.

Cheguei à sala de Victor, que me pediu para entrar ainda com os olhos fixos na tela do seu computador.

— Perfeita! — Ele levantou o olhar sorrindo para mim.

— Obrigada!

— Você fez um ótimo trabalho, Linda! Como conseguiu essa total entrega do temido Artur Scott? — Tentando não transparecer minha vida pessoal na frente do meu chefe, respondi.

— Ele não é tão inatingível, Victor. Artur é muito inteligente e perspicaz, soube pontuar muito bem cada pauta da entrevista.

— E você soube colocá-la perfeitamente no papel. Sua essência está presente ali. Parabéns.

— Obrigada! Mas para uma entrevista bem sucedida os dois lados precisam estar em comum acordo, e Artur foi muito gentil e profissional.

— Você conseguiu praticamente um milagre. Artur Scott não gosta de se expor, principalmente em exclusivas. — Eu sabia disso. O que me deixava mais confusa e sem saber como agir com ele daqui para frente. — Preparada para o estrelato? Quero você em todas as exclusivas a partir de agora. — Nossa! Essa me surpreendeu.

— Preparada para dar o melhor de mim em todos os trabalhos que me forem atribuídos, Victor.

— Humildade é tudo, Linda Marilyn. — Lembrei de Artur chamando-me assim, e isso quase me desconcentrou. — Você está no caminho certo. Quero publicá-la o mais rápido possível, está tudo pronto?

— A sessão de fotos está marcada para hoje à tarde, vou lhe informando sobre todo o processo, mas creio que na quarta estarei com ela pronta. Podemos dar uma prévia em nosso site hoje, o que acha?

— Perfeito! Cuide pessoalmente disso, e vamos conversando. Pode ir. — Ele indicou a porta e voltei para minha sala com o celular na mão. Nenhuma ligação. Nenhum sinal de vida. Será que ele ligaria? Será que poderíamos ter uma relação normal? Será que era isso que Artur Sebastian pretendia comigo?

Sem respostas me enfiei no trabalho não vendo a hora passar.

No final do dia, Mary estava toda animada com o telefonema de Jared que a pegaria para jantar. Esses dois logo engatariam um namoro sério, enquanto eu *perderia* minha amiga e companheira de sorvete.

Ajudei Mary a se arrumar para seu jantar e voltei para casa ainda com o celular nas mãos. Nenhuma ligação recebida.

Apenas dona Ruth que ligou, desesperada por não ter me encontrado no final de semana em casa. Inventei uma desculpa, dizendo que havia passado dois dias na casa de uma amiga. Não gostava de mentir para meus pais, mas o que diria... *"Mamãe passei o fim de semana sendo comida pelo meu homem de ferro na Ilha de Emma"*. Sim, ela sabia do meu amor platônico também. É, acho que não seria legal causar um ataque do coração na minha mãe.

Tomei um banho e fiz um sanduíche leve, sem tirar Artur da minha mente. O que será que ele estaria fazendo naquele momento? Será que estava se divertindo com outra? Será que eu havia sido apenas um passatempo, a jornalista gostosa do fim de semana?

Resolvi me entreter com qualquer outro assunto que não relacionasse Artur Scott, então fiz a lista com inutilidades para Angelita comprar, outra lista de faxinas em algumas partes do apartamento, também limpei alguns dos meus *e-mails*, e por fim me deitei depois da meia noite ainda sem sono, mas precisando descansar. E nessa hora mais uma vez meus pensamentos voaram como águias para aqueles braços ao meu redor, aquela boca na minha e aquela voz no meu ouvido. E como em todas as noites sonhei com Artur Sebastian Scott, que havia voltado a ser apenas meu amor único e platônico.

Minha terça-feira não foi diferente, Mary estava empolgadíssima com seus encontros com Jared. Não parou de falar o caminho inteiro até o jornal e também na hora do almoço.

— Lindinha, você não pode ficar desse jeito. — Ela tentava me animar enquanto voltávamos para o trabalho depois do almoço a pé. — Quer que eu pergunte para o Jared?

— Nunca! — Gritei. — Mary, não quero mais tocar nesse assunto e quero que você me respeite.

— Calma, amiga! Tudo bem, mas vamos nos animar então. — Sorri de seu jeito.

— Que tal começarmos a fazer academia depois do trabalho. — Dei a ideia e ela para variar bateu palminhas.

— Ótima ideia, Lindinha! Adorei. Vou começar a pesquisar academias hoje.

— Isso pesquise e depois me fale.

— Vamos malhar, amiga. É o melhor remédio — concordei rindo, pegando no braço de minha amiga querida. — Vamos afogar os problemas e ainda por cima ficarmos gostosas. — Rimos e voltamos ao trabalho.

A minha noite não foi muito diferente da anterior, apenas com uma diferença. Mary jantou comigo, ficamos fofocando e assistindo filme até tarde, pois mesmo sem dizer nada ela sabia que eu precisava de colo. E estava seriamente pensando também em passar alguns dias com meus pais em Washington, precisava me sentir bem novamente, e nada como a casa da gente para isso.

E a quarta-feira fatídica da publicação da entrevista chegou.

Desde que sua prévia fora lançada, naquela segunda-feira, já estava sendo uma das mais acessadas em nosso site. E com certeza o jornal estouraria em vendas.

Pedi para Mary pessoalmente avisar a assessoria de imprensa de Artur, e ela faria com muito gosto, pois qualquer desculpa para falar com Jared no meio do dia era festa para minha amiga. Sem contar que um dia antes, eles haviam se falado três vezes pelo celular, duas só na hora que ela estava comigo em casa. Fiquei feliz por ela, Mary merecia ser feliz. Em compensação, comigo as coisas ainda estavam na mesma, quer dizer com o passar dos dias, elas se tornavam piores.

Chegamos ao nosso prédio depois de mais um dia de trabalho, e meu corpo moído pedia apenas cama. Mary subiu comigo até meu apartamento, pois queria uma bolsa emprestada para sair com Jared.

— O que você acha da *Max Gym*, amiga?

Ela me mostrava o folder que tinha imprimido no jornal. Parecia-me uma boa academia, algumas pessoas do trabalho treinavam lá e gostavam. Com um diferencial positivo, era em nosso bairro. E com o trânsito caótico de Nova Iorque, o mais perto possível seria o ideal.

— Poderíamos ir até lá amanhã direto do...

Mary parou de falar no momento que pisou no apartamento, e eu de cabeça baixa, vendo o miolo da fechadura não entendi o motivo.

— O que você falou, Mary? — foi minha vez de estatelar no meio da sala.

Artur Sebastian estava parado em pé, perto do sofá com as mãos no bolso nos encarando.

Esse homem definitivamente seria a ruína da minha mente.

Capítulo 12

Artur

Cheguei ao triplex ainda com a sensação que estava me faltando algo. Deixar Linda naquele apartamento foi mais difícil do que eu imaginava. Essa mulher estava despertando em mim sentimentos ainda escondidos.

Miranda, como sempre, ainda me esperava na sala apesar do horário.

— Boa noite, meu querido! Como foi de viagem? — Ela pegou minha bagagem e sorriu delicadamente.

— Muito bem, Miranda. E aqui, tudo em ordem?

— Sim, meu filho. Deixei um lanche preparado para você.

— Vou tomar um banho e volto para comer.

Deixei-a na sala e fui para o quarto olhando ao redor e

imaginando-a ali, ao meu lado, em minha cama. Eu queria Linda, e teria que arrumar algum jeito para não assustá-la.

Tomei um longo banho, desci para lanchar e liguei o *notebook* para me atualizar.

Pensei em ligar para ela, mas nunca precisei correr atrás de mulher alguma, na verdade eu mandava correrem por mim. Porém no caso de Linda Marilyn era diferente, não permitiria que ninguém intermediasse nossa relação, isso era inadmissível.

Sentindo-me cansado, decidi subir e tentar dormir, o dia seguinte seria cheio e pensaria melhor no que fazer em relação à Linda.

Acordei disposto e mais cedo, então resolvi caminhar na esteira antes de começar minha jornada.

Linda não saia de meus pensamentos, mas precisava me concentrar na campanha, e a esteira além de me relaxar, ajudava a enfrentar mais um dia de trabalho.

Tomei um banho, colocando meu terno *Armani* e desci encontrando Miranda com a mesa do café da manhã colocada. Sorrindo, imaginei como ela e Linda se dariam bem. Como seria bom ter minha princesa aqui. Poderiam achar doente da minha parte, mas não conseguiria ter etapas convencionais com ela. Eu a queria aqui ao meu lado, e o mais rápido possível.

— Bom dia, Miranda! Algum recado?

— Apenas sua mãe querendo falar com você, filho. — Sentei-me sendo servido por ela.

— Eu ligo para ela do escritório. — Tomei meu café pensando mais uma vez em ligar para Linda, mas fui interrompido por Ethan que já passava minha agenda do dia pelo telefone.

Preferi ir com Jonathan, pois já ia me atualizando sobre as notícias e a campanha dos outros candidatos.

Cheguei ao escritório sendo recebido novamente por uma afoita Natalie, que corria atrás de mim, inteirando-me dos compromissos daquele dia. Ethan e Jared também já esperavam em minha sala.

— Bom dia, Artur!

— Pode ir, Senhorita Jones, e me traga um café forte. — Joguei a pasta em suas mãos e fui em direção à mesa.

— O almoço com o chefe do partido está confirmado, McCartney?

— Bom dia para você também, Artur. Pelo jeito nem a jornalista conseguiu acabar com seu mau humor — ele brincou deixando-me furioso.

— O quê? — Cruzei os braços olhando para eles. — Vamos ter uma sessão de fofoca antes do trabalho hoje e não fui avisado? Cuide da sua vida, Ethan, porque da minha cuido eu — bufei já irritado logo pela manhã. — Jared Walker, pare de rir.

— Desculpe, Artur, mas...

— É que o final de semana dele também foi agradável, chefe — Ethan gargalhou.

— Eu perguntei alguma coisa, McCartney?

— Artur, agora é sério. Precisamos sair para relaxar algum dia desses, você anda muito tenso. — O fuzilei novamente. Ele não tinha o mínimo medo de perder o emprego. — Tudo bem não está mais aqui quem falou.

— Podemos começar a trabalhar, ou as meninas ainda têm alguma fofoca?

— Pode falar, chefe. — Jared sempre mais concentrado.

— Ótimo! A sessão de fotos para a minha exclusiva está marcada para hoje, Walker?

— Sim, Artur. Para o final da tarde, aqui mesmo na Scotts.

— O fotógrafo comparecerá sozinho ou a jornalista também vem? — Ethan esboçou um sorriso, mas apenas com um olhar meu, ele o engoliu na hora.

— Não, Artur. O fotógrafo vem sozinho.

Bufei, mas nem podia brigar com Ethan, pois ele tinha razão. Eu queria arrumar um pretexto para vê-la em meio a minha agenda cheia, o que seria praticamente impossível.

— E o almoço, McCartney?

— Confirmado, Artur. No mesmo restaurante de sempre.

— Ok!

Minha porta foi aberta bruscamente, e o único que tinha a empáfia de fazer isso sem medo de ser estrangulado era o temido Governador George Scott.

— Ao que devo a honra logo pela manhã, caro Governador?

— O recreio acabou. — Ele olhou para Ethan e Jared. — Saiam que preciso ter uma conversa com Artur. — Fiz um gesto para que os

dois saíssem e respirei fundo, pois meu dia estava começado muito bem.
— Bom dia, Governador!
— Não temos tempo para isso, Artur. Estamos envoltos a uma campanha eleitoral, e sem ao menos avisar você decide passar o final de semana relaxando na Ilha de Emma?
— Eu estava trabalhando, Senhor Scott. — Desafiei-o com o olhar. — E minha equipe, como lhe disse na sexta-feira, estava sabendo de tudo.
— E o que você chama de trabalho? Levar a jornalista de sua exclusiva para a cama, Deputado?
— Eu gostaria que você mantivesse o respeito ao falar dela, Pai. Não vou admitir que Linda Marilyn seja confundida com qualquer uma. — Meu pai sorriu me deixando confuso.
— É ela, não é?
— Não sei do que o senhor está falando?
— Linda Stevens. É ela a escolhida para ser sua, não é?
— Eu não tenho tempo para falar da minha vida pessoal agora, Governador. Como o senhor mesmo disse, já perdi muito tempo no fim de semana.
— Ela é inteligente, entendedora de política como poucas na atualidade. Está à frente de uma das mais conceituadas colunas sobre o assunto, e deixou sua mãe com um sorriso no rosto durante todo o final de semana. Nós queremos conhecê-la.
— Acho que não é a hora certa, ainda? — Agora todos resolveram se intrometer em minha vida como se eu tivesse quinze anos de idade, é isso?
— Vou deixar você trabalhar e ver se ela é mesmo competente. Pois como um Scott, você não deve ter se enganado. E se a levou para ilha, Linda Marilyn deve ser especial. Espero que esteja certo em suas escolhas, Deputado. Um político nunca pode se dar ao luxo de errar. — George saiu do mesmo modo que entrou, sem ao menos me desejar bom dia. Sim, eu tive escola.
Virei para a janela vendo Nova Iorque debaixo dos meus pés, e pensei em tudo que meu pai tinha acabado de dizer. George me conhecia como ninguém, na verdade eu era como ele. Não o enganaria por muito tempo, ele já sabia que eu havia feito minha

escolha.

Resolvi deixar meus pensamentos de lado e focar no trabalho. Almocei com o chefe do nosso partido, indo logo depois para a sessão de fotos. À noite tivemos uma reunião que se estendeu até a madrugada. Pensei em ligar ou aparecer em seu apartamento, mas o dia seguinte seria ainda mais corrido, e queria dar a Linda toda à atenção. Então, resolvi esperar mais um pouco.

Minha terça-feira não foi diferente, reuniões intermináveis e papéis e mais papéis para assinar. No final da tarde anterior, foi publicada a prévia de minha entrevista, que já estava sendo uma das mais acessadas em todos os sites.

Resolvi então fazer uma surpresa para minha princesa, compensando assim os dias que não nos falamos. Organizei com Miranda na noite de terça feira, e providenciei que tudo ocorresse perfeitamente para nosso jantar.

Linda Marilyn iria conhecer o triplex, e esperava ansiosamente que ela gostasse, pois não a deixaria sair de lá tão cedo. Sorri com esses pensamentos sabendo que logo acabaria meu martírio, voltaria a tê-la em meus braços.

A entrevista saiu na manhã de quarta, e a repercussão não poderia ter sido diferente. Linda Stevens havia conseguido a faceta de me colocar mais um degrau acima.

Naquele dia o mundo inteiro só tinha olhos e comentários para a famosa exclusiva de Artur Scott. Meu pai se encantou com a forma que ela redigiu o texto, e mais uma vez reforçou o pedido em conhecê-la junto com dona Emma.

Durante o dia, ao telefone, preparei toda a nossa noite com Miranda. E no final da tarde fui para casa, tomando um banho e sorrindo para a produção organizada por minha governanta. Antes de sair certifiquei-me se estava tudo pronto.

— Miranda, a discrição é a peça chave da minha vida, a estilista é mesmo confiável?

— Pode confiar em mim, querido. Ela é uma das estilistas mais famosas e discretas de Nova Iorque, e seu guarda roupa é único — respirei fundo —, do jeito que você pediu. Na verdade pedi a ajuda de sua mãe sem contar os detalhes, como sugeriu.

— Perfeito, Miranda! Estou saindo para buscá-la e quando

voltarmos pode servir o jantar. — Ela sorriu, pegando na minha mão.
— Como você preferir, querido. E... — ela tinha lágrimas nos olhos — essa menina é especial, já gosto dela mesmo antes de conhecê-la — Olhei feliz para Miranda que, assim como dona Emma e agora Linda, conseguia me desarmar.
— Você vai adorá-la, Miranda. Mas deixe-me ir. — Saí em direção ao seu apartamento, dirigindo novamente, naquela noite o meu *Audi*.
Cheguei lá, sendo recebido por sua empregada, Angelita, com um sorriso no rosto, que pediu para aguardar a chegada de Linda.
Entrei, e nos minutos em que fiquei ali a esperando na sala observei seu bom gosto nas escolhas dos objetos do apartamento, mas o que me chamou mais atenção foram suas fotos. Linda era muito querida por seus pais e por sua melhor amiga. Ela estava sempre feliz ao lado deles, em todos os porta-retratos, e uma coisa que nunca imaginei ver, estava ali. Chefe Stevens rindo ao lado da filha única. Um sorriso verdadeiro. O sorriso que me fez pensar no dom de Linda Marilyn em amolecer os corações de homens duros. Peguei-me rindo também ao escutar o barulho da porta sendo aberta. Virei e quando sua amiga me viu perdeu a fala.
Linda me olhou por algum tempo, mas também não disse nada.
— Amiga, vou pegar a bolsa no *closet*. — Mary saiu em direção ao corredor que indicava os quartos.
— O que você está fazendo aqui? — Ela parecia irritada. — Como entrou?
— Boa noite, Linda Marilyn! — Sorri sedutoramente. — Sua empregada me recebeu.
— Pelo jeito voltamos a estaca zero, por favor, apenas Linda, Deputado.
— Então, façamos um trato: só me chame de Deputado quando estivermos... — fui me aproximando quando sua amiga apareceu novamente na sala, fazendo-me retroceder.
— Me desculpem! Amiga, já estou indo.
— Tudo bem, Mary. A gente se fala amanhã. Bom jantar!
— Obrigada! — Ela a abraçou dizendo alguma coisa para Linda, rindo.
— Boa noite, Deputado!

— Boa noite, Mary!
— Te fiz uma pergunta. O que você está fazendo aqui? — Linda virou-se novamente para mim, assim que a porta se fechou atrás de nós.
— Pensei que seria recebido com mais gentileza em seu apartamento, Linda. — Aproximando-me com um olhar malicioso.
— Vou perguntar pela terceira vez — ela estava muito irritada —, o que faz aqui? — Suspirei, resolvendo responder sua pergunta.
— Vim te parabenizar pela entrevista, ela está sendo comentada em todo o mundo.
— Poderia ter pedido a seu assessor que mandasse um cartão para o jornal. — Linda disse fria, e como não tinha paciência para joguinhos disparei, nervoso.
— Linda Marilyn, o que está acontecendo?
— O que está acontecendo? — Ela riu sem humor. — Você some, aparecendo do nada e eu que tenho que saber o que está acontecendo? — desafiou-me.
— Estou no meio de uma campanha eleitoral, acho que você deve entender o que significa isso, e hoje com uma brecha em minha agenda consegui me programar para te convidar para jantar.
— Uma brecha na sua agenda — ela gargalhou ainda sem humor. — Você acha que pode tudo não é, Deputado?
Começou a andar de um lado para o outro e então continuou:
— Me come na sua sala, me leva para sua ilha, some três dias e volta como se nada tivesse acontecido, sem nenhum telefonema. — Ela balançou a cabeça. — E para completar me chama de brecha em sua agenda? Com certeza não sou o tipo de mulher que o senhor está acostumado. Eu não preciso passar por isso. Você sabe como foram esses três dias para mim, tentando decifrar o que se passava em sua cabeça? Não, você não sabe. Porque não se preocupa com os sentimentos alheios. Está acostumado em usar e jogar fora, só que eu não sou assim. — Linda tinha lágrimas nos olhos. — Eu não fui criada para isso, Deputado Scott. Agora se o senhor me der licença. — Ela indicou a porta para mim, deixando-me sem fala.
— Linda...
— Por favor. — Ela soluçou.

Não tive alternativa a não ser sair sem ao menos olhar para trás, pois não aguentaria ver minha princesa chorando, e ainda por minha causa.

Eu havia a magoado.

Porra!

Mas não estava acostumado com esse tipo de situação, na verdade não estava acostumado em lidar com qualquer tipo de relacionamento, para ser sincero...

Linda havia mudado todos meus conceitos de sensibilidade, me transformado em uma pessoa diferente. Porém ainda não sabia agir com essa novidade. Eu sempre tive tudo que quis, aos meus pés, e nesse momento não sabia o que fazer para reconquistá-la, pois era isso que tinha que ser feito. Era isso que eu queria fazer. Não conseguiria mais viver sem Linda Marilyn. Nem que para isso, tivesse que me adaptar com esse novo Artur Sebastian Scott, que a mim era apresentado.

O que eu faria agora?

Voltar para casa não estava em meus planos, não sem ela.

O que Linda Marilyn havia feito com toda a minha arrogância e prepotência? O que havia feito com meu individualismo, e a prática de mandar toda mulher que começasse a me dar dor de cabeça embora?

Quer dizer, ordenar que Ethan mandasse embora?

E como um estalo, tive uma ideia batendo meus punhos no volante do *Audi*. Mesmo que eu me arrependesse pelo resto da vida.

— E você chegou lá depois de três dias com essa empáfia e queria ser recebido com um beijo e uma *transa* no sofá? — Fechei a cara, negando.

Sim, eu havia ido direto para o apartamento de Ethan, atrapalhando uma *foda* bem dada, pois por seu semblante naquele momento, se não fosse eu, seu chefe, a estar batendo em sua porta, com certeza seria um cara morto. A mulher deveria valer a pena.

— E desde quando você entende de mulher, Ethan?

— Eu posso não entender de relacionamento sério, amigo. — Ele sorriu sacana, servindo-me uma dose pura de uísque e se jogando no sofá ao meu lado. — Mas de mulher eu entendo muito bem, Artur — nesse momento, vi uma loira escultural sair do quarto do meu assessor e melhor amigo, arrumando o vestido.

— Deputado Scott? — sorri sem graça acenando para ela no momento que me reconheceu.

— Nos falamos depois, gracinha. Agora tenho problemas sentimentais — o fuzilei com os olhos, fazendo com que ele engolisse seco —, quer dizer, profissionais para resolver. Ligo amanhã, gostosa. — Ethan deu um tapa de leve em sua bunda, e eu revirei os olhos por estar tendo que presenciar suas intimidades.

— Tudo bem, Deputado — Ela se despediu acenando também, com Ethan levando-a até a porta e lhe dando um beijo.

— Mas voltando, você não levou nem flores? — Sentou-se ao meu lado novamente.

— Para que flores, se já enchi sua sala da outra vez...

— E conseguiu comê-la na primeira noite.

— Ethan — o repreendi puxando os cabelos. Mas ele tinha razão. Eu havia chegado ao seu apartamento depois de três dias sem nenhuma ligação, e ainda por cima com toda minha prepotência, marca registrada de uma vida inteira. E Linda, sendo delicada e sensível, não merecia isso, e acima de tudo, não estava acostumada com esse tipo de tratamento.

— Você agora vai ter que caprichar, amigo.

O que Linda Marilyn havia feito comigo?

Estava completamente desesperado por ter levado um fora, e nesse exato momento pedia conselhos ao porra-louca do meu assessor e melhor amigo, tendo que escutar suas injúrias ao meu respeito.

Mas de uma coisa eu tinha certeza, não voltaria para o triplex sem ela, mesmo que...

Capítulo 13

Linda

Ainda estava encostada na porta depois que a fechei na cara de Artur.

Oh, meu Deus! Eu havia o expulsado da minha casa. Não, eu havia o expulsado da minha vida.

O que tinha feito?

Desci meu corpo, encontrando o chão, fazendo com que minhas lágrimas tomassem conta do meu rosto e meu coração.

Ele tinha vindo até meu apartamento, mas me chamando de "brecha em sua agenda"?

Perdi o controle...

Sei que Artur estava passando por uma etapa complicada com

as eleições, porém depois de tudo que passamos na ilha ser chamada de "brecha" me magoou bastante.

Mas e agora? Ele não voltaria mais. Meu sonho havia se encerrado ali, por minha culpa. Chorei ainda mais alcançando o celular, e pedindo auxílio à única pessoa que poderia me ajudar nesse momento.

— Mary. — Minha melhor amiga atendeu no primeiro toque.

— Linda, o que aconteceu? Está chorando, amiga?

— Mary, eu o mandei embora. Ele me chamou de "brecha em sua agenda" — solucei.

— Onde você está, Linda?

— Em casa. — Bati a cabeça na porta.

— Estou indo para aí agora... Jared, você se importa? — Nessa hora percebi o que tinha feito. Mary tinha um jantar hoje com seu, quase namorado.

— Mary, não... — Ela desligou na minha cara.

Nem dez minutos depois estava empurrando a porta do meu apartamento, levando-me junto.

— O que você está fazendo aí, meu amor. — Mary abaixou-se me abraçando.

— Eu o expulsei — chorei no ombro da minha melhor amiga.

— Me conte o que aconteceu. — Nesse momento olhei para cima e observei que não estávamos sozinhas.

— Jared? — Chorei ainda mais. — Eu estraguei o jantar de vocês, e agora? — Silenciei-me em prantos.

— Calma, Linda. — Ele ajudou Mary a levantar meu corpo, levando-me até o sofá. — Está tudo bem.

— Não, não está. — Funguei tentando limpar o rosto com as mãos. — Agora você descobriu que Mary tem uma amiga louca, e não vai querer mais casar com ela. Porque no meio da madrugada eu posso ligar.

— Casar?

— Jared, *baby*. A gente pode se falar amanhã? Você entende, não é? — Os dois olharam para mim complacentes.

— É claro que entendo. Falamo-nos amanhã, então. — Deu-lhe um selinho. E eu achei aquilo tão lindo, que até virei a cabeça de lado, para ver melhor. — Linda, melhoras.

— Eu nunca mais vou conseguir olhar para sua cara, Jared.
— Não se preocupe, mas posso te dizer uma coisa? — Assenti balançando a cabeça. — Artur gosta de você. — Suspirei jogando meu corpo para trás. — E... seus dias foram mesmo muito corridos. Tente conversar com ele, quem sabe. Na verdade ele não é esse monstro que todos conhecem. Artur também sabe agir com o coração.
— Eu sei, o pior é que eu sei — concordei. — Mas mesmo assim obrigada, e me perdoe mais uma vez.
— Não precisa se desculpar, até. — Ele acenou. — Mary, te ligo mais tarde.
— Tudo bem, meu amor. — Eles se beijaram, o que me fez querer me jogar do décimo andar do prédio.
— E agora somos nós duas apenas, pode me contar o que aconteceu?
Mary voltou a sentar ao meu lado no sofá, e percebi que ela estava maravilhosa com o vestido novo, que havíamos comprado na semana anterior, junto com o meu.
— Seu vestido, você iria estrear. — Apontei para ela e desabei novamente, chorando nos seus braços.
— Meu amor, jantares nós temos todos os dias. Agora me conte. — Ela colocou carinhosamente uma mecha de cabelo atrás da minha orelha.
— Artur veio até aqui me elogiar pela entrevista — funguei —, e eu disse que poderia ter mandado um cartão por Jared, e isso o deixou ainda mais irritado.
— Imagino. E...
— Ele me perguntou o que estava acontecendo, e eu fria demais disparei tudo que estava sentindo — disse soluçando. — E foi aí que ele me chamou de uma brecha na sua agenda. — Levantei as mãos para o alto. — Mary, ele é minha vida, sempre foi e eu sou uma "brecha na agenda dele"?
— Meu amor, entendo que esteja chateada, mas você não parou para pensar que Artur está mesmo tendo dias tumultuados por conta de sua candidatura? Ainda mais depois de ter passado o fim de semana fora?
— E por que acha que estou desse jeito? — Funguei recebendo

um lenço de papel que ficava em um aparador perto do sofá. — Eu fui uma estúpida, mas na hora...

— Amiga, sei o quanto é complicado colocar Artur em um patamar real para você, mas é isso que ele é agora, meu amor. Real. — Deitei a cabeça no seu ombro. — Presta atenção, Linda. — Mary fez com que eu a olhasse. — Artur não é o senhor das gentilezas, nós sabemos — concordei —, mas ele gosta de você, ouviu o que Jared disse?

— Ouvi.

— Então, vamos enxugar essas lágrimas e correr atrás do prejuízo. — Ela passou as mãos no meu rosto.

— Como, Mary? Se eu aparecer naquele império os seguranças me colocam para fora. — Ela gargalhou.

— Você está tão dramática hoje, amiga. — Escondi meu rosto de vergonha.

— Me perdoe, eu disse para Jared que você queria se casar. Oh, meu Deus! Vocês estão apenas no terceiro encontro. — Mary gargalhou mais ainda.

— Amor, ele percebeu seu descontrole. — Revirei os olhos.

— Me faz um favor, para que não me sinta pior que já estou?

— Tudo que você quiser, amiga. — Peguei meu celular e coloquei em sua mão.

— Ligue para Jared, ele ainda deve estar na rua, saia com ele, Mary. Você está tão linda. — Olhei bem para ela. — E eu vou ficar bem. Só precisava desabafar, e agora vou dormir.

— Claro que não, vou dormir com você. — Mary era tão especial, que às vezes tinha impressão de ser um anjo enviado para Terra com intuito de me proteger.

— Mary, faz isso por mim. Vou ficar bem. — Ela abriu um sorriso lindo acariciando meu rosto. Eu sabia que seu encontro seria especial, e não atrapalharia mais um casal.

— Tem certeza?

— Absoluta. — Estendi o celular. — Agora ligue para ele vir te buscar.

— Tudo bem, meu amor. Mas me prometa ligar se precisar de qualquer coisa?

— Você sabe que sim. — Balancei a cabeça envergonhada.

— Então tudo bem. — Mary discou o número já conhecido. — Jar...

Havia me despedido de minha amiga, feliz por ela ter aceitado sair para jantar com seu namorado. Sim, já poderíamos titulá-los assim.

E naquele momento eu estava jogada no sofá, só que com um pote de sorvete de chocolate na mão, e um filme romântico como companhia. Não precisava dizer que estava em prantos, certo?

O que iria fazer?

Artur nunca mais iria querer me ver. Ele era tão sistemático e gostoso. — Afundei-me ainda mais no sofá e gemi, tapando o rosto.

Eu não conseguiria viver sem ele. Não depois do que tinha nos acontecido.

Estava ainda mais encolhida, nem me lembrando do filme que passava, quando escutei a campainha tocar.

— Quem será? — Espreguicei. — Só pode ser Mary que esqueceu alguma coisa, pois o porteiro não avisou nada. — Levantei cambaleando e limpando meu nariz com o lenço de papel.

Mas o que vi assim que abri a porta, me fez perceber que tinha o dom de sonhar acordada.

— Artur?

O amor da minha vida estava parado na minha porta, lindo, com um buquê de rosas brancas e vermelhas nas mãos.

Capítulo 14

Artur

Estava novamente em frente à porta do apartamento de Linda, mesmo depois dela ter me expulsado.
Tentaria conversar, expor o que estava sentindo, e acima de tudo, entregar as flores que havia rodado a cidade para encontrar.
Sim, eu.
Sem pedir nenhum auxílio a quem quer que fosse.
Já havia me rebaixado demais indo até o apartamento de Ethan pedir conselhos. Ele nunca mais me respeitaria. Mas quem se importava com isso. Se com seu conselho eu conseguisse levar Linda para meu triplex, e a fizesse entender que era apenas ela que me faria feliz.
Também pediria desculpas e mostraria que não sou tão bruto e

insensível como aparentava ser.

Mas para isso precisava criar coragem e apertar sua campainha.

Que espécie de homem eu havia me tornado, um rato, ou um adolescente tentando conquistar sua primeira namorada?

Droga!

Já havia dito a seu porteiro que tinha saído apenas para comprar essas rosas, e por isso não precisaria ser anunciado, evitando assim sua negação desde lá. E naquele momento estava ali, me sentindo de volta aos quinze anos de idade, com medo de levar outro fora.

Sim, eu. Artur Scott.

Essa mulher havia me transformado em outro homem.

Respirando fundo criei coragem e apertei o botão, vendo Linda abrir a porta cambaleando, com o nariz vermelho de tanto chorar e um lenço de papel, como companhia.

Eu fui realmente um burro.

— Artur? — Seus olhos estavam assustados.

— Linda, eu...

— Desculpa — dissemos juntos.

— Eu... — ela começou a falar mais a interrompi.

— Me perdoe! Não soube me expressar como deveria. Nunca lhe colocaria em um patamar menor que tudo. — Ela ergueu o rosto e pude ver o vislumbre de um sorriso saindo de sua boca.

— Entre, por favor! — Linda me deu passagem e já na sala pude ver a TV ligada em um filme qualquer, com o sofá todo bagunçado de vários lenços amassados, que ela logo fez questão de tirar.

— Eu queria começar de novo, será que ainda tenho uma chance?

— Eu também me precipitei. Perdoe-me! — Jogou os papéis em um lixo perto do hall de entrada. — Mas para mim é complicado, você não conseguiria entender.

— Linda — estendi o buquê para ela —, eu...

— Obrigada! — Ela sorriu timidamente. — Não precisava ter se dado ao trabalho de comprar flores à uma hora dessas. — Sua perspicácia era sem igual.

— Era o mínimo que eu poderia fazer depois de... — Linda recebeu as flores. — A floricultura da esquina é perfeita. — Encarei seus olhos enquanto ela mordia aqueles lábios gostosos. Será que

Linda não sabia que isso me matava dentro das calças?

— Ela fica aberta vinte e quatro horas, quando precisar... Sempre compro flores lá depois do trabalho. — Ela tentou descontrair, e essa era uma de suas maiores qualidades.

— Lembrarei da próxima vez. — Sorrimos juntos, porém Linda voltou a ficar séria.

— Desculpe! Fui infantil, eu entendo que você esteja sem tempo e...

— Linda — me aproximei, interrompendo-a —, cale a boca e me beije. — Ela sorriu colocando as flores em cima da mesa, e pulou no meu pescoço. — Você fala demais.

Invadi sua boca com uma saudade louca, fazendo com que gemêssemos quando nossas línguas se encontraram.

— E você é muito chato... Obrigada mais uma vez pelas flores. — Nossas testas estavam coladas.

— Você merece, princesa. Seu trabalho me elevou nas pesquisas. — Ela sorriu ainda pendurada no meu pescoço.

— Nosso trabalho, Artur. Nós dois elaboramos aquela entrevista.

— Então, nada mais justo que sairmos para comemorá-la, não acha? — Pisquei para ela ganhando um selinho.

— Ok, você venceu! Dê-me quinze minutos. — Linda se desvencilhou dos meus braços.

— Meia hora se for para voltar mais maravilhosa e com uma lingerie apetitosa. — Ela corou e bati delicadamente em sua bunda.

— Volto em quinze minutos... E beba alguma coisa, fique à vontade. Ah — ela voltou do corredor e desligou a TV —, não vamos precisar mais disso.

Sorri mesmo sem entender, vendo-a sair correndo novamente para seu quarto. Aproveitei para servir-me de um copo de uísque, me acomodando no sofá para esperá-la.

Era difícil ter que concordar, mais Ethan estava coberto de razão. Não só pelas flores, mais sim pelo modo que eu teria que aprender a tratar Linda Marilyn. Exatamente como as rosas em cima da mesa. Com delicadeza e muito amor.

É, Artur. Você ainda tinha muito que aprender.

Balancei a cabeça feliz, pois não voltaria para casa sem ela, nunca mais.

Quinze minutos depois, contados no relógio, Linda voltou tentadoramente perfeita. Ainda bem que o jantar seria no triplex, pois não gostaria que ninguém além de mim a visse daquele jeito.

— Estou pronta, vamos. — Ela sorriu depois de colocar as flores em um vaso, e estendeu-me sua mão para que eu a beijasse.

— Vamos, princesa, e... você está linda. — Ela revirou os olhos com o trocadilho.

— Como você mandou, Deputado.

Gemi no seu ouvido me levantando, e a apertei mais ao meu corpo, para que pudesse sentir o significado daquela palavra saída da sua boca.

Chegamos à garagem e educadamente abri a porta para ela que agradeceu.

Fizemos o caminho até o triplex em silêncio, porém quando estava entrando no meu prédio Linda se virou, o quebrando.

— Não estamos em nenhum restaurante, não é?

— Estamos no meu triplex, Linda. Queria muito te trazer aqui, e hoje achei o dia propício.

— Oh, meu Deus! Era aqui... Quer dizer, você foi até minha casa para jantarmos na sua? — Sorri da sua confusão.

— Sim, princesa. Essa era a minha intenção desde ontem. — A vi corar, envergonhada. — Ei... — toquei seu rosto carinhosamente, fazendo com que nossos olhos se encontrassem —, está tudo bem?

— Me perdoe.

— Você me perdoou e isso já basta. — Linda abriu seu sorriso mais formidável e entrelaçou nossas mãos, assim que descemos do carro.

— É uma honra conhecer o triplex mais famoso de Manhattan. — Sua espontaneidade me encantava.

— A honra é minha em te receber, princesa. — Dei-lhe um selinho e subimos pelo elevador privativo, ainda de mãos dadas.

— Meu Deus! Seu apartamento é lindo, Artur.

— Sabia que ia gostar.

— Maravilhoso! — Ela virou com sua leveza natural, sorrindo para mim. — Tem um estilo clássico, ao mesmo tempo contemporâneo. Oh, meu Deus! Essas pilastras... Gregas, certo? — Confirmei — Seu arquiteto teve muito bom gosto, quer dizer. — Ela mordeu os lábios, rindo. — Você tem muito bom gosto, parabéns.

Fiquei muito feliz por ela ter gostado, pois esse seria seu lugar também. Faria de tudo para que Linda se adaptasse, eu tinha planos para nós.

Vi Miranda entrar na sala e pensei ser essa a melhor hora para apresentá-las.

— Miranda, essa é Linda Marilyn. — Ela se aproximou, sorrindo para minha princesa, que retribuiu da mesma forma.

— Muito prazer, Miranda. Então você é a heroína que toma conta desse palácio? — Linda fez graça apertando a mão da minha querida governanta.

— Sim, Linda. Temos outros empregados, porém eu tomo conta desse menino pessoalmente, e há muito tempo. — Percebi que a conversa poderia converter-se a uma intimidade de criança, então resolvi cortá-la logo.

— Miranda, nos traga a entrada e algumas bebidas, por favor.

— Vou providenciar. — Pediu licença e saiu deixando-me sozinho com Linda, que se aproximou da vidraça da sala.

— Ela é uma graça, Artur. Está com você há muito tempo? — Colei nossos corpos, fazendo com que ela achasse graça da posição que nos encontrávamos. — Não vai querer me comer aqui com os empregados na cozinha, vai?

— Eu te comi com meus empregados na sala ao lado, e você pareceu não se importar. — Gargalhei a acompanhando enquanto se virava para mim, com o rosto já corado.

— Não é a mesma coisa. — Linda abaixou os olhos fazendo-me sorrir ainda mais.

— Adoro quando você cora.

— Eu odeio corar na sua frente.

— Mas não vou te comer na janela, princesa. Na verdade hoje quero te amar demoradamente na minha cama. — Beijei o canto de sua boca quando vi Miranda se aproximando com as taças de vinho e alguns canapés.

— Obrigado, Miranda. Aviso para servir o jantar, pode se retirar.

— Fiquem à vontade. — Ela saiu e Linda pegou sua taça voltando a me perguntar.

— Você não me respondeu, a Miranda está com você há muito

tempo?

— Linda, a Miranda está comigo desde sempre, ela foi minha babá.

— Que lindo, Artur — ela falou surpresa.

— Minha mãe fez questão que ela viesse comigo quando me mudei.

— Isso significa preocupação de mãe.

— E isso o que significa, Linda Marilyn? — A prensei entre meu corpo e a vidraça, fazendo-a ofegar por conta da ereção já eminente, apontada para sua barriga.

— Isso significa que teremos que jantar rapidamente, Artur Sebastian — ela disse de um jeito sensual mordendo os lábios, o que me fez logo em seguida pedir que Miranda o servisse.

O jantar foi agradável como sempre. Nossa conversa sempre fluía muito bem e dessa vez não poderia ser diferente. Rimos com ela me contando sobre os elogios recebidos por conta da entrevista. Em contra partida falei sobre a repercussão mundial, deixando-a feliz.

Assim que terminamos a sobremesa, nos levantamos e fomos para a sala. Chegando lá a agarrei prensando-a novamente, só que agora contra uma pilastra.

— Gregas, com certeza. — Beijei seu pescoço, rindo. — Mas acho que temos outros cômodos para conhecer, não é, Deputado? — Sorri muito perto da sua boca e subimos colados para o segundo andar. — Você prometeu me amar na sua cama hoje. — Linda estava tentando acabar com minha sanidade, e o pior, conseguindo, pois eu me via completamente fora de mim no momento em que a beijei.

Separamo-nos ofegantes ainda no corredor e novamente deslizei meus lábios pelo seu pescoço, tentando passar a mão em seus seios, mas aquela merda de vestido não estava ajudando.

Nossas bocas voltaram a se encontrarem com desejo. O gosto de Linda me deixava maluco, completamente duro para ela.

— Senti tanta saudade deles, sabia. — Tentava recuperar meu fôlego fazendo-a rir.

Ela rebolou, entrelaçando as pernas em minha cintura, colando sua intimidade na minha.

— Vamos para seu quarto — sussurrou no meu ouvido. — Eu quero você, Artur.

Gemi mordendo seu ombro, levando-a no colo até o quarto.

Quando entramos já não aguentávamos mais, minha calça estava apertada demais e sua umidade dava para ser sentida ainda por cima da calcinha.

Joguei-a com força na cama, beijando sua boca, pescoço... Tudo que eu via pela frente.

Tiramos nossas roupas rapidamente e me deitei em cima do seu corpo. Aquele que me alucinaria para sempre, não conseguindo mais viver sem ele.

Deixaria o "fazer amor" para mais tarde, pois naquele momento precisava sentir Linda me apertando e dizendo obscenidades no meu ouvido. Eu pensei nisso durante todos esses dias, e havia chegado a hora de comê-la gostoso.

— Belo quarto! — Tentou brincar, olhando para os lados.

— Eu quero você aqui e agora, Linda. Depois aproveitaremos o que esse quarto tem mais a nos oferecer.

— Nossa que aflição. — Ela estava sendo sarcástica, mas sabia que estava na mesma situação que eu.

— Você também, princesa. Sinto daqui pela maneira que esfrega essas pernas gostosas, como está molhada.

— Então vem, Artur. Coma-me logo, por favor. — Sua voz beirava o desespero então gargalhei, enterrando-me naquele corpo que seria só meu.

— Vem comigo, Linda. — Eu não iria durar mais muito.

— Vou... Faz mais rápido! — Ela pediu e eu o fiz.

Aumentei as estocadas e em poucos minutos gozamos juntos.

Eu tinha matado a minha sede de Linda, mas agora a faria sentir o que era o verdadeiro prazer.

Eu demonstraria todo o amor e desejo por ela.

Tudo que havia guardado dentro de mim por quase trinta anos.

Capítulo 15

Linda

Com certeza Artur seria meu fim.
Nós acabamos de nos comer em sua cama, e naquele exato momento ele estava vindo em minha direção com uma garrafa de vinho em mãos.
Oh, meu Deus! O que ele pretendia fazer com aquilo?
O que Artur queria eu não sabia. Mais de uma coisa estava certa. Já estava gostando da ideia.
— Devassa — ele falou. — Seu rosto não me engana, Linda. E sua mente está trabalhando a mil pensando nessa garrafa de vinho.
— Eu não estou pensando em nada, Artur. — Mordi os lábios, pois sabia que esse gesto o deixava maluco.

— Agora você vai se comportar como uma menina obediente, Linda Marilyn. — Ai, ele sussurrou meu primeiro e segundo nome praticamente dentro do meu ouvido e o lambeu no final, fazendo-me gemer alto. — E silêncio, princesa. Não queremos acordar a Miranda e o resto dos empregados, não é? Não estamos em nossa ilha, tudo bem?

— Você vai me torturar? — Ele sorriu diabolicamente, sentando-se ao meu lado.

— Vou. Porém, será uma tortura deliciosa, princesa. Mas vamos organizar as regras para o jogo começar. — Nesse momento eu já esfregava as pernas uma na outra. — Vou vendá-la, meu amor — Artur pegou uma gravata e passou por meus olhos —, e amarrar suas mãozinhas na cama. — Jesus Cristo! Essa noite eu desencarnaria. Ele amarrou minhas mãos e começou a jogar o líquido gelado por todo o meu corpo, lambendo por fim. — Quem é louco por não aproveitar tudo que a bebida do pecado tem a oferecer?

— Deus! Você vai me matar.

— Só se for de tesão, princesa.

— Estou quase lá, Artur. Não faz isso comigo. — Ele gargalhou mais uma vez, jogando um pouco de vinho na minha boca e a beijando em seguida.

— Perfeita mistura.

Eu estava completamente melada de vinho... Mas o pior, ou o melhor, ainda estava por vir. Artur desceu beijos até minha intimidade, saboreando meu corpo a base da bebida. Estava sentindo-me praticamente flambada com o fogo que me consumia de dentro para fora naquele momento.

— Agora você pode gozar, amor. Vem que quero sentir essa mistura aqui.

Eu não sei se foi a emoção de ser chamada de amor por ele pela segunda vez na noite, ou sua chupada de misericórdia. Mas Artur me fez gozar na sua boca violentamente, tomando-me sem deixar nenhum vestígio de gozo.

— Eu quero mais. — Rebolei no seu rosto assim que me recuperei parcialmente. — Eu quero você dentro de mim.

— Agora, amor? Se eu não estivesse vendada e presa, choraria de emoção. — É assim que você quer? — O senti se posicionar no meio das minhas pernas e introduzir seu imenso pau em mim, vagarosamente.

— Mais rápido, Artur. Eu preciso de você estocando forte, amor. — Ele gargalhou e se apossou dos meus seios, um com a boca e o outro massageando com sua mão mágica. — Amor... — resmunguei.

— É assim que você quer, princesa? — Ele estocou forte me deixando louca. — Vem, goza comigo.

— Eu vou... Ai, eu estou indo. — E fui, sentindo o amor da minha vida se derramando inteiramente dentro de mim novamente, e jogando-se esgotado entre o vão dos meus seios.

— Gostosa. — Ele beijou delicadamente cada um deles.

— Gostoso. — Artur gemia de satisfação correndo suas mãos para meus olhos, desvendando-me, sem sair da sua posição confortável. — Vai me deixar presa?

— Está machucando? — ele perguntou preocupado, fazendo-me rir.

— Não, mas... — Mais do que depressa Artur se levantou e me desamarrou, beijando cada um de meus pulsos.

— Pronta para um banho? — Assenti, esticando os braços.

— Prontíssima!

Artur me pegou no colo, beijando delicadamente meus lábios, nos levando até seu banheiro magnífico. Ele era inteiramente revestido de mármore com algumas pilastras da arquitetura grega, como as da sala. Fiquei maravilhada com seu cuidado em me colocar sentada na borda da banheira enquanto a enchia.

⭐⭐⭐

— Você é maravilhosa, Linda, uma mulher excepcional. — Já estávamos dentro da banheira.

— Não sou não, eu sou apenas normal, Artur. — Ele sorriu, beijando meu ombro que estavam a sua frente.

— Você é tudo, princesa. Menos normal e... — Artur pausou fazendo com que eu virasse o pescoço para olhar no seu rosto. — Gostaria de pedir desculpas por não ter ligado para você. Esses dias foram tumultuados por conta da campanha.

— Eu que peço desculpas, não tenho o direito de te cobrar nada.
— Você não me deve desculpas, Linda... — Não o deixei terminar, virando-me já sentada em seu colo, dando-lhe um beijo apaixonado.
— Será que podemos deixar essa conversa para depois. — Ele impulsionou seu quadril no meu, fazendo-nos gemer juntos.
— Eu criei um monstro?
— Pode ter certeza que sim.

Nos entregamos mais uma vez a luxúria dentro daquela banheira de quase de dois metros de comprimento, para algum tempo depois voltarmos para o quarto e cairmos na cama exaustos, porém muito realizados.

Deitada em sua cama pensei como Artur Sebastian conseguia virar minha vida de cabeça para baixo com apenas um encontro. Tentava dormir no seu peito escutando aquele ronco baixo, sinal que ele já estava entregue a um sono profundo, lembrando-me de tudo que havia acontecido nesses últimos dias e horas, com muito receio.

Não sei o que seria da minha vida.

Não sei se esse encontro teria o mesmo final do da Ilha de Emma.

Pois ao mesmo tempo em que Artur havia me procurado novamente, depois de ter sido expulso de minha casa e acima de tudo trazendo-me para seu império sagrado, eu ainda era apenas a jornalista da sua exclusiva.

Será que ele trazia todas elas para cá?

Será que essa "exclusividade", não era só minha?

Virava-me na cama tentando relaxar, o que para mim estava sendo praticamente impossível.

Mas tentei.

Aconchegando-me mais naquele peito másculo que era meu, pelo menos por mais aquela noite. E sentindo seu cheiro, de um perfume que parecia ser feito especialmente para ele, com um aroma amadeirado, dormi sem pensar mais em nada.

Quer dizer, apenas em Artur Sebastian entregue nos meus braços.

Acordei com a claridade do sol invadindo a janela do quarto, mas ela não estava fechada ontem à noite?

Abri meus olhos lentamente e tive uma das visões mais sexy que poderia imaginar ter um dia.

Artur estava na minha frente completamente suado e ofegante, correndo em uma esteira que não tinha me dado conta da sua existência no dia anterior, com um fone que parecia ser da TV plasma, ligada em algum noticiário.

Jesus Cristo!

Será que ele acorda assim todos os dias?

Será que poderia pedir para o Senhor me deixar acordar assim também? Pelo menos alguns dias dessa semana tão comprida com sete dias?

Não era pedir muito, era?

— Pare de morder os lábios que estou sentindo seu desejo daqui, Linda. — Assustei-me pensando de onde ele conseguia me ver.

— Você tem olhos por todos os lados? — Estiquei-me procurando por onde ele estava me vendo. — E, não estou mordendo os lábios.

— Eu sei que está.

Artur não teve a empáfia de se virar para mim, e ainda continuou olhando fixamente para a TV como se tivesse falando ao celular. Fiquei irritada levantando-me com o lençol, indo até sua frente.

— Bom dia para você também. — Parei em frente à TV deixando seus olhos automaticamente descerem para meu corpo.

— Bom dia, Linda! Não sei o que você tanto esconde aí, eu já conheço esse corpo de cor de salteado. — Bufei me virando e indo em direção ao banheiro.

— Preciso de um banho. Ainda tenho que ir para casa trocar de roupa antes do trabalho. — Ele desligou o aparelho vindo atrás de mim. E aquele corpo suado e másculo ali tão próximo não estava me ajudando.

— Não precisa não. — Artur pegou minha mão levando-me até seu closet, que era o sonho de qualquer cristã. — Abra. — Apontou para uma das portas de correr.

— Oi?

— Abra. — Fiz o que ele ordenou, sem acreditar no que via.

— De quem são esses vestidos? Quer dizer... eu não vou usar...

— Os vestidos são seus, Linda. Olhe as etiquetas. — Peguei um dos cabides e olhei para o nome contido ali, era de uma das estilistas mais famosas da atualidade. — Organizei esse guarda roupa para você... — Ele pausou envergonhado ou era impressão minha? — Para quando você estiver aqui.

— Você fez esse guarda roupa para mim? — Permaneci incrédula.

— Fiz. — Simplesmente deu de ombros, tirando a *boxer*. — Vamos para o banho que também não posso me atrasar.

— Você é louco, só pode ser. — Entrei no chuveiro com ele.

— Só se for por você. — Ele me agarrou prensando meu corpo contra a parede gelada de mármore. — Agora você pode me dar um bom dia descente, e em agradecimento ao guarda roupa, por favor.

— Não era você que estava com pressa? — Resolvi provocar já toda enroscada nele.

— Pra você nunca. — E mais uma vez nosso banho não foi só um banho, e depois de meia hora e dois orgasmos conseguimos sair daquele chuveiro.

Devidamente prontos, eu com um vestido tubo preto abaixo do joelho, contrastando com os sapatos mesclados de saltos altíssimos, e Artur com um de seus ternos Armani, descemos para tomar café como um casal normal. E isso estava me matando por dentro. Não iria suportar seu sumiço novamente. Será que precisaria de uma terapia pós Scott?

— Bom dia, Miranda! — Artur a cumprimentou com um lindo sorriso, e percebi como meu *homem de ferro* poderia ser simpático e carinhoso também.

— Bom dia, meus queridos! E você, meu amor, dormiu bem? — Era impressão minha ou Miranda também estava tratando-me como filha?

— Bom dia, Miranda! Dormi muito bem, obrigada. — Sorri delicadamente para ela que começou a nos servir assim que sentamos.

— Hoje à noite temos um jantar na casa de meus pais. — Engasguei com o pedaço de pão que estava na boca.

— Como?

— Linda, meus pais estão ansiosos para conhecer a famosa jornalista que conseguiu a única exclusiva da minha vida. — Ele me confundiu completamente. Quem seus pais queriam conhecer, a

competente jornalista ou a mulher que... bom deixa pra lá.
— Na casa dos seus pais?
— Linda Marilyn, você está bem? Onde mais seria?
— Sim, estou. E... eu vou. — Ele sorriu beijando minha mão.
— Te pego as oito no seu apartamento, viremos direto para cá depois. Se precisar de algo da sua casa, já separe.

O que ele pretendia com isso meu Deus, me enlouquecer? Mas o que eu podia fazer se estava de quatro por esse louco, e principalmente amando suas ideias.

— Tudo bem, agora tenho que ir mesmo. — Levantei-me.
— Jonathan — ele chamou seu motorista que prontamente apareceu na sala —, leve a Senhorita Stevens para o trabalho, vou dirigindo hoje.
— Artur, não precisa se preocupar, eu pego um táxi.
— Nem pensar. — Ele também levantou, chegando mais próximo de mim e beijou delicadamente meus lábios. — Deixa-me cuidar de você, princesa.
— Eu deixo. — Eu me derreti e o beijei novamente, porém mais furiosamente. — Te espero à noite.
— Linda como sempre. — Sorri e me desvencilhei dos seus braços, percebendo que não estávamos sozinhos na sala.
— Vou fazer o possível. — Corei. — Até mais, Miranda. E mais uma vez obrigada por toda hospitalidade.
— O prazer foi todo meu, minha querida. — Ela me abraçou carinhosamente.
— Então, nos vemos à noite. — Dei mais um selinho em Artur que me acompanhou até a porta e fui com Jonathan até o jornal.

O motorista era uma pessoa boa, discretíssima e sem muitas palavras. Mas via em seus olhos que era muito fiel ao seu patrão, assim como Miranda, Jared e Ethan. Ficava feliz por Artur ter pessoas tão boas ao seu lado.

Cheguei ao *New York Times* sendo pra variar, recepcionada por uma Laila completamente atropelada.

— Bom dia, chefinha, roupa nova? — Que olho.
— Bom dia, Laila. Como está minha agenda?
— Reunião de pauta daqui a meia hora.
— Ok! A Mary já chegou?

— Já, mas aconteceu alguma coisa? Vocês sempre chegaram juntas. — Revirei os olhos, entendendo o mau humor de Artur com seus funcionários, e Laila percebendo, tratou logo de completar. — Ela está na sala dela

— Obrigada, Laila! Vou até lá.

— Um café?

— Não, obrigada! — Fui até a sala de Mary e entrei sem bater deixando-a de boca aberta, assim que levantou seu rosto.

— Meu Deus, que roupa mais linda. — Olhei para baixo tentando analisar o que tinha demais no meu vestido novo.

— Bom dia, amiga! — Joguei-me no sofá, ao lado da sua mesa, suspirando.

— Você poderia dizer onde passou a noite? Estive no seu apartamento e nada, quer me enlouquecer, Linda Marilyn. Quase chamei a polícia. — Mary parecia eu um dia antes, completamente descompensada.

— Ele voltou... e com flores — suspirei apaixonada.

— Com flores? Por favor, me conte tudo. — Ela se jogou ao meu lado.

— Artur voltou completamente sem graça, pedindo desculpas, e dizendo que havia planejado um jantar no seu... — pausei respirando fundo — no seu tríplex. — sua boca se abriu de uma maneira que nunca havia visto, fazendo-me rir. — Conheci os empregados, dormi lá, quer dizer... Você sabe. Tomamos café juntos, e...

— E... — Ela gesticulava nervosa com as mãos.

— Ele montou um guarda roupa inteiro apenas com marcas famosas na sua casa, para quando eu dormir lá. — Dei de ombros.

— Você está me dizendo que o seu Artur Scott — apontou para mim — montou um guarda roupa especialmente para você no triplex mais famoso de Manhattan, Linda?

— Estou, e ainda não terminei.

— Ainda tem mais?

— Vou jantar na mansão dos Scott hoje, pois seus pais querem conhecer a jornalista que conseguiu a única exclusiva da sua vida.

— Ele vai te levar para jantar na casa dos pais?

— Vai. Mas, Mary, não se empolgue. O poderoso Governador

George Scott só quer conhecer a jornalista.

— A jornalista que tem uma parte no closet do famoso Artur Scott? E eu que pensei que minha primeira vez com Jared havia sido a obra prima de Nova Iorque ontem. — Ela fez um biquinho.

— Não acredito. — Abracei-a. — Conte-me tudo.

— Depois do seu surto, acho que meu amorzinho resolveu tomar coragem. — Sorri.

— Então, meu surto não foi de todo mal — pisquei.

— Mal? Eu tenho que te agradecer, que homem... Mas depois de conto os detalhes, pois agora temos uma reunião de pauta, meu amor. O dever nos espera, mas na hora do almoço compraremos mais um lindo vestido para seu jantar e fofocamos, ok?

— Eu vou à falência — bufei.

— Vai nada, meu amor, quem tem Artur Scott aos pés nunca passará necessidade.

— Mary, ele não está aos meus pés.

— Tudo bem, ele está aos meus. Mas vamos que o Victor não gosta de esperar.

Suspirei e saí de braços dados com minha melhor amiga direto para nossa reunião de pauta.

— Bom dia, Linda, Mary — Victor nos cumprimentou animado assim que entramos.

— Bom dia, pessoal! — Acenamos para o resto da equipe.

— Vou começar a reunião hoje parabenizando Linda Stevens por sua brilhante matéria com o candidato ao Senado Artur Scott. E dizer que estamos batendo recordes tanto no jornal impresso, como em todos os nossos sites. Parabéns, Linda.

— Obrigada! — Corei violentamente com todos olhando para mim.

— E por isso já a deixo em sobreaviso, pois estamos tentando marcar uma exclusiva com Dylan Parker, que apesar de ser meu primo, não tem a agenda tão livre em plena campanha. — Eu gelei. Odiava Dylan, e ele era o pior inimigo de Artur na política, além de ser um ser humano asqueroso e desonesto. Artur não gostaria nada disso. Tentei não transparecer meu desagrado, mas Mary percebeu e apertou minha mão em sinal que tudo daria certo — Continuando...

Saí furiosa da reunião, não queria entrevistar aquele cara, mas Mary me acalmou.

— Amiga, é só uma entrevista.

— Mas não é a mesma coisa, Mary.

— É claro que não, mas você acima de tudo é uma profissional.

— Você tem razão, vou pra minha sala, nos falamos na hora do almoço, ok?

— Sim, sim. Tenho tanto para te contar. — Sorri de sua animação.

— Eu também.

E como imaginei nosso almoço foi muito divertido, comemos rápido e compramos meu vestido sóbrio e comportado para conhecer meus sogros, palavras de Mary, que me fizeram revirar os olhos.

Não sabia o que estava acontecendo. Na verdade ainda tinha muito medo e muitos receios envolvendo Artur. E o principal deles era que ele sumisse como fumaça na minha frente.

Isso já não acontecia com Mary, que estava começando uma relação normal com Jared. E sabia exatamente onde estava pisando, pois os dois estavam completamente apaixonados, e eram pessoas normais.

Fui tirada dos meus pensamentos com um telefonema que nunca esperaria receber na hora do almoço.

— Oi! Tudo bem com você?

— Oi, tudo e você? — Não sabia o que falar.

— Sim. Já almoçou?

— Já, acabei de comer com Mary e comprei mais um vestido. — Artur riu.

— Para ficar mais linda.

— Palavras suas. — Sorri involuntariamente.

— Só liguei mesmo para saber se você estava bem. E no trabalho, tudo em ordem? — Esse homem tinha um radar, só podia.

— Tudo sim e aí, algum almoço de campanha? — Ele riu gostoso

no meu ouvido e precisei parar de andar para não cair.
— Não, hoje estou tranquilo, nem almocei ainda.
— Você precisa comer, Artur. — Ele riu novamente e vi Mary suspirar.
— Eu vou, princesa. Algo rápido aqui mesmo. Tenho que desligar. Te pego às oito.
— Ok! E... Beijo.
— Outro para você. — Desligamos juntos e fui amparada por Mary.
— Os pais querem conhecer a jornalista, não é? Sei...
— Mary, eu tenho tanto medo de me iludir.
— Você tem medo de se jogar, amiga. Relaxe um pouco e veja aonde isso vai te levar. Eu já te disse que não vai se arrepender.
— Eu prometo que vou tentar.
Minha tarde passou rápida e quando olhei para o relógio Mary já adentrava minha sala como um furacão, dizendo que já estava na hora de me arrumar.
Chegamos ao meu apartamento indo direto para o banheiro. Precisava na verdade relaxar um pouco, então um banho de banheira me parecia muito convidativo. E depois de quarenta minutos estava pronta e divina, palavras de Mary novamente, para meu jantar na mansão dos Scott.
Se eu estava nervosa?
Nervosa era muito pouco perto do que sentia naquele momento.
Estava definitivamente uma pilha, porém tinha que enfrentar esse turbilhão de sentimentos dentro do meu coração. Sem contar que esse também sempre foi meu sonho e curiosidade.
Conhecer minha bibliografia predileta de perto.
Então vamos lá, Linda Marilyn. Seu sonho te esperava logo ali atrás da porta.

Capítulo 16

Artur

Eu não poderia estar mais feliz.
Estava correndo perfeitamente como havia planejado.
E teria que dar a minha mão à palmatória, Ethan estava certo. Pois se não fosse por seu conselho, naquele momento não estaria realizado por completo.

Na verdade Linda não havia criado nenhuma resistência, depois que voltei ao seu apartamento com um buquê de rosas nas mãos. Nem as roupas, que pensei que daria mais trabalho, por me achar precipitado demais. Ela apenas me chamou de maluco, mas depois do nosso banho não criou mais nenhuma objeção. Muito menos ao convite para jantar de meus pais, mesmo sabendo que isso a deixaria nervosa. Porém eu havia prometido a eles, e não costumava descumprir o combinado, principalmente com George e Emma.

Falando nisso, precisava confirmar o jantar assim que chegasse ao escritório com a Senhora Scott. Tinha chegado o dia dos dois conhecerem quem, como meu pai disse, havia sido a escolhida para estar ao meu lado.

Com Linda eu iria mais devagar, tinha medo de espantá-la com meu autoritarismo, e o modo de querer tudo pra ontem e do meu jeito. Mas não conseguiria imaginar mais meus dias longe dela. Meus cafés da manhã sem ela ao meu lado. Ou fazer amor antes de dormir sem ela gemendo meu nome, isso para mim já era inadmissível.

Cheguei ao escritório e fui recepcionado por Natalie, que tentava acompanhar a passos largos minha pressa diária, sorri de bom humor depois do excelente começo de dia que havia tido.

Acordei mais cedo, como de costume, então resolvi me inteirar sobre os assuntos do dia nos noticiários, e fazer um pouco de exercícios na esteira. Porém se acordar com Linda todos os dias fosse ter um sexo gostoso no chuveiro, precisava repensar melhores maneiras de exercícios, e mais prazerosas, é claro.

— Natalie, como está minha agenda hoje?

— Uma reunião com alguns correligionários no começo da tarde, e pela manhã alguns papéis para assinar e agendar com Jared a coletiva de imprensa.

— Tudo bem, ligue para minha mãe agora. — Cheguei na sala já tirando o paletó e indo em direção a mesa.

— Agora mesmo, Deputado Scott. Mais alguma coisa? Um café? — Sorri me lembrando do maravilhoso café da manhã que havia acabado de tomar ao lado de Linda.

— Não, Natalie, apenas a ligação. — Ela saiu e dois minutos depois meu telefone tocou.

— Deputado, sua mãe na linha dois.

— Obrigado, Natalie! — Eu estava mesmo agradecendo a secretaria? Senhora Scott ficaria muito feliz se soubesse disso. — Mãe? — Peguei o telefone.

— Bom dia, querido! A que devo a honra logo pela manhã? —

Rimos juntos.

— Vou jantar com vocês hoje à noite, e...

— Vai trazer Linda? — Ela estava animada.

— Sim, dona Emma! Vou levá-la para vocês conhecerem — falei.

— Que alegria, meu amor. Você não imagina como fico feliz em poder conhecer a mulher que está mudando o modo de pensar do meu único filho. — Se ela descobrisse então que estava até agradecendo a secretaria...

— Mãe — a adverti.

— Tudo bem, Artur, vou me conter. Mas essa garota já é especial para mim. — Respirei fundo vendo Ethan entrar em minha sala todo sorridente.

— Para mim também, mãe. Agora preciso desligar. Estaremos aí hoje à noite.

— Eu prepararei tudo com muito amor.

— Eu sei. Até a noite.

— Até, meu querido. — Desliguei e olhei para Ethan, que ainda ria.

— Pode tirar esse sorriso do rosto, pois não vejo qual é a graça logo pela manhã, McCartney.

— Você conseguiu, amigo. E ainda vai levar a jornalista para jantar na casa dos seus pais. Eu sabia. — Ele bateu na minha mesa. — Isso é mais sério do que poderia imaginar.

— E quando foi que te dei liberdade para falar assim comigo?

— No momento que me procurou ontem como meu melhor amigo, atrapalhando uma foda bem dada, para me pedir conselhos sentimentais. — Bufei e tive que concordar, baixando um pouco a guarda.

— Tudo bem, Ethan. — Ele sorriu como um maricas. — Em primeiro lugar a jornalista tem nome e quero que de agora em diante ela seja tratada por Linda Marilyn ou... — pausei — Sra. Stevens.

— Ok! Mas agora me conte, ela te aceitou facilmente? — Fuzilei-o com os olhos. — Não adianta, Artur, eu mereço saber.

— As flores ajudaram — disse vencido. — E consegui levá-la comigo para o tríplex. — Nunca assumiria que pedi perdão a ela praticamente de joelhos.

— Eu disse que flores resolveriam tudo, — Ethan parecia uma

mulherzinha. — E vai levá-la para jantar na mansão.
— Vou — disse simplesmente. — Mas não quero que isso vaze, ok?
— Sem problemas, Chefe. E, Artur — ele estava sério pela primeira vez no dia —, me desculpe pela preocupação exagerada, mas...
— Eu sei, Ethan. Mas com Linda Marilyn você não precisa se preocupar.
— Eu sei disso, depois daquela entrevista — sorrimos juntos. — Ela tem talento.
— Sempre soube disso.
— Mas vamos ao trabalho.
— Pensei que nunca iria dizer essa frase, McCartney — rimos e começamos nosso dia.

Na hora do almoço me peguei com o celular na mão discando para Linda, que carinhosamente se preocupou por eu ainda não ter almoçado. Sorri como sempre do seu bom humor, e isso fez com que minha tarde fluísse com mais facilidade.

Linda me falou também do vestido que havia acabado de comprar, e eu já imaginei minha princesa maravilhosa, em um modelo perfeitamente moldado em seu corpo. Depois disso para voltar a me concentrar precisei de um pouco de água no rosto, com um café bem forte.

O resto do dia passou rápido, e agradeci mentalmente por não ter que ouvir mais algumas das piadinhas de Ethan até o fim da tarde.

Fui para o triplex, que já me fazia sentir falta dela. Pois conseguia enxergar Linda em toda parte do apartamento. E sorrindo por me lembrar da nossa noite, fui recebido por Miranda, que estava tão animada quanto Dona Emma. Não parou de falar como minha princesa era linda, simpática e que combinava perfeitamente comigo. Linda definitivamente estava encantando a todos.

Escutei-a carinhosamente e fui para meu, quer dizer nosso quarto, tomar uma ducha pra relaxar.

Coloquei um suéter preto e uma calça social, nada formal para um jantar na casa dos meus pais, e saí mais uma vez sem motorista e seguranças.

Seria apenas eu, minha princesa e nossa família.

Pontualmente às oito horas estava na porta do seu apartamento apertando a campainha.

— Oi! — Ela me recebeu linda com um vestido creme muito oportuno para a ocasião.

— Olá! — Peguei-a pela cintura. — Você está linda, princesa — declarei beijando seus lábios com delicadeza.

— Você também está muito elegante, caro Deputado. — Apertei-a ainda mais vendo a devassa morder os lábios. Linda sabia me provocar.

— Não faça mais isso antes de sairmos para qualquer tipo de evento, Linda Marilyn.

— Por quê? — Ela piscou os olhos sorrateiramente.

— Porque desse jeito nunca vamos conseguir sair para nenhum lugar sem nos atrasarmos, pois sempre vou ter que te comer antes. — Ela sorriu jogando a cabeça para trás me dando livre acesso ao seu lindo pescoço. — Vamos. — Nos ajeitamos e entrelaçamos nossas mãos indo para garagem.

Percebi que durante o trajeto, Linda se remexia mais que o normal ao meu lado e resolvi tranquilizá-la.

— Princesa, não precisa ficar tensa, são apenas meus pais. — Ela me olhou nervosa.

— Desculpe, Artur! Mas não têm como relacionar George e Emma Scott, como pessoas normais. — Eu ri apertando ainda mais sua mão que estava no seu colo.

— Minha mãe já te adora, sabia? — Ela me olhou confusa. — Verdade, ela me disse hoje pela manhã, que não via a hora de conhecer a pessoa que estava mudando seu único filho. — Linda me olhou sorrindo.

— Ela disse isso?

— Disse, e meu pai está curioso para conhecer a jornalista que fez a melhor entrevista que os Scott já deram.

— Nossa! — Ela se recostou no banco do carro fazendo-me rir.

— Então relaxe. — Apertei sua mão.

— Vou tentar.

Chegamos à mansão Scott e fomos recepcionados por Emanuel, o mordomo da família há anos.

— Boa noite, Emanuel! Essa é Linda Marilyn — Cumprimentei-o assim que ele abriu a porta de minha princesa.

— Boa noite, meu filho! Seus pais já o esperam. — Balancei a cabeça, assentindo. — Boa noite, Senhorita! Seja bem vinda à mansão Scott.

— Obrigada, Emanuel. — Linda sorriu delicadamente para ele, mas percebi ali que ela ainda estava nervosa.

— Vamos entrar? — Toquei suas costas a sentindo se arrepiar.

— Vamos.

Emanuel abriu a grande porta da mansão e nós entramos. Logo a frente Emma veio em nossa direção abraçando Linda.

— Boa noite, meus queridos. Sejam bem vindos. Oh, minha querida você é muito bonita, condizendo com o nome, como imaginei. — Ela olhou para mim ainda no abraço com Linda, fazendo-me sorrir.

— Boa noite, Senhora Scott! É um prazer conhecê-la.

— Nada de senhora, Linda, apenas Emma. — Elas sorriram uma para a outra, e pude sentir que ali nascia uma cumplicidade muito bonita.

— Ora! Ora! Se não é a famosa e talentosa jornalista, Linda Stevens. — Meu pai se aproximou com seu copo de uísque, companheiro de todas as noites. — Seja bem vinda, Senhorita Stevens! É um prazer recebê-la em nossa casa.

— Obrigada, Governador! O prazer é todo meu. — Ele beijou sua mão educadamente.

— Vamos nos sentar, o jantar já vai ser servido. — Minha mãe me abraçou também. — Só você mesmo, Linda, para trazer esse menino para casa.

— Mãe — a repreendi beijando seus cabelos.

— É verdade, querido. Qual foi a última vez que esteve aqui.

— Tudo bem, mas estou em campanha. — Linda ria da discussão de mãe e filho.

— Deixe de besteiras e vamos nos sentar. — Meu pai nos dirigiu até a sala de estar. — Então, Linda Marilyn, gostaria de lhe parabenizar, sua entrevista ficou esplêndida. — Linda sorriu recebendo uma taça de vinho de Emanuel.

— Obrigada, Governador! Mas para uma entrevista ser completa é preciso que a pessoa do outro lado esteja completamente receptiva, e isso eu devo muito a Artur, que além de tudo é muito inteligente.

Nossos olhos se encontraram e pude ver que estavam completamente brilhantes. Não resistindo, pousei minha mão em seu colo segurando a sua, e recebi dois lindos sorrisos. Os de minha princesa e os de Dona Emma que não se continha de tanta felicidade.

— Fiquei sabendo também que a Senhorita é uma estudiosa assídua da historia de nossa família. — Ela corou delicadamente.

— Sim, a história política dos Scott sempre foi a mais envolvente e inteligente para mim. Ela também foi o tema de meu trabalho de conclusão de curso na universidade.

— Muito interessante! Então, teremos muito o que conversar, cara jornalista. Quem sabe você não me conta algo que meus avôs fizeram nos anos vinte que me passou despercebido. — Rimos todos juntos e a conversa continuou leve. É claro que o assunto, como sempre, rondava a política, e Linda se saía muito bem nisso. Surpreendendo-me, mas acima de tudo surpreendendo o senhor todo poderoso, o Governador George Scott.

Depois de algum tempo fomos avisados que o jantar estava servido e nos direcionamos para a outra sala.

— Tudo bem? — sussurrei.

— Tudo ótimo! — ela respondeu completamente relaxada.

— Não disse que não havia com que se preocupar. — Ela apertou minha mão.

— Vou me lembrar de confiar mais em você.

Abracei-a, sentindo seu perfume único e chegamos à sala de jantar, onde tudo fluiu normalmente também. Linda era refinada, sabia todas as regras de etiquetas e acima de tudo era delicada. Minha perfeita primeira dama.

A noite transcorreu normalmente e muito agradável, porém já estava ficando tarde e ainda precisaria sentir minha deusa me apertando deliciosamente antes de dormir.

— Vamos, Linda, amanhã acordamos cedo. — Ela sorriu se levantando e já se despedindo de minha mãe.

— Emma, estava tudo perfeito, muito obrigada. — Elas se

abraçaram carinhosamente.

— Eu que agradeço, minha querida. Você é uma pessoa muito especial, e nossa casa estará sempre aberta, à sua disposição.

— Obrigada. Governador. — Ela apertou a mão do meu pai, que sorriu educadamente para ela.

— Foi um prazer, Linda Marilyn. Um imenso prazer na verdade, de conhecer uma menina tão nova e ao mesmo tempo, inteligente e perspicaz. Você tem futuro — ela corou.

— Obrigada, Senhor!

— Pai, mãe, boa noite! — Abracei minha mãe carinhosamente.

— Não suma, filho. — Beijei seus cabelos.

— Pode deixar, Dona Emma. Até amanhã, Governador. — Acenei para meu pai.

— Até, Artur.

Saímos de mãos dadas da mansão, e quando olhei para o Volvo nos esperando para partir, tive uma brilhante ideia.

E foi arquitetando-a que entrei sorrindo dentro do carro.

— O que foi? Fiz algo de errado? — Sorri ainda mais.

— Não, princesa, você foi absolutamente perfeita e conquistou meus pais. Cada um de sua maneira.

— Eu adorei sua mãe, seu pai também, mas... — Ela mordeu os lábios.

— Não faça isso, Linda Marilyn — alertei-a.

— Por quê? — Olhei sua cara de inocente novamente ali. — Nós já saímos do nosso evento social da noite. — Ela estava definitivamente querendo me provocar.

— Eu vou parar esse carro em uma rua deserta, e te mostrar porque você não deve morder os lábios desse jeito. — Ela gemeu esfregando uma perna na outra. — Mas voltando ao assunto — liguei o carro e saí pensando em qual rua deserta parar —, meu pai é assim mesmo, como eu...

— Duro. — Eu adorava sua coragem. — Oh, desculpe saiu. — Ela tapou a boca com as mãos corando violentamente, fazendo-me gargalhar.

— Não pelo mesmo motivo que você me ache duro, é claro — Linda corou ainda mais, batendo em minha perna —, mas sim, somos muito enérgicos e prepotentes até por exigência de nossos cargos importantes.

— Mas sua mãe é uma graça. — Ela sorriu.

— Assim como você. — Ela me olhou, pairando a mão em minha coxa.

— Eu adorei nosso jantar, Artur.

— Eu também, Linda. — Parei o carro fazendo-a me olhar confusa.

— O quê? Onde estamos? — Gargalhei descendo e contornando o Volvo. E assim que cheguei até sua porta, a abri.

— Em uma rua deserta, Linda Marilyn — respondi simplesmente.

— Você não está pensando em...

— Não só estou pensando como vou fazer. — Assim que ela desceu fechei a porta a prensando contra ela. — Nunca se esqueça, Linda Marilyn. Eu posso tudo. — Ela gemeu fazendo-me devorar aquela boca que seria por toda vida minha perdição.

— Artur, mas nós estamos no meio da rua. — Ela dizia totalmente entregue e ofegante, enquanto eu devorava seu pescoço e apertava a parte interna da sua coxa.

— Relaxe, princesa. Sou eu, nada vai acontecer — subi seu vestido rasgando aquele pedaço de pano que ela chamava de calcinha, e enlacei suas pernas em minha cintura —, agora rebole nesse pau que é só seu vai, se delicie, gostosa.

— Ah, você é louco. — Sorri mordendo seu ombro, ao mesmo tempo em que baixava meu zíper a penetrando de uma só vez.

— Completamente e por você. — Como mágica Linda despertou a devassa que amo de dentro dela, e começou a vir ao meu encontro freneticamente gemendo, agarrada em meu pescoço.

— Ai como eu... — Ela parou a frase pela metade e me olhou intensamente devorando minha boca com a dela.

Nossas línguas travavam uma batalha sensual, enquanto nossos corpos se chocavam só dando para escutar o barulho de nossa umidade e o metal do carro em contato com seu corpo suado.

Gozamos juntos, uivando como dois lobos, e praticamente caímos dentro do carro assim que abri a porta.

— Meu Deus, isso foi...

— Como sempre, perfeito. — Sorri e a beijei delicadamente. — Vamos para casa. — Ela me olhou confusa. — Eu disse que iríamos para o triplex hoje, você esqueceu algo no seu apartamento?

— Não, não é isso. É que... deixa pra lá, vamos. — Ela sorriu e se ajeitou no banco, enquanto eu ia para o meu, fechando o zíper. — Minha calcinha? — perguntou assim que entrei do lado do motorista.

— Aquele pedaço de pano não serve para mais nada, amor. — Ela parou de respirar por alguns segundos. — Está tudo bem, princesa?

— Melhor impossível, vamos?

Sorrimos juntos e chegando ao triplex fomos direto para o chuveiro, onde a tomei novamente, agora calmamente, saboreando cada gemido de minha princesa. E logo depois caímos mortos na cama.

Na verdade um chuveiro nunca mais seria o mesmo depois de Linda Marilyn.

Nada em minha vida, seria a mesma coisa depois de Linda Marilyn. Ela veio para modificar todos os meus pensamentos, me tirar completamente fora dos eixos, mas eu não poderia reclamar de nada.

Eu estava feliz.

Eu estava completo.

E dormi realizado com ela em meus braços, em nossa cama, pois a partir do momento que Linda entrou em minha vida, nem a minha própria vida seria minha de novo.

Tudo era de Linda Marilyn Stevens.

Capítulo 17

Linda

Oh, céus! Era verdade que estava novamente acordando com aquela visão maravilhosa em minha frente?

Sim, eu estava.

Levantei-me um pouco, acomodando-me na "nossa cama", observando-o correr naquela esteira, assistindo ao noticiário.

— Bom dia, Linda Marilyn! Por favor, não morda os lábios. — Balancei a cabeça e continuei olhando-o correr, rindo maravilhosamente por ter me pego no flagra.

— Bom dia! Preciso ir para o jornal, mas estou com uma preguiça. — Ronronei me espreguiçando como uma gata, fazendo com que Artur desligasse aquele negócio, e rapidamente estivesse em cima de mim.

— Não faça isso, princesa, senão não poderemos sair hoje. — Tentei me esquivar do seu beijo suado.

— Você está todo suado. — Ele me olhou fazendo uma cara de falsa indignação.

— Você já gostou mais do meu corpo suado, Linda Marilyn — Riu balançando aqueles cabelos rebeldes e respingou gotas de suor em mim.

— Para! Vamos para o banho que não posso me atrasar hoje. — Tentei me desvencilhar de seus braços.

— Nunca será apenas um banho com você, minha devassa.

Gargalhei, jogando o lençol para o lado. E rebolando meu corpo nu propositadamente, fui para o banheiro sob o olhar atento de Artur, que correu até mim, pegando-me no colo, enquanto me debatia e gritava, até ele me calar com um beijo de tirar o fôlego.

E como sempre, nosso banho matinal não foi apenas um banho...

Estava terminando de me maquiar no banheiro, quando meu celular começou a tocar em cima do criado mudo.

— Linda, seu celular — Artur disse saindo do closet e arrumando a gravata. Isso estava parecendo-me tão casal que chegava até doer.

— Já vou. — Corri até o quarto e o atendi. — Alô!

— Bom dia, Linda! Tenho novidades para você, minha querida. — Gelei. Victor me ligando antes que eu chegasse ao jornal só poderia ser o que eu mais temia.

— Bom dia, Victor! Do que você está falando, poderia ser mais claro. — Mandei um beijo para Artur que estava borrifando sua colônia no pulso, tentando não transparecer minha tensão.

— Sua entrevista com Dylan é daqui a quarenta e cinco minutos no seu comitê. E ele não admite atrasos, ok.

— Minha o quê? — Eu não estava acreditando nisso. Ele havia mesmo marcado essa entrevista?

— Esteja no comitê do Dylan em meia hora, Linda. E faça uma bela entrevista, nos falamos mais tarde.

— Mas, Victor... — Ele desligou, e eu fiquei ainda com o telefone no ouvido por mais alguns segundos, até Artur perceber meu choque e sacudir-me devagar.

— Linda, fala comigo, princesa. Aconteceu alguma coisa?

— Eu tenho uma entrevista agora com Dylan Parker. — Seu semblante mudou radicalmente se afastando do meu corpo.

— Você o que, Linda? — Artur estava furioso.

— Daqui a meia hora tenho que estar no comitê daquele porco do Parker. — Comecei a andar de um lado para o outro do quarto sem saber o que fazer. O que perguntar. Nunca seria a mesma coisa que entrevistar Artur.

— Então você se tornou a queridinha dos candidatos agora, cara jornalista. — Olhei para ele sem entender. Onde Artur queria chegar com isso?

— Não estou te entendendo. — Comecei a sentir as lágrimas brotando em meus olhos.

— Quem sabe ele não te convide para jantar também. — Definitivamente eu não merecia estar ouvindo isso.

— Você está me acusando de... Eu nunca deveria ter aceitado seu convite, Deputado. — Comecei a chorar e gritar com ele. — Nunca deveria ter misturado as coisas. Não sou uma prostituta de luxo que passa de mão em mão, Artur Sebastian. E você mais do que ninguém deveria saber disso.

Respirei fundo tentando encontrar minha bolsa. Assim que a avistei na poltrona, calcei meus sapatos e saí correndo daquele quarto que estava me sufocando.

— Espera, Linda. — Ele veio atrás de mim e segurou meu braço.

— Me solta! — Olhei raivosa para ele. — Eu nunca deveria ter caído em sua lábia, Artur Scott. Você está acostumado com mulheres fúteis e fácies, e o meu único mal foi... — Te amar. Mas graças a Deus, meus pensamentos ficaram guardados apenas para mim dessa vez. Ele não merecia essa declaração.

Saí correndo daquele lugar, apenas vendo o rastro de Miranda que vinha assustada da cozinha junto com Jonathan. Nem me dando o trabalho de olhar para Artur, que tentou me seguir até o elevador.

Estava completamente destruída. Será que poderíamos nos enganar tanto assim com uma pessoa?

Onde estava aquele cara que me levou no colo para o banho?

Onde estava aquele cara para quem eu havia praticamente me declarado, enquanto era comida no capô do Volvo?

Eu não queria estar enganada.

Meu Deus! Eu o amava mais que a mim mesma. E não saberia mais se um dia iria conseguir viver sem Artur ao meu lado. Na verdade ele sempre esteve comigo, em meu coração e pensamento. Lugar de onde nunca deveria ter saído, evitando assim tanto sofrimento.

Mas não poderia me dar ao luxo de pensar nisso agora. Tinha uma entrevista para fazer.

Tentei secar minhas lágrimas, que teimavam ainda em cair, e acenei para o primeiro táxi que vi em minha frente.

Precisava estar no comitê dos Parker em menos de meia hora.

Já dentro carro, tentei arrumar minha maquiagem, arruinada pelas lágrimas ao mesmo tempo em que meu celular começou a tocar. Era ele. Desliguei sem ao menos pensar duas vezes, e segui para fazer o meu trabalho.

Naquele momento tentei me desligar também da minha vida pessoal, e me concentrar em quem eu era realmente, uma profissional.

Cheguei ao comitê com alguns minutos de antecedência, porém logo fui chamada.

Dylan era um dos políticos mais charlatões de quem eu já havia ouvido falar, mas como Victor era meu chefe e seu primo, não poderia negar isso a ele.

O *New York Times* sempre foi muito profissional, nunca se deixando levar por partidos ou preferências a respeito de candidatos em uma campanha política.

Fui recepcionada por seus assessores que logo o trouxeram, e nossa entrevista transcorreu o mais amistosa possível, com mais de dez pessoas ao nosso redor, fora Jeff, o fotógrafo do jornal, que também nos aguardava no local.

Apenas no final, em um comentário desnecessário, Dylan foi deselegante.

— Espero que essa entrevista faça mais sucesso que a do meu rival, não é, Senhorita Stevens? — Ele sorriu deixando-me enojada.

— O interesse do público é apenas conhecer seus candidatos, Deputado. E o meu, mostrar. — Mantive minha postura dura e imparcial.

— Você tem toda razão, Senhorita. Então que vença o melhor. Eu, é claro. — Levantou-se saindo da sala.

Bufei jogando-me no sofá assim que me vi livre daquela corja.

— Tudo bem, Linda? — Jeff parecia preocupado. Minha fisionomia deveria estar péssima.

— Tudo sim. Só preciso sair daqui. — Sorri para ele que me deu uma carona até o jornal.

No caminho pensei em ligar o celular, mas não queria cair na tentação de atender uma ligação de Artur, então achei melhor o mantê-lo desligado.

Cheguei ao jornal e fui atropelada por Mary que me puxou diretamente para sua sala. E se antes ainda havia alguma dúvida da minha fisionomia, naquele momento tive a certeza, meu rosto estava péssimo.

— Posso saber para que serve seu celular, Linda Marilyn? Tive que descobrir pelo Victor onde você passou a parte da manhã. — Mary esbravejou. — O que aconteceu? Você está péssima, amiga.

— Nós brigamos. — Não aguentei e comecei a chorar sendo abraçada por ela.

— De novo, por quê? Vocês estavam tão bem. Foi o jantar ontem? Não me diga que...

— Não, Mary. O jantar foi maravilhoso. — Funguei ganhando um lenço de papel. — Os pais de Artur são muito gentis. A mãe é uma graça e nos demos muito bem, e o pai... Nossa! Aquele me surpreendeu. Eu juro que nunca havia pensado em George Scott simpático, mas ontem ele foi e muito. Elogiou-me a noite inteira. — Ela me olhou sem entender.

— Mas, então...

— Saímos de lá. — Lembrei da rua deserta, porém decidi pular essa parte que seria muito dolorida de ser contada naquele momento. — Dormimos no triplex, e acordamos animados como ontem, só que...

Como mágica ou premunição, Mary entendeu tudo, sem eu precisar pronunciar mais nenhuma palavra.

— Artur descobriu da entrevista e...

— Cogitou até a ideia de Dylan me convidar para jantar. — Desmoronei em seus braços chorando ainda mais. — Eu não sou assim, Mary. Ele sabe que eu não sou assim. Porra, eu era virgem.

— Ciúmes, amiga. Sentimento de posse. Artur se sente o dono do mundo, capaz de manipular tudo e você veio para provar ao contrário.

— Isso foi uma defesa ou uma explicação? — Ela riu.

— Amiga, ele está louco atrás de você. Preocupado mesmo. Jared disse que não está conseguindo controlá-lo na Scotts. — Abri a boca em espanto, mas isso não diminuiu minha mágoa.

— Eu quero que sua preocupação se exploda, Mary. — Foi minha vez de esbravejar. — Ele desconfiou de mim. Eu nunca deveria ter caído na lábia dele. E disse isso em nossa briga. — Fungava ainda mais.

— Linda, esse sentimento é novo para Artur. — Olhei-a irritava.

— Você está o defendendo, não é possível. — Levantei-me querendo respirar.

— Claro que não, amiga. Estou apenas tentando enxergar do lado de fora.

— Eu vou embora. Avise ao Victor que a entrevista estará em sua mesa na segunda-feira.

— Amiga... — Bati a porta com força e saí em direção à rua.

Estava completamente desnorteada.

E agora, como chegaria ao meu apartamento depois desses dois dias com Artur no triplex?

Como conseguiria voltar a viver sem ele? Sabia que isso iria me render anos de terapia.

Cheguei em casa e agradeci mentalmente por Angelita não estar. Fui para meu quarto, onde cada objeto já me lembrava Artur, e jogando-me na cama chorei ainda mais.

Não sei por quanto tempo fiquei ali, mas devo ter pegado no sono, pois quando abri os olhos já estava escuro, então resolvi tomar um banho para me jogar pelo menos limpa, novamente na cama.

Na verdade achava que iria passar meu fim de semana ali. Graças a Deus era sexta feira.

Saí do banho e coloquei uma camisola leve sem coragem de chegar até a cozinha, e foi nessa hora que me lembrei.

Eu havia comido hoje?

Não. Então foi esse o motivo da tontura que me jogou praticamente deitada na cama. Mas já que estava ali, resolvi ficar.

Chorei ainda mais, sentindo falta daqueles braços que eu amava ao meu redor. Do sorriso que me encantava. Da prepotência que me fazia suspirar.

Meu Deus! Eu sentia falta de tudo.

Como poderia Artur Sebastian ter tomado conta de todos os meus pensamentos em apenas uma semana?

Naquele momento a campainha começou a tocar desesperadamente, e imaginando quem era me encolhi mais na cama, não querendo escutar, ou conversar sobre nada. Aquela noite eu só queria dormir.

Mas acordei na manhã seguinte com a sensação de que não havia conseguido pregar os olhos.

Minha campainha tocava desesperadamente de novo, e logo imaginei quem fosse dessa vez. Por isso além de preparar os ouvidos, resolvi atender, antes que Mary colocasse a *Swat* atrás de mim.

— Você pode me informar novamente para que servem seus meios de comunicação, Linda Marilyn? — Ela entrou feito um tiro no meu apartamento.

— Me desculpe, amiga. Esqueci de ligá-lo de volta. — Apontei para o celular no aparador do hall da entrada.

— Eu só não arrombei essa porta ontem, Linda Marilyn, porque tive que amansar a fera — ela revirou os olhos —, pois esse era também o desejo de Artur ontem. — Senti um nó se formando em minha garganta.

— Eu não quero falar sobre isso. — Suspirei me jogando no sofá.

— Mas eu quero. — Ela sentou-se ao meu lado. — Linda, ele está desesperado, vocês precisam conversar.

— Para quê? Para ele me pedir desculpas e fazer tudo de novo? Não, Mary. Definitivamente eu não tenho nada para falar com Artur.

— Amiga, eu sei como deve estar sendo complicado para você, mas, Linda, ele gosta de você. Ontem se eu e Jared não tivéssemos o tirado dessa porta, não sei o que poderia ter acontecido.

— Mary, eu tentei, juro que tentei, mas a cada dia saio mais machucada dessa história. Artur já me conhece o suficiente para saber que não sou esse tipo de mulher.

— Linda, ele gosta de você, isso é um fato.

— Que jeito estranho de gostar, ferindo quem se ama. — Estava muito magoada.

— Pense bem. Será que não vale a pena lutar e tentar fazer dele um homem melhor? — Mary indagou. — Você já estava conseguindo isso, Linda.

— Eu não quero isso para minha vida. Essa expectativa, todas as vezes que ele atrasa ou não liga. Não quero ficar com medo de que ele pense que sou qualquer uma. Não, Mary, não vale a pena. Eu quero paz.

— Então, vai ter que se preparar, meu amor. Amanhã nós temos um evento para cobrir — Meu coração acelerou, esperando Mary continuar a frase. —, dele. Quer dizer, amanhã será realizado um evento no Marco Zero com a presença do Presidente Obama e seus aliados de partido, então...

— Eu não vou — declarei de imediato. — Mary, por favor, peça para alguém ir no meu lugar. Invente que peguei uma gripe, sei lá. Eu não quero vê-lo.

— Na verdade você tem medo de ver Artur, não é, amiga? — Ela me abraçou quando percebeu que ia começar a chorar.

— Está doendo tanto.

— Eu sei, por isso acho que vocês precisam conversar. Linda. Ele está diferente. Eu vi o desespero em seus olhos ontem.

— Eu preciso respirar — disse sem ar.

— Vamos almoçar fora. — Ela bateu palminhas tentando me animar. E depois pensaremos no que fazer amanhã, certo?

— Não quero. — Fiz manha.

— É claro que quer. Você precisa arejar. Que tal aquele restaurante perto do Central Park que você adora? — Mary piscou para mim.

— Ok! Você venceu. Só preciso de um banho. — Tentei me levantar, mas caí novamente no sofá.

— O que foi, amiga?

— Não comi nada ontem. — Ela revirou os olhos.

— Então fique aí que vou trazer pelo menos um suco para você antes de sairmos.

— Tudo bem — respondi com os olhos fechados.

Nosso almoço foi tranquilo e aproveitamos também para caminhar um pouco pelo Centro. E depois de passarmos o dia juntas, obriguei Mary a sair com Jared à noite, pois não queria mais uma vez estragar um encontro deles.

Quando me vi sozinha novamente, meus pensamentos voaram como águia para Artur. Porém, resolvi enfiar-me no trabalho, para pelo menos ocupar minha mente.

Mantive meu celular no mesmo lugar, desde sexta, desligado no aparador da sala, enquanto redigia toda a entrevista de Dylan, já a enviando para Victor. Não com a mesma empolgação que a de Artur, é claro. Pois, mesmo magoada, tinha a real noção do seu potencial político. Uma força particular vinda do sangue da liderança Scott.

Fiz também as listas de compras e tarefas da semana para Angelita, e tomei minha decisão: não deixaria meu lado sentimental falar mais alto.

Eu havia sido escalada para cobrir o evento do Deputado Artur Scott, que aconteceria no dia seguinte, e como a ótima profissional que era, não fugiria do trabalho por conta de um problema pessoal.

Eu estaria lá no Marco zero, para o evento do Presidente Barack Obama e seus aliados.

Capítulo 18

Artur

Estava tendo uma das melhores sensações da minha vida. Recebia um cafuné muito gostoso, vindo diretamente das mãos de fada da minha princesa.

Tentei não me mexer, estava deitado praticamente em seu colo, perto do peito e podia sentir sua respiração leve, podendo até arriscar que Linda estava sorrindo.

Porém, cedo demais, ela começou a gargalhar, e então percebi que havia sido descoberto. Levantei o rosto ficando a milímetros de distância do seu e sorri involuntariamente.

— Seu relógio biológico funciona apenas de segunda a sexta, meu amor.

— Desculpe, Linda Marilyn! Por não lhe dar hoje o prazer de me ver correr na esteira. — Parei pensativo. — O que é uma pena, pois sentir você morder os lábios por minhas costas é uma das melhores sensações matinais que já tive.
— Cachorro! — Ela me empurrou gargalhando, mas a prendi com as pernas fazendo com que ficássemos ainda mais colados.

Acordei ofegante, ainda ouvindo suas gargalhadas. Mas quando abri os olhos, observei ao redor uma realidade bem diferente de segundos atrás.
Estava sozinho no meu escritório, ainda com a mesma roupa do dia anterior, tendo apenas uma garrafa de uísque como companhia.
Havia estragado tudo.
Quando vi Linda sair do triplex tão desnorteada no dia anterior, por conta de um ciúme sem sentindo da minha parte, pensei que fosse enlouquecer.
Porém, a situação só tendia a piorar. Ela não tinha me atendido o dia todo, e acima de tudo, não havia aberto a porta do seu apartamento para mim na noite passada. E se não fosse Jared e Mary me levarem para casa a força, teria passado a noite lá.
 Durante o dia já havia perdido o controle e ido atrás dela, pensado desesperadamente em tirá-la a força daquela maldita entrevista, mas depois, enxerguei que esse gesto atrapalharia ainda mais nossa situação. Resolvi então ir para o escritório, só que de nada adiantou. Tentei participar de algumas reuniões na parte da tarde, porém não aguentei por muito tempo, deixando a última pela metade, indo atrás dela. Apenas voltando para casa quando sua amiga garantiu-me que ela estava segura em casa, e que seria melhor conversarmos no dia seguinte.
Não sei o que estava acontecendo comigo. Sempre tive o controle em minhas mãos. Sendo superior a tudo e a todos, mas com Linda tudo ficava confuso, e completamente fora dos eixos.
Ela tinha o poder de mexer com emoções até então desconhecidas dentro do meu peito.
E naquele momento estava lá, jogado em um sofá, com uma ressaca da porra, não sabendo o que fazer para tê-la de volta a meus braços. Não conseguindo mais me ver em um mundo onde

não pudesse estar com Linda Marilyn.

Essa era minha realidade desde que a conheci em minha festa.

— Posso entrar? — Ethan bateu na porta, receoso.

— O que foi? Fala logo, Ethan.

— Bom dia pra você também, chefe. — Respirei fundo, passando as mãos por meus cabelos desgrenhados. — Sei que sua noite não foi das melhores, amigo, mas preciso passar sua agenda.

— Fala — fui ríspido.

— Temos um almoço hoje com o Senador Willis para discutir alguns projetos em comum. E amanhã participaremos da inauguração da placa em homenagem às vitimas de onze de setembro no Marco Zero. O Presidente faz questão de sua presença, pois além de serem do mesmo partido, Obama gosta muito de você. — Tentei esboçar um sorriso, pois também simpatizava muito com o modo dele governar. — O evento será às dez horas. E por último sua primeira coletiva de imprensa acabou de ser marcada para quarta feira nos salões do Hilton, como sempre.

— Ok!

— Artur, você precisa de um banho e... — olhei para ele. — Cara, eu sei que está passando por uma fase complicada, mas esses compromissos são muito importantes para sua carreira, principalmente para sua campanha.

— Sei dos meus compromissos, Ethan — falei ríspido alcançando o celular para tentar mais uma vez ligar para Linda.

— Deixe as coisas esfriarem. Seja inteligente, Artur. Pegue-a de surpresa. Linda ficará sem ação e terá que te ouvir. — Parei ainda com o celular no ouvido. — Já te disse que entendo de mulher, e você já teve a prova disso.

— Vou tomar um banho. Estarei pronto em quinze minutos. — Ele sorriu sabendo que eu havia acatado sua opinião, mesmo sem esboçar uma palavra.

Ethan tinha razão.

Eu realmente precisava pensar calmamente no que fazer em relação à Linda. E a pegar de surpresa seria uma tática bem interessante, pois ela não teria como escapar.

Sorri já arquitetando o que fazer.

Fui direto para o chuveiro, pois naquele momento teria que me desligar e agir como um político em campanha. Porém, dessa vez, Linda Marilyn não fugiria. Ela atenderia a porta para mim, ou não me chamaria Artur Sebastian Scott.

Deixando de lado os assuntos pessoais, foquei meu sábado nos meus compromissos profissionais.

Angariamos muitos votos, e parcerias para os próximos passos a serem seguidos. E no final da tarde, já me preparando para mais um jantar de negócios escutei meu celular tocando e sorri olhando no visor.

— Boa noite, meu querido! Sei que está muito ocupado hoje, mas gostaria de dizer, que amanhã estaremos em seu evento com Obama, e depois pensei em almoçarmos juntos. — Respirei fundo, sabendo onde a Senhora Scott chegaria. — Traga Linda com você. Ela estará lá, certo?

— Sim, mãe — menti. — Falaremos disso mais tarde.

— Tudo bem, filho. Fale com ela, eu prepararei um lindo almoço para nós. Só mesmo Linda para operar esse milagre. Um almoço de domingo em família. — Não poderia estragar a animação de minha mãe. — Beijos, querido!

— Beijo, mãe. Até amanhã!

— Até, meu amor.

Desliguei o telefone não sabendo o que fazer. Mas o que falaria para minha mãe? *"Estraguei tudo novamente, por conta da minha prepotência e arrogância, mãe."* Com certeza Senhora Scott não ficaria feliz com essa noticia.

Teria que resolver essa situação com Linda o mais rápido possível.

Além de não conseguir passar mais um minuto sem minha princesa, minha mãe também não merecia se decepcionar com seu único filho.

Eu resolveria isso, e logo na primeira hora daquele domingo, antes do evento com Obama.

Acordei muito cedo naquela manhã. Na verdade não havia conseguido pregar o olho a noite inteira. Sóbrio, com Ethan no meu pé, pois teríamos muitos compromissos para eu aparecer de ressaca, como no dia anterior.

Tomei um banho, e saí decidido a fazer o que tinha que ser feito, antes das oito da manhã.

Eu iria para esse evento com Linda Marilyn ao meu lado, ou pela primeira vez não compareceria a um compromisso de campanha. Pois naquele momento, como em todo o resto da minha vida, minha prioridade seria minha princesa.

Pedi para Jonathan esperar-me na limusine, enquanto subia até o apartamento de Linda.

Apertei sua campainha esperando, pelo menos que ela me atendesse dessa vez.

— O que você está fazendo aqui? — Linda abriu a porta meio zonza, com uma camisola tentadora e a cara de quem havia acabado de acordar.

— Podemos conversar, Linda Marilyn? — Entrei sem ser convidado e a abracei.

— Eu te fiz uma pergunta, Artur Sebastian. — Ela tentou se desvencilhar do meu abraço. — Para, Artur, saí. — Soltei-a olhando diretamente em seus olhos, tentando transmitir tudo que estava sentindo naquele momento.

— Me perdoa, princesa. Eu não deveria...

— Não, você não deveria. — Linda me deu as costas, começando a andar pela sala.

— Linda, eu não queria te fazer chorar, isso me mata. — Eu me aproximei tentando tocá-la, mas ela mais uma vez tentou se livrar dos meus braços. — Me perdoe, eu disse aquilo sem pensar. Eu odeio aquele cara, ele é sujo...

— Eu também o odeio, mas acima de tudo cumpro ordens, Deputado. — Ela me olhou com desdém, e isso me doeu muito.

— Eu não penso aquilo de você. Só fiquei transtornado por você ter o mesmo contato...

— Eu nunca teria o mesmo contato com ele, Artur. Eu sou uma profissional, e me arrependo profundamente de ter tido algo mais com você. Nosso encontro deveria ter sido apenas profissional. Evitaríamos tanta coisa... — Eu a abracei, sentando-nos no sofá e a trazendo para meu colo.

— Nunca mais diga isso, princesa. Eu não consigo mais imaginar minha vida sem você, Linda. Nunca mais diga que nosso encontro seria apenas profissional. Isso nunca aconteceria no nosso caso. Olha pra mim, Linda. Por favor. — Toquei seu queixo fazendo com que nossos olhares sofridos se encontrassem. — Me perdoe, amor, eu fui um burro.

— Sim, você foi. — Linda começou a chorar.

— Não chore, isso acaba comigo. Saber que fui o único culpado por sair de casa naquele estado estragou completamente meus dias. — Fui o mais honesto possível. — Eu fui atrás de você. Liguei, te procurei o dia todo, princesa. Eu fui um mostro. — Passei a mão por meu cabelo que estava ainda mais desarrumado. — Eu sou assim, Linda. Falo sem pensar, magoou as pessoas, mais com você não posso. Eu não devo. Eu não quero te magoar, princesa.

— Mas magoou — sussurrou baixando o olhar.

— Eu faço qualquer coisa, apenas me perdoe, por favor. Prometo que nunca mais vou te fazer sofrer. Nunca mais vou te fazer chorar, mas apenas diga que me desculpa. — Eu a apertava ainda mais, sentindo que meu coração poderia sair pela boca a qualquer momento.

— Nunca mais faça isso. Eu nunca faria isso com você.

— Eu sei. — Aproximei nossos rostos a beijando lentamente. E quando nossas línguas se tocaram, uma descarga elétrica foi sentida pelos dois, pois gememos juntos. — Eu nunca pensaria isso.

Nossas testas estavam coladas, e estava recebendo o carinho do sonho da noite passada em meu cabelo.

— Você é minha. Só minha. Eu soube disso desde a primeira vez, só fiquei transtornado. — Era tão difícil admitir minhas fraquezas. — Eu nunca mais vou atrapalhar sua vida profissional, mas, por favor, não me deixe.

— Mas agora precisa me deixar ir — a olhei interrogativo —, tenho um evento daqui a pouco, Deputado. — Eu a abracei rindo, sentindo aquele perfume que era o único a me acalmar.

— Deixo — sussurrei a beijando novamente.

— Artur, eu odeio aquele cara — desci meus beijos para seu ombro —, e nós estávamos em mais de dez pessoas na sala durante a entrevista. — Abaixei os olhos, envergonhado por tê-la deixado passar por isso.

— Eu também o odeio, princesa, Dylan não pode ganhar.

— Ele não vai ganhar, amor. — Linda ergueu meu rosto e tomou meus lábios aos dela.

— Prometa nunca mais sair de casa daquele jeito? — Ela olhou-me emocionada.

— Prometo. — Ouvir aquilo me fez sorrir, então eu beijei seu colo.

— Amei sua camisola, princesa.

— Eu sei. — Linda riu, enquanto minhas mãos serpenteavam seu corpo escultural.

— Mas, acho que vamos ter que nos livrar dela. — Comecei a tirá-la, porém Linda me brecou.

— Não temos tempo, amor. Você tem um evento político em menos de uma hora. — Linda sempre com sua delicadeza e responsabilidade com meus compromissos. Porém minha boca não conseguia sair de seu pescoço.

— Artur, não judia. Eu preciso de você, mas não podemos nos atrasar. — Ela ergueu meu rosto, dando-me um selinho.

— Quando eu te pegar, Linda Marilyn. — A ameacei fazendo com que ela se esfregasse ainda mais em mim. Porém nossa bolha foi rompida com sua campainha tocando.

— Está na hora. — Linda levantou-se.

— Vá se arrumar, eu te espero.

— Não — ela se dirigiu até a entrada do apartamento —, a gente se encontra lá. Prometi que iria com Mary. — Abriu a porta e sua amiga sorriu quando me viu sentado no sofá.

— Oh, meu Deus! Desculpe-me, eu não sabia. — Eu e Linda sorrimos juntos sem desconectar nossos olhares.

— Não tem problema, Mary. Artur já está de saída, — Mary nos olhou desconfiada. — Nos encontramos lá, amor. Agora vá, você não pode se atrasar. — Levantei-me sabendo que ela estava certa.

— Tudo bem, mas não demore, ok? — Peguei-a pela cintura depositando um selinho em seu lábio entreaberto.

— Não vou. — Agarrou meu coro cabeludo, intensificando o beijo. — Nos vemos lá.

— Ok! Até mais, Mary.

— Até, Deputado.

Saí do seu apartamento satisfeito.
Linda era minha, e não a perderia nunca mais.
Ri o caminho inteiro até o local do evento, sendo recepcionado por Ethan que já me esperava do lado de fora do carro, também com um sorriso no rosto.

— Bom dia, Artur! Pelo jeito já posso mudar de profissão, ou até mesmo pedir um aumento, o que acha?

— Não vou mais te dar o direito de falar assim comigo. — Tentei parecer bravo, mas não aguentei e acabei rindo. — Seu fofoqueiro de uma figa. — Ele gargalhou.

— Fico feliz que as coisas tenham dado certo com vocês, amigo. Essa jornalista — o repreendi com o olhar —, quer dizer, Linda Marilyn lhe faz muito bem.

— Sim, ela faz.

— Seus pais vão estar aqui, você sabe, não é? — Ethan voltou a ser o profissional mais bem pago da minha empresa.

— Sim, eles sempre estão. — Esbocei um sorriso. — Minha mãe me ligou ontem avisando.

— Linda Marilyn, também? Ela veio com você?

— Não, ela virá com sua amiga. — Revirei os olhos da sua teimosia que nem cogitei discutir.

— Vai querê-la ao seu lado, para as fotos da campanha?

— Não.

— Mas...

— Eu tenho os meus motivos, Ethan. — ele assentiu virando para meu motorista e chefe da segurança. — Jonathan, tudo pronto?

— Tudo, Deputado, os seguranças já estão no local fazendo a varredura da área, e estamos com um a mais à nossa espera no carro.

— Ótimo! — Como pessoa púbica precisava me cercar de todas as maneiras. E agora com mais intensidade, por causa de Linda. — Quero que, assim que a Senhorita Stevens chegar ao evento, você particularmente tome conta da sua segurança. Reserve os outros para me acompanhar.

— Entendido, Deputado.

— Fique atento para a hora que ela chegar.

— Ok! Cuidarei pessoalmente disso.

— Obrigado! — Ethan me olhou divertido, pois não costumava ser assim tão educado, e em seus olhos estavam contidos, *"Uma mulher pode modificar um homem, mesmo se tratando de Artur Scott".* — Guarde seus pensamentos para você, McCartney. — Ele sorriu abraçando-me.

Fizemos o trajeto até o local do pronunciamento, como sempre com muitos fotógrafos, jornalistas, e principalmente a população em massa ao nosso redor, já ansiando pelos pronunciamentos. Entramos pela parte dos fundos do evento, pois só subiria ao palco depois do discurso de Obama, como mandava o protocolo, criando uma expectativa em todos os convidados.

De longe observei quando meus pais chegaram e se aproximaram dos fundos do palco. O Governador George Scott não teve o mesmo problema que eu ao passar diante da multidão. Pois como ele mesmo dizia, a bola da vez agora era eu. E por esse motivo queria proteger Linda Marilyn de toda essa loucura que era minha vida pública.

Eu a queria para mim.

Em nossa casa.

Em nossa cama, apenas isso.

Sorri alguns minutos depois, como um garoto bobo, quando a vi se aproximar do palco com Mary.

Linda estava maravilhosa, vestida casualmente com uma calça amarela, uma camiseta branca, e um blazer preto, completando seu visual.

De onde eu estava ela não conseguia me ver, porém a via perfeitamente esticando o pescoço a minha procura.

Minha mãe foi em sua direção sorrindo, e a abraçou calorosamente.

E o que dizer dessa conexão?

Perfeitas primeiras damas.

As duas continuaram juntas conversando, e quando foi dada a abertura do evento se sentaram perto do palco.

— Tudo pronto, Artur? — Jared veio em minha direção dando os acertos finais.

— Tudo, Jared.

— Alguma declaração no dia de hoje, candidato?

Será que ele também pensava a mesma coisa que Ethan? Eu não daria nenhuma declaração sobre minha relação com Linda.

— Não, Jared. Fotos normais para um dia de campanha, fui claro?
— Sim. Fotos com seus pais?
— Como sempre, e com os aliados também. Apenas isso. — Ele assentiu e anotou alguma coisa em seu *tablet*.
— Vamos entrar em dez minutos, o Presidente já está subindo.
— Ok.

O evento foi muito proveitoso, o apoio de Obama seria fundamental naquela etapa da minha campanha. Meu discurso foi muito bom também, principalmente por minha inspiração estar na minha frente, atenta a cada palavra dita.

Linda sorriu lindamente quando me viu entrar no palco, e nossos olhos não se descruzaram um só momento. Ali éramos apenas nós dois, e concentrando-me em seus olhos, concedi um dos melhores discursos da minha vida.

— Essa eleição está ganha, Artur — meu pai disse assim que me aproximei, descendo do palco.
— Estamos batalhando para isso, Governador — disse olhando em seus olhos.
— Seu pai tem razão, meu caro Scott. Você está em primeiro lugar em todas as pesquisas, e é um sério candidato à minha sucessão nas próximas eleições. — Sorri ainda mais, vendo meu trabalho de uma vida inteira ser consagrado com essa informação vinda do próprio Presidente Obama. Eu doaria todas minhas energias para chegar ao topo.
— Vocês me deem licença. — Avistei Jonathan e o chamei. — Leve a Senhorita Stevens até o carro, nós partiremos em alguns minutos — ordenei assim que ele se aproximou.
— Pode deixar, Deputado, farei isso agora.
— Ok! — Observei-o indo em direção a Linda que estava conversando com Jared e Mary naquele momento.
— Meu filho, você estava perfeito! — Minha mãe veio me abraçar e aproveitamos para tirar algumas fotos.
— Obrigado, mãe! E agradeço por ter vindo. — Ela sorriu e tocou meu rosto com carinho.
— Conversei com Linda, ela é uma garota adorável, querido —

sorri me lembrando dela.

— Sim, ela é.

— Esperamos vocês em casa daqui a pouco — ela tocou o braço de meu pai. E nesse momento lembrei-me que não havia avisado Linda do almoço com meus pais. — Tudo bem, filho?

— Sim. A gente se vê daqui a pouco.

— Vamos, querido

— Sim, meu bem! Nós estamos indo.

Despedimo-nos também de Obama e sua Michelle, que havia acabado de chegar para cumprimentar minha mãe. Emma sempre foi o exemplo de primeira dama. A vida inteira foi ovacionada e querida por todos. Ao contrario do meu pai e eu, que temos muitos inimigos por conta dos nossos meios de governar. Com nossas mãos de ferro, eliminamos todos os políticos corruptos que encontramos pela frente. Porém, também por isso, somos os mais queridos e votados pela população.

Combater com honestidade e competência os maus elementos, e governar a quem nos deu seu voto acima de tudo por confiança.

Capítulo 19

Linda

Eu estava feliz, novamente nos braços do amor da minha vida.

E mesmo com todos os problemas que havíamos passado nos dias anteriores, eu queria muito que nos acertássemos.

Mary tinha razão, nunca resistiria a Artur me pedindo perdão. Mas ao mesmo tempo, também via meu *homem de ferro* começando a se curvar a esse sentimento novo em seu coração.

E havia decidido lutar por nosso amor.

Eu faria com que Artur se apaixonasse perdidamente por mim.

Pois em minha mente e coração, viver sem ele seria muito mais dolorido.

Sorri vendo-o lindo em cima daquele palco, e não conseguia

conter meu deslumbramento.

Artur tinha esse poder sobre mim. Ele me deixava completamente inebriada com sua presença, e molhada com sua beleza sensual, mesmo de cima daquele palco, fazendo um discurso normal para sua campanha.

— Querida, nos vemos daqui a pouco em casa, então. — Fui tirada dos meus devaneios por Emma. Mas... Como assim? Tentei não transparecer minha confusão e sorri para ela, que me deu um abraço maternal. E não pude sentir maior acolhimento.

— Sim... Quer dizer, estaremos lá, Emma.

— Mary, minha querida, foi um prazer! — Minha amiga que estava ao nosso lado sorriu.

— O prazer foi meu, Senhora Scott! — Emma saiu cercada com dois seguranças e Mary se virou pulando ao meu redor. — Ela é uma gracinha, Linda.

— Eu disse que era, Mary. Ela é bem mais que aquela linda primeira dama com rosto de porcelana, que já admirávamos. — Sorri para minha amiga empolgada.

— Ela é com certeza mais que isso, amiga. Uma mulher admirável. — Mary me abraçou. — Você vai ter uma ótima professora. Mas que historia é essa de almoço?

— Se eu soubesse não estaria com essa cara de espanto. — Revirei os olhos. — Artur vai ter que me explicar isso direitinho.

— Calma, amiga! Talvez não tenha dado tempo. — Ela piscou para que eu pudesse ver a malicia da sua resposta, fazendo-me balançar a cabeça.

Virei um pouco vendo Jared se aproximar, dando um beijo casto em Mary, que se derreteu em seus braços.

E tudo bem, eu assumo. Senti uma pontada de inveja ali.

Não havia pensado muito sobre esse assunto ainda, porém pelo que observei no nosso primeiro evento juntos, Artur não tinha a intenção de assumir nossa relação, se é que tínhamos uma.

— Linda... — Mary chamou tirando-me de meus pensamentos.

— Oi, desculpe! Oi, Jared. — Sorri vendo suas mãos entrelaçadas.

— Bom dia, Linda! Está melhor?

— Sim, obrigada! — Tentei não transparecer o turbilhão de perguntas que fazia em minha cabeça naquele momento. — Estou muito feliz por vocês dois — os olhinhos da minha melhor amiga brilhavam —, e me perdoe mais uma vez pelo incidente lá em casa. — Ele riu.

— Não precisa se preocupar Linda, desentendimentos acontecem.

— Com a gente com mais frequência, não é? — Jared riu e apontou para alguém que se aproximava.

— Eu estou muito feliz por vocês também. Linda, você está operando milagres, Artur... — Olhei preparando meu melhor sorriso, mas ele morreu assim que vi Jonathan vindo em nossa direção. Com certeza com alguma ordem do seu chefe.

— Srta. Stevens.
— Bom dia, Jonathan!
— Tenho ordens para levá-la até o carro. — Revirei os olhos.
— É claro que tem.

Despedi-me de Mary e Jared e fui escoltada por ele até a limusine, com certeza blindada, que estava um pouco afastada da multidão. E foi então que percebi que Jonathan esteve na minha cola durante todo o evento.

— Obrigada! — agradeci assim que ele abriu educadamente a porta para mim.

— Jonathan. Podemos ir.

Artur entrou no carro, lindo e apetitoso, mas eu ainda estava chateada, quer dizer... Diria que estava divagando mais sobre o assunto da nossa suposta relação. Porém não iria começar uma nova discussão por conta de um descontentamento meu. Além do mais o que eu diria a ele? Faria birra como uma criança mimada, perguntando por que não tirou uma foto comigo, como fez com seus pais e seus aliados? Não, eu não faria isso.

— Gostava mais quando você não conseguia controlar seus pensamentos — ele disse.

— O quê? Não entendi. — Olhei para ele e seu sorriso me derreteu.

— Estava dizendo que gostava mais quando dividia seus pensamentos comigo.

— Eu não estava pensando em nada. — Tentei desconversar. — Como você marca um almoço com seus pais e não me avisa?

— Minha mãe ligou ontem e esqueci completamente de te avisar.
— Você marcou um almoço com sua família, enquanto estávamos brigados, Artur?
— Linda, me perdoe! Não tive coragem de dizer para minha mãe que havíamos nos desentendido.
— Então, foi para isso que bateu na minha casa antes das oito da manhã, hoje?
— Você sabe que não. Olhe para mim, Linda. Eu passei os piores dias da minha vida pensando em como tê-la novamente nos braços.
— Você me confunde, Artur — confessei balançando a cabeça.
— Por quê?
— Vamos mudar de assunto. Você estava magnífico em seu discurso, Candidato — desconversei.
— Fale-me mais, quero sua critica jornalística. — Ele mudou sua posição para séria e seca.

Esse homem me enlouqueceria.
Critica profissional era o que ele queria?
Então nós íamos a ela.

— O apoio de Obama vai ser fundamental para sua vitória, e principalmente para sua propensão política nas próximas eleições. — Artur sorriu.
— Ele me disse exatamente isso agora há pouco.
— Porém — ergui a sobrancelha olhando diretamente em seus olhos —, vocês dois tem formas diferentes de governar, então não perca sua individualidade política para angariar aliados, é ela que o tornará favorito.
— Muito bem, cara jornalista. Ótima argumentação! Agora podemos relaxar. — Ele afrouxou sua gravata e sem que eu percebesse me trouxe ainda mais para seu colo. — Você está muito sensual com essa roupa, sabia? — Olhei sem entender para meu vestuário.
— Não vejo nada de mais. — Balancei a cabeça o fazendo rir e beijar meu pescoço.
— Mas eu vejo. A sensualidade casual na medida certa. Você está linda, princesa.

Artur avançou os centímetros que nos separava, me beijando com paixão. E invadindo minha boca com sua língua, nos fez gemer e me apertar ainda mais em seu colo. Só que percebi tarde demais que não estávamos sozinhos.

— Oh, meu Deus! Jonathan. — Artur riu beijando meu ombro.

— A discrição é o meu nome, Linda Marilyn. — Tentei sair do seu colo, mas ele não deixou. — Minha mãe te adorou, sabia. — Sorri me lembrando de Emma.

— Ela é muito receptiva, Artur.

— É mais que isso, ela gosta realmente de você. — Ele entrelaçou nossas mãos e lembrei-me imediatamente de Jared e Mary.

— Emma tem o dom da receptividade, Artur. Ser primeira dama também está no seu sangue. — Ele me fitou.

— Mas com você é diferente, sinto quando vejo vocês juntas que já se conhecem há muito tempo — ele falou e me fez pensar, eu realmente sentia a mesma coisa.

— *Mas ela deve ser assim com todas as suas ex-namoradas, Deputado.* — Não... eu não disse isso alto, disse?

Artur gargalhou. Sim, eu disse.

— Maravilha você está voltando ao normal. Adoro ouvir o que está pensando. — Eu lhe dei um beliscão e ele gritou. — Ai isso dói. E para seu governo não tenho uma lista vasta de ex-namoradas. E minha mãe nunca foi tão receptiva com ela, principalmente como foi com você em apenas dois encontros.

Comigo, mas o que eu tinha haver com isso?

Ele disse, ela?

— Ela?

— Você realmente quer falar sobre isso? — Não, eu não queria, mas minha curiosidade falou mais alto.

— Você só teve uma namorada? — Ele gargalhou novamente.

— Sim. Namorada de adolescência. Nossas famílias sempre foram aliadas, do mesmo partido e acima de tudo amigas. Porém nunca daria certo. Mas o engraçado você não sabe.

— O quê? — Comecei a ficar irritada e ele percebendo riu ainda mais da minha cara.

— Minha mãe foi quem me alertou sobre Melissa. Dizendo-me que nós não tínhamos nada em comum.

— *Melissa... Então, era esse é o nome da vadia.*

— Linda...

— Ah, não. Vamos mudar de assunto. — Saí de seu colo.

— Eu acho bom, pois já chegamos. — Bufei e ele enquadrou meu rosto entre suas enormes mãos. — Não precisa se preocupar — me deu um beijo no nariz e abriu a porta do carro para sairmos —, eu sou seu.

Suspirei vendo que Emma já nos esperava na porta.

— Pedi para fazerem seu prato predileto, meu querido. — Ela nos abraçou e sorri do carinho de mãe e filho.

— Boa tarde, Linda Marilyn! Seja bem vinda novamente. Filho. — George veio também ao nosso encontro.

— Boa tarde, Governador! — Sorri tímida para ele.

— Acabei de ter uma ótima análise do meu discurso, Governador. — Artur estava animado.

— Então vamos entrar, quero ouvi-lo também.

Adentramos a enorme mansão dos Scott, e fomos direto para a sala de estar.

— O almoço vai ser servido em alguns minutos. — Emma informou voltando da cozinha. — Pedi para trazerem algumas entradas.

— Então, Linda Marilyn...

Havia apenas três pessoas no mundo que me chamavam por meu primeiro e segundo nome. Meu pai, quando estava irritado por alguma coisa; Artur em momentos, digamos, bons, e agora seu pai. Não era de todo ruim.

— Conte-nos qual foi sua visão sobre o discurso de hoje. — Expus para ele o que tinha dito para Artur no carro e os dois me escutavam atentamente. — Muito bom. Você tem visão, garota. — Gostei do elogio. — Mas fiquei sabendo que entrevistou também o maior adversário de Artur essa semana. — Gelei. Esse era o último assunto que gostaria de tocar, porém respirando fundo, respondi.

— É o meu trabalho, Governador. Sou uma jornalista e cumpro ordens superiores. — Ele sorriu francamente para mim.

— Foi o que pensei, mas você pode nos falar da sua visão sobre ele, também?

— Pai — Artur o advertiu. Apertei sua mão que estava entrelaçada na minha, e sorrindo continuei.

— Minha opinião é fechada sobre meus candidatos, Governador.

Não posso expor isso direto no meu trabalho, pois tenho que ser imparcial.

— Claro que sim.

— Mas... — George pediu que eu prosseguisse com as mãos. — Dylan Parker é muito imaturo para a política, e não digo apenas em idade. Ele não tem a perspicácia e a destreza de Artur. — Sorri para ele ao meu lado, que junto com o pai, os mantinha um nos lábios também. — Dylan quer apenas a fama de um político, e não a responsabilidade de um.

— Meus queridos, por favor, não vamos mais falar de política. O almoço está servido — Emma nos interrompeu, assim que Emanuel disse algo baixo para ela. — Deixem a menina respirar, o que ela vai pensar da nossa família. — Me abraçou assim que nos levantamos.

— A verdade, querida. Que somos uma família movida à política. E Linda Marilyn está se saindo muito bem. Parabéns! Sua inteligência é nata. — Corei.

— Obrigada, Governador!

Nosso almoço foi tranquilo com conversas mais amenas, porém sempre envolvendo política. O que me fazia sorrir às vezes, ao imaginar outra mulher no meu lugar, principalmente loira e fútil.

Vibrei interiormente.

Mas, feliz mesmo eu fiquei quando Emma me chamou para conhecer seu jardim, enquanto Artur e o pai iam para o escritório.

— Minha querida, desculpe-me por George. — Ela pegou minha mão. — Ele, como mesmo se intitulou, é movido à política. — sorri delicadamente aliviada.

Estar com Emma era muito bom. Ela me trazia uma sensação de paz, de mãe. Estava gostando muito de sua companhia e de nossas conversas.

— Emma, eu os entendo. E esse é o meu trabalho, não me importo. — Ela me olhou e sorriu ainda mais.

— Você foi feita para ele, minha filha. E agradeço a Deus por Artur ter a encontrado. — Desviei os olhos sem saber o que dizer. Mas Emma continuou: — Ele precisa de alguém com personalidade forte ao seu lado. Alguém que entenda e fale de política. E que lhe dê a opinião que precisa ouvir. E hoje você se mostrou essa companheira, mas principalmente sua cúmplice. — Me emocionei com suas palavras.

— Eu agradeço, Emma, e... eu gosto muito do seu filho.

— Eu sei que sim. Ninguém suportaria um Scott sem amá-lo. — Gargalhamos juntas, mas fomos interrompidas por Artur nos chamando.

— Vamos, já está ficando tarde.

— Vamos sim. — Virei novamente para sua mãe. — Obrigada por tudo mais uma vez, Emma. Amei nosso almoço.

— Também gostei muito da sua presença aqui conosco hoje, querida. Vamos fazer isso mais vezes, por favor. — Ela olhou diretamente para o filho.

— Eu prometo, mãe. Vamos? — Dei a mão para ele e entramos para nos despedir de seu pai, que estava na sala.

— Voltem sempre, queridos.

— Voltaremos, mãe.

Assim que entramos no carro, Artur puxou-me para seu colo e ordenou para o motorista.

— Para o triplex, Jonathan.

— Não — eu disse e ele me olhou confuso. — Acho melhor eu ir para meu apartamento.

— Por quê? Linda, nós estamos bem. Já conversamos.

— Eu sei, amor. Mas eu ainda prefiro assim. Tenho algumas coisas para fazer, e... — Faria doer menos dessa vez.

— Eu não vou forçá-la a nada.

Senti o desespero em sua voz, o que para mim era um sinal de progresso. Pois ali eu o via como um ser humano, cheio de medos e receios também. Tinha certeza que isso ajudaria muito na nossa relação dali para frente.

— Foi uma bela tarde — eu disse desviando do assunto e encostando a cabeça no seu ombro.

— Com você tudo se torna mais leve, princesa. Até meu pai já se rendeu aos seus encantos. — Percebi por sua voz que Artur ainda estava tenso.

— Ele é muito gentil.

— Não com todos, pode ter certeza.

Artur tinha razão. O Governador Scott não era muito bom em termos de receptividade, bem diferente de sua querida esposa.

Chegamos ao meu prédio e não deixei Artur subir, dizendo que teria que terminar uma matéria para o jornal.

Menti, eu sei.

Porém, não deixaria as coisas chegarem novamente aquele ponto em que estávamos. Muitas dúvidas ainda pairavam em minha mente, e teríamos que ir com calma dessa vez. E mesmo que isso me rendesse uma dor imensa, não tendo seus braços ao meu redor, nós começaríamos do começo. Cada um em sua casa.

Vi-me sozinha novamente naquele imenso apartamento, então resolvi ocupar minha mente, antes que minha vontade de ligar para ele tomasse conta de todo meu ser.

Tomei um banho, colocando uma das minhas camisolas, rindo da cara de Artur todas as vezes que me via com elas. Peguei um livro, tentando relaxar, e lembrei-me de um que havia comprado há mais de um mês, antes mesmo da minha vida se transformar nessa loucura, chamada Artur Sebastian Scott. Certo que nesse livro, que já havia começado a ler, Robert Carter não me ajudaria muito. Tão mandão e prepotente, que suspirei jogando-me na cama.

— Ah, esse CEO!

Aquele livro realmente estava me consumindo. Tinha o descoberto por acaso em uma livraria. O título era Função CEO, de uma autora brasileira chamada Tatiana Amaral.

Mas salva pelo gongo, minha mãe ligou um pouco depois das sete da noite, e com ela eu pude realmente me distrair. Dona Ruth me contou da sua semana, de como estava divertido o novo curso de paisagismo, e que meu pai estava cada dia mais rabugento. Sentia muita falta deles, principalmente quando nos falávamos por telefone ou internet. Mas esse era o preço que eu tinha que pagar.

No meio do nosso telefonema a campainha tocou, e fui atender novamente apenas de camisola, pensando ser Mary.

— Você deveria parar de atender a porta assim. — Artur entrou no apartamento, deixando-me sorrindo feito uma boba com minha mãe ainda do outro lado da linha.

— Linda, que voz é essa, é de homem? Você está namorando? Estão se prevenindo? Filha...

— Mãe, eu te ligo amanhã, prometo. Beijos no papai. — Desliguei e o observei ir para a cozinha, descarregando as sacolas que estavam em suas mãos.

— Mães são sempre todas iguais. — Artur sorriu lindamente quando me aproximei. — Mas como eu estava dizendo, você não pode atender a porta desse jeito, Linda Marilyn. — Ele deu a volta no balcão da cozinha prensando-me contra ele.

— É, e por que não? — Mordi os lábios.

— Porque não vou conseguir me controlar, e vou ter que te comer aqui, princesa, prensada no balcão da sua cozinha.

Gemi derretendo-me em seus braços, enquanto ele devorava minha boca e serpenteavam suas mãos por meu corpo chegando á minha bunda, ajudando-me a impulsionar as pernas na sua cintura.

— Você está bem? — Ele gargalhou com minha pergunta. Sim, eu queria o provocar.

— Você não vai perguntar sobre o resto do meu dia agora, vai? — Chupou meu pescoço.

— Não, agora eu quero que você me coma nessa bancada, amor. — Não precisei pedir duas vezes, Artur jogou-me com cuidado em cima de um dos bancos, distribuindo beijos por onde suas mãos passavam.

— Eu criei um monstro, não foi?

— Foi. — Sorriu vitorioso. — Um monstro com saudades.

Puxou-me para junto dele, colocando-me sentada. Abracei ainda mais sua cintura com minhas pernas e o puxei. Artur sorriu, livrando meu corpo do tecido incomodo da calcinha e a jogou em qualquer canto da cozinha. Inclinei-me e colei meus lábios em seu ombro, tentando tirar sua camisa. Lambi seu pescoço, seu queixo e por fim seu lábio inferior. Enquanto suas mãos largaram meu quadril e encontraram meus seios enrijecidos de tesão.

— Eu vou te foder tão forte, Linda Marilyn, que não vai conseguir lembrar nem seu nome. — Gemi e me empurrei mais em sua direção.

Com muito esforço abri sua calça descendo sua *boxer* junto com ela. Artur balançou-se pisando fora dela e agarrou meu quadril possessivamente se posicionando em minha entrada.

— Vem. — Peguei seu pau levando-o até minha intimidade excitada. — Eu quero sentir você.

— Puta que o pariu! Como pode ser tão molhada. — Ele urrou.
— Para você. Vem, amor... — E ele veio estocando forte e fazendo-me ver estrelas.

Nunca uma transa com Artur seria apenas uma transa.

Nos comemos naquela bancada, e depois de saciados e ainda ofegantes, com as testas coladas, ele me respondeu.

— O resto da minha tarde foi uma chatice, pois não via à hora de chegar aqui, te encontrar com essa camisola e te comer gostoso. — Gemi invadindo sua boca furiosamente.

Devidamente de banho tomado, voltamos para a cozinha encontrando as sacolas no mesmo lugar.

— O que temos aqui? — perguntei curiosa já as abrindo.
— Nosso jantar. — Trouxe um italiano e um vinho, fiz bem?
— Você sabe que sim. — Lambi os lábios, o fazendo balançar a cabeça.
— Não vamos começar de novo, não é?
— Por que não? — Ele gargalhou pegando-me pela cintura.
— Porque precisamos comer também, princesa.
— Então vamos comer logo, meu amor. — Lhe dei um selinho indo pegar os pratos.
— Esqueci-me de falar mais cedo, minha coletiva foi marcada para quarta feira, vou providenciar suas credencias. — Me virei o olhando profundamente.
— Não precisa.
— Como não, você não vai? — perguntou confuso.
— Claro que vou, mas não quero privilégios, Artur. — Ele se aproximou segurando meu queixo.
— Você ainda está magoada?
— Não, mas não quero privilégios só por estar com você, ok? — Dei-lhe outro selinho colocando a mesa. — E não precisa se preocupar, eu trabalho no *New York Times*, caro Deputado. Tenho certeza que eles irão conseguir as melhores credenciais. — Sorri cínica para ele.

Esse era outro assunto em pauta. Não queria mais ter que misturar nossa relação. Já havíamos tido muita confusão por conta disso. E naquele momento eu queria apenas o Artur Sebastian homem, ao meu lado. Aquele ser humano incrível e cheio de medos e defeitos, que me encantava também.

Jantamos juntos, conversando sobre como estava sendo proveitosa sua campanha. Falei também sobre a entrevista de Dylan, fazendo questão que ele a lesse.

E depois de fazermos amor mais uma vez, dormimos felizes e realizados, um no braço do outro.

Essa rotina estava se tornando muito interessante e poderia ser agregada com muito prazer naquele plano de "*cada um em sua casa*". Pois o que seria uma exceção um dia ou outro?

O que importava é que estávamos felizes e juntos.

O resto tentaria ir arrumando depois.

Capítulo 20

Artur

— Artur — Linda atendeu um pouco confusa —, que horas são, estou atrasada? — Sorri tocando a campainha. — Espera, você está aqui? — Não disse nada e em menos de dois minutos ela veio atender a porta, com mais uma de suas camisolas que me matariam um dia.

Depois de nossa reconciliação, Linda havia deferido que cada um ficasse em sua casa. E mesmo contra essa decisão, não discutiria com minha princesa. Na verdade a entedia, pois estávamos mesmo indo rápido demais.

Porém, isso não fez com que nos víssemos menos, muito pelo contrário.

No domingo, não resistindo ao triplex sozinho, trouxe o jantar para seu apartamento, o que me rendeu uma noite em seus braços.

Nossa segunda e terça, também não foram muito diferentes. Tentamos nos ver entre as brechas das nossas agendas. E a quarta chegou comigo em sua porta levando um café para tomarmos antes da minha coletiva de imprensa.

— Bom dia, princesa! — Entrei lhe dando um beijo delicado.

— Você não avisou que vinha. — Ela fez um bico lindo tocando meus cabelos.

— E desde quando preciso avisar para estar com você, Linda Marilyn? — Ela sorriu puxando-me mais a ela.

— Opa! Olhe o café. — Linda me olhou sem entender.

— Você trouxe café?

— Passei na *Starbucks* e trouxe seu *mocha*. Acertei?

— Sim, mas...

— Conversamos sobre isso durante nossa primeira manhã juntos, no triplex. — E foi durante aquele café que descobri que essa era sua bebida predileta.

— Verdade. — Ela pegou os dois copos, colocando-os no aparador.

— Dormiu bem?

— Sem você fica difícil, amor.

— A escolha foi sua — Linda abaixou os olhos —, mesmo que eu a entenda.

— É melhor assim e dá mais saudade. — A danada sorriu e enlaçou os braços no meu pescoço.

— Só passei mesmo para te dar um beijo — selei nossos lábios —, tenho duas reuniões na Scotts antes da coletiva.

— Tudo bem, mas pelo menos sente e tome o café comigo. Você trouxe dois. — Ela apontou para os copos fazendo-me rir.

Um café não atrasaria tanto minha primeira reunião.

E na verdade não atrasou.

E eu tive o prazer de acordar e tomar café com minha princesa no seu apartamento. Já que se manter afastado dela se tornava cada dia mais impossível.

— Bom dia, Deputado! Tudo organizado para a coletiva dessa tarde, mais algum detalhe a ser acertado?

Estava na minha segunda reunião do dia. Essa com a Relações Públicas da Scotts, e braço direito do meu pai, Raquel Laurence, e seu marido, o tesoureiro da campanha, Ryan.

— Por agora não, Raquel.

— Precisamos ajustar alguns pontos antes da nossa comitiva sair em campanha pelo país.

— Organize isso com Jared.

Confiava plenamente na minha equipe de assessores particulares, deixando apenas o essencial nas mãos de Raquel, o que a irritava bastante. Porém, Ethan e Jared sabiam trabalhar muito bem, e dar conta de tudo que era do meu interesse.

— Próxima pauta.

— Aqui estão as planilhas das próximas viagens, Deputado. Precisamos analisar alguns detalhes em destaque no orçamento impresso.

— Ok, Ryan! Ethan analise com calma e faça-me um relatório para nossa reunião de amanhã.

— Pode deixar, Deputado.

— Artur. — Lancei um olhar reprovador para Raquel, que logo se corrigiu. — Desculpe, Deputado. Precisamos decidir qual será a estratégia de entrevistas para a próxima etapa da campanha. Você deseja conceder mais alguma exclusiva como aquela para jornalistazinha *do New York Times*? — Senti meus ossos endurecerem, e quando olhei para os lados estava cercado por Ethan e Jared. — Pois preciso ser avisada com antecedência.

— Em primeiro lugar, cara colega, aquela entrevista foi a que me levou ao topo das pesquisas. E ela não partiu da senhora, certo? — Fui sarcástico. — Por isso exijo mais respeito ao tratar dos profissionais que trabalham para o alavanque da minha carreira. E antes de qualquer coisa, minha equipe sabe cada passo que tomo na campanha. Ela é paga para isso, e cada trabalho novo é estudado diariamente por eles. Quando precisar lhe avisar algo com antecedência, a senhora será avisada.

— Desculpe, Deputado. Mas...

— Deputado, está na hora. Precisamos chegar mais cedo ao

Hilton para ajustarmos alguns detalhes. — Jared percebendo a tensão no ar acabou com aquela discussão inútil.

Era disso que falava.

Competência.

Coisa que não partiam de nenhum dos dois protegidos do Governador Scott.

— Espero ter sido claro, Raquel. Todos aqui cumprem ordens. Dirija-se a mim apenas quando for convocada. Vemo-nos no Hilton.

— Ok! — Levantei-me saindo da sala de reuniões.

Era muita petulância dessa mulherzinha vir me dizer o que era certo ou errado na minha campanha. Eu sou Artur Scott e não aceito ordens de subordinados. Raquel era bem paga através do nosso sucesso na política e nos negócios. Império que construímos graças à inteligência e competência da nossa família, sem intromissão de ninguém.

— Artur, quer que eu tome alguma providencia a respeito disso?

— Não, Ethan. Quero dar corda a ela. Raquel é burra e vai se enforcar sozinha. Jared, tudo pronto? — Virei para meu assessor de imprensa. — Mais algum ponto a ser discutido?

— Artur, precisamos apenas falar dos pontos fundamentais que podem ser perguntados na coletiva. Da viagem começamos a discutir amanhã em nossa reunião.

— Ok! Combinamos no caminho, Ethan. Venha conosco. Precisamos decidir alguns pontos para essa viagem também.

— Ok, Deputado.

— Jonathan, a equipe da segurança já está a postos? — Avistei meu motorista na porta.

— Sim, Chefe. Uma equipe já esta no salão do evento, e outra aos arredores do hotel. Enquanto eu e Tim estamos a sua disposição.

— Ótimo! Então você tome conta pessoalmente da Senhorita Stevens assim que ela chegar ao Hilton — Ethan e Jared entreolhando-se sorrindo, porém foram cortados de imediato —, sem palhaçadas, não temos tempo para isso hoje.

— Ok, Chefe — eles disseram assim que entramos no carro.

Chegamos ao Hilton e a movimentação indicava que o evento estava para iniciar. Entramos pela garagem do hotel, e fomos direto para a suíte reservada especialmente para mim e minha equipe.

— Artur, os jornalistas já começaram a chegar e estão sendo colocados nas cadeiras selecionadas por você.

— Ok! Quero apenas os inteligentes ao meu redor — Jared sorriu —, não tenho paciência para perguntas burras.

— Temos que lidar com cada uma, não é? — Assenti virando para a maquiadora que já estava em minha frente.

— Não exagere, Susie. — Ela sorriu.

— Pode deixar, Deputado.

Estando tudo pronto, desci para o salão principal do hotel, e fiquei na parte de trás do palco improvisado, observando a movimentação.

Linda ainda não havia chegado, o que me preocupou, fazendo com que tirasse o celular do bolso para ligar para ela. Porém ela foi mais rápida, aparecendo esfuziante em uma roupa sensualmente profissional, deixando-me duro apenas por vê-la sentar-se a frente de todos, cruzando aquelas pernas torneadas. Linda vestia uma saia estampada até os joelhos, e uma blusa preta, combinando com seus sapatos de bico fino. Essa mulher tinha o poder de mexer comigo mesmo em eventos profissionais.

Precisava tê-la o quanto antes ao meu lado, e não do outro lado da bancada, como entrevistadora.

Precisava de Linda como minha mulher. Mas como tudo tinha sua hora certa, chamei Ethan de lado, discretamente.

— Deixe a suíte presidencial reservada e vazia para o final da coletiva, Ethan.

— Artur? — Ele não precisou pensar duas vezes, depois que seguiu meu olhar e ver do que estava falando. — Você tem certeza? Da última vez...

— Eu tenho certeza de todos os meus atos, Ethan. Se preocupe com minha vida pública, pois da privada cuido eu. — Saí andando sem dar tempo para respostas sem cabimentos.

E antes de subir ao palco para a coletiva não resisti, e ainda com o celular em mãos lhe enviei uma mensagem.

De: Artur Scott

Para: Linda Marilyn Stevens
Sensualmente provocante, cara jornalista. Ótima vista para minha coletiva.

Enviei a mensagem, observando sua reação.
Linda esticou seu pescoço me procurando, o que me fez rir ainda mais, porém logo digitou sua resposta, fazendo meu celular vibrar poucos minutos depois.

De: Linda Marilyn Stevens
Para: Artur Scott
Roupa extremamente profissional, caro candidato. Porém, preste atenção nas suas perguntas, e não se perca nas paisagens.

Sorri e digitei de volta:

De: Artur Scott
Para: Linda Marilyn Stevens
Vamos ao trabalho, Senhorita Stevens. Mas, me perderei nessa paisagem quanto antes imaginar.

Dei-me por vencido ao vê-la disfarçadamente esfregar as pernas uma na outra, e logo fui chamado para a mesa da entrevista.
As perguntas começaram inteligentes e dinâmicas, dando assim vida a coletiva.
Linda a assistiu extremamente atenta com seu bloco de anotações e *tablet* em mãos. E se preparou para na hora certa fazer sua pergunta, fechando assim minha coletiva com chave de ouro.
Essa garota tinha o *time* perfeito para sua profissão, fazendo-me sorrir mais uma vez, quando levantou sua mão.
— Candidato, Linda Stevens, do *New York Times.* — Balancei a cabeça, pois para nós apresentações eram desnecessárias. — Com a base aliada lhe apoiando, e as pesquisas o apontando como favorito, o que o Senhor diria sobre essa união de poder? E como podemos mostrar os pontos positivos para a população?
Linda tocou em pontos discutidos por nós desde meu discurso

ao lado de Obama. E com sua astúcia reverteu isso para sua pergunta, fechando a coletiva com minha opinião sobre essa fusão.

— Boa tarde, Senhorita Stevens! — Ela abaixou os olhos, sorrindo envergonhada. — Ótima questão, cara jornalista. Vamos lá. O apoio da base aliada sempre será muito importante, não apenas para as eleições. Estando no Senado, precisaremos de uma base unida para que os projetos continuem em andamento até se formarem uma lei. Porém, temos também que pensar em cada um com sua forma de agir e governar. E as divergências junto com as discussões, contidas nesses casos, se tornarão de extrema importância para que se abram novos leques de possibilidades. Resumindo então sua pergunta, estar com o Governo ao meu lado, será um dos pontos favoráveis para o sucesso e progresso de mais um mandato. — Linda sorriu agradecendo, e a coletiva se deu por encerrada.

Saí da bancada já com o celular em mãos para passar uma mensagem para ela.

De: Artur Scott
Para: Linda Marilyn Stevens
Pronto para me perder nessa linda paisagem. Espero você na suíte presidencial em dez minutos.

Dois minutos depois, meu bip mostrou sua resposta:

De: Linda Marilyn Stevens
Para: Artur Scott
Eu preciso voltar para o jornal, ficou maluco. No meio da sua coletiva.

Sorri do seu desespero, já digitando:

De: Artur Scott
Para: Linda Marilyn Stevens
E eu preciso de você agora. Não temos muito tempo então, princesa.

Enviei e saí do salão escoltado por Ethan resmungando ao meu lado.

— E o que digo aos políticos que estão aqui a sua espera, Deputado?

— Que não vou demorar. — Fiz um sinal para Jonathan levá-la até a suíte e entrei no elevador sorrindo.

Cinco minutos depois a porta se abriu e minha deusa entrou completamente esfuziante. E como a esperava atrás da porta lhe abracei pela cintura.

— Saudades desse cheiro. — Passei o nariz lentamente por seu pescoço.

— Você ficou maluco. — Linda tentava se desvencilhar dos meus braços, irritada. Porém a mantive no mesmo lugar. — Toda a imprensa do país está lá embaixo, você quer o quê?

— Eu já disse, princesa. Quero você e naquela janela. — Apontei para a vidraça da suíte. — Lembra-se de como é bom sentir o poder do mundo aos seus pés?

— Você não pode estar falando sério, tenho uma matéria para publicar.

— Eu sei. — Subi sua saia encontrando sua intimidade molhada e implorando por meus dedos. — Nós vamos ser rápidos. — Introduzi um dedo nela fazendo-a gemer de excitação.

— Você me mata desse jeito, amor. — Se rendendo, Linda jogou os braços para trás a procura do meu cabelo. — Eu preciso tanto de você aí dentro.

— Você vai me ter, gostosa. Mas debruçada ali naquela janela. — Ela gemeu alto virando seu rosto e me puxando para ela num beijo feroz. — É assim que gosto de ver, minha devassa em ação.

— Me come, Artur. Agora — ela gritou.

— Seu pedido é uma ordem, senhorita. — Levei-a até a mesa de frente à janela, debruçando-a devagar e deixando aquele traseiro empinado pra mim. — Agora você vai aprender que não se deve vir com esse tipo de roupa a uma coletiva, cara jornalista. — Ela gargalhou jogando a cabeça pra trás. E para mim deu a resposta que precisava. Linda também queria isso desde o começo. Afastei sua calcinha, descendo o zíper da minha calça e a penetrei sem dó.

— *Ah*, Artur! Isso. Vem mais forte, amor. — Linda trazia seu quadril ao meu encontro, deixando-me ainda mais alucinado.

— Você é minha perdição, Linda Marilyn — urrava. — Vou te deixar sem forças para sair daqui andando. — Apertei a lateral do seu quadril penetrando-a cada vez mais forte.

— Vem! Eu quero ver o que você pode fazer. — Grunhi levantando seu tronco, mordendo seu ombro.

— Está me desafiando?

— Sempre. — Com mais força desencostei a mesa do lugar chocando nossos corpos num movimento só.

— Vem comigo, estou quase.

— Eu também. — Mesmo antes de terminar a frase, Linda estremecia-se embaixo do meu corpo. E eu vim logo atrás, derramando-me completamente dentro dela.

Ficamos naquela posição alguns segundos ainda até eu a puxar para meu colo, e nos deitar na cama, desconectando nossos corpos.

— Meu Deus, você consegue desestabilizar meu dia. — Ri beijando seu cabelo.

— Não tenho culpa, princesa. Quando te vi com essa roupa... — Ela revirou os olhos.

— A roupa que saí de casa hoje pela manhã...

— Mas que se destacou diante de tanta mulher sem qualidade.

— Você não existe — ela disse e aconchegou-se ainda mais no meu colo. — Tivemos uma ótima coletiva.

— Sim. E você me ajudou muito, sua pergunta...

— Foi propícia para a ocasião. — Sorri acariciando sua pele.

— Sim, conversamos muito sobre isso esses dias, não foi?

— Por isso a pergunta, eu sabia que você se sairia muito bem. — Ela sorriu travessa.

— Eu me saio muito bem sempre, Linda Marilyn. — Ela balançou a cabeça, fazendo-me rir ainda mais.

— Prepotente. — Ela se desvencilhou dos meus braços. — Eu preciso ir.

— Brava comigo? — Fiz um beicinho a fazendo gargalhar novamente.

— Não estou brava com você, e sim me acostumando. E preciso mesmo ir. Tenho uma matéria para colocar no ar até às seis da tarde, Candidato.

— Se o motivo for esse te deixo ir, nos vemos à noite? — Beijei seus lábios levemente.

— Me liga. — Linda já estava de pé arrumando a saia. — Como você tem o poder de me comer e permanecer assim, impecável? — Agora foi minha vez de gargalhar gostoso.

— Prática. Com o tempo você aprende. — Ela tentou me bater, mas fui mais rápido lhe pegando nos braços. — Eu gosto de vê-la desarrumada depois de ter sido comida por mim. — Desarmei-a.

— E eu gosto de ver seu rosto corado e esse sorriso de satisfação depois de me comer. — Linda me beijou, deixando nossas línguas brincarem sensualmente uma com a outra. — Eu preciso ir, espero você me ligar.

— Ok! E, princesa... — ela olhou para trás pegando sua bolsa — a coletiva foi maravilhosa, pois eu tinha o apoio necessário bem na minha frente. — Ela voltou me dando um selinho, e saiu correndo novamente.

E não era mentira. Anos de prática e individualismo indo para o ralo, quando eu assumia em voz alta que precisava dela ao meu lado para fazer um bom trabalho. Linda tinha esse poder sobre mim. E estava começando a entender que esse era um dos principais motivos da primeira dama sempre estar ao lado de qualquer chefe de estado que prezasse o bom senso.

Fui tirado dos meus pensamentos com Ethan me chamando para o coquetel organizado pelo partido, onde estava sendo comemorada a coletiva, aqui mesmo nas dependências do hotel.

Saí da suíte arrumando meus cabelos, que foram desgrenhados por Linda, e desci com Jonathan, que já me esperava perto do elevador.

— Seja bem vindo, futuro Senador! — O presidente do partido, Senador Sheldon recepcionou-me.

— Obrigado! Muita gentileza da sua parte organizar esse coquetel. — Sorri educadamente, apertando sua mão.

— Temos que comemorar, Scott. Não é sempre que ficamos em primeiro lugar nas pesquisas desde o começo.

— Estamos fazendo o possível. — Confirmei sendo recepcionado por outros políticos do partido.

— Podemos tirar uma foto juntos, futuro Senador? — perguntou uma mulher loira, sorrindo para mim.

Claro que enxergava de longe as pessoas que se aproximavam de mim por interesse, e essa mulher com certeza seria mais um desses casos.

— A senhora é? — Sedutoramente estendeu-me a mão.

— Senhorita, Deputado. Senhorita Watson. Connie Watson. É um imenso prazer conhecê-lo, Artur Scott. — Ela sorria maliciosamente e em minha mente brilhava a palavra: perigo.

Nesse momento o fotógrafo se aproximou, sendo estrategicamente chamado por ela, e tiramos a tal foto. Senti-me totalmente desconfortável. Porém, logo me afastei, dando atenção aos outros colegas de partido, esquecendo-me completamente desse incidente.

Raquel e Ryan não tiraram os olhos de mim um só minuto, e esperava não ter dor de cabeça com esses dois, pois o que menos precisaria naquele momento era algum tipo de problema.

Quase no final do coquetel, como prometido, liguei para aquela que esteve nos meus pensamentos durante todo o evento.

Eu tinha planos para nós dois naquela noite. Quem sabe um jantar no *Daniel* ou no *Madison,* para comemorarmos o sucesso da coletiva?

Toquei seu número na discagem direta e ela atendeu, deixando-me confuso.

— Linda, onde você está? — indaguei, ouvindo barulho de pessoas e música atrás dela.

— Não é da sua conta, caro Deputado.

Mais que porra era aquela, o que havia acontecido agora?

— Você bebeu, Linda Marilyn?

Capítulo 21

Linda

Saí daquela suíte saltitante como uma criança que havia acabado de ganhar um lindo presente. No meu caso podemos dizer que ganhei sim, um lindo e... Uau! Grande presente lá dentro, porém nada inocente para uma criança.

Nossos últimos dias vinham sendo maravilhosos. Artur não havia me deixado sozinha um único dia, mesmo cada um em sua casa. Quem diria? Linda Marilyn Stevens, domando seu *homem de ferro*. O homem que sempre esteve nos seus pensamentos, e que agora lhe mandava mensagens no meio da coletiva te chamando de bela paisagem. Derreti-me completamente, mesmo tentando ser dura.

Respirei fundo indo direto para o jornal, pois precisava colocar a matéria da sua entrevista no ar. Depois trabalharia com mais calma em um texto especial, para o meu artigo da semana.

Mary já me esperava curiosa na minha sala, como todos os outros dias, pois não estávamos tendo muito tempo de conversar. Nossos homens gostavam, digamos assim, de exclusividade e principalmente atenção.

— Meu Deus! Que cara de quem acabou de ser comida. Você não tem vergonha, Linda Marilyn?

— Está tão na cara assim, Mary — ela gargalhou vindo me abraçar.

— Você se entrega fácil, Linda. Mas como deu tempo? Conte-me tudo.

— Eu te mato, Mary! — Bufei, revirando os olhos.

— Mata nada. Sou sua melhor amiga, a irmã que você não teve. — Joguei minhas coisas em cima da mesa e sentei.

— Esse homem me desestabiliza completamente. — Dei o celular para ela.

— Linda paisagem! — Mary ria lendo as mensagens. — Aí vocês subiram...

— É...

— Como assim é... Eu quero detalhes. — Fuzilei-a.

— Eu pergunto detalhes da sua relação com o Jared, Mariani? — Ela suspirou.

— Ele estava lá?

— Lindo e loiro, como sempre. — Sorri para ela.

— Tudo bem, *amore*. Vou deixar você trabalhar, mas nossa conversa ainda não acabou, ok? — Entregou o celular.

— Ok! — Revirei os olhos mais uma vez abrindo minha bolsa, tirando meu bloco de anotações e meu *tablet* de lá de dentro.

— Ah! Já ia me esquecendo. O pessoal vai beber depois do trabalho hoje. Sabe aquele bar aqui perto, como é o nome dele?

— Metro.

— Yes! Esse. Vamos?

— Preciso ver, Mary. O Artur ficou de ligar. — Ela suspirou entrelaçando suas mãos em frente ao corpo.

— Isso é tão romântico. — Sorri jogando uma caneta.

— Me deixa trabalhar.

— Tudo bem! Mas pense com carinho. Vou ligar para o Jared também, quem sabe você não faz o mesmo?

— Eu vou ver, Mary. Agora vai. — Ela saiu deixou-me mais uma vez pensativa.

É claro que não seria tão fácil, como ela e Jared.

O que eu poderia fazer?

Ligaria para o homem mais famoso e lindo do mundo, que por acaso era aquele que havia acabado de me comer na janela do *Hilton*, e falaria... "Olha, estou no bar na esquina do meu trabalho. Vem me encontrar".

Suspirei, jogando a cabeça para trás.

Por que a vida tinha que ser assim tão complicada?

Mas apesar da minha vida pessoal estar uma bagunça por ele, falar de Artur profissionalmente era muito fácil. E somando com sua coletiva perfeita, joguei-me no trabalho não vendo o tempo passar.

Mostrei a matéria para Victor, que aprovou de imediato. E quando estava voltando para minha sala já de olho no celular, vi um aglomerado de pessoas em volta a mesa de Jimmy, o fotógrafo das celebridades, como gostava de ser chamado. A curiosidade é claro, falou mais alto, então me aproximei junto com Mary, que vinha correndo para saber também do que se tratava a nova fofoca do dia.

— Essa é aquela modelo, qual é o nome dela mesmo... — A voz de Jimmy morreu para mim quando fiquei frente a frente com a tela e pude ver de quem eles estavam falando. Artur ao lado de uma loira aguada hoje, quer dizer... — É a Connie Watson, será que ele está pegando? Isso foi agora à tarde no seu coquetel depois da coletiva, pelo menos é o que estão dizendo aqui. — Mary segurou meu corpo para que eu não caísse para trás. — Linda, você que estava lá hoje, não viu nada de diferente no Deputado?

— Não. — Sai pisando duro, mas antes pude ouvir que esse furo iria dar uma ótima matéria para nossa coluna de fofoca.

Mary veio atrás de mim, correndo feito uma louca.

— Linda, calma! É só uma foto.

— Que poderia ser comigo. — Desabei a chorar. — O que eu tenho de errado, Mary. Eu não sou loira, não tenho a aparência para estar ao lado dele? Eu nem sabia desse coquetel. O que ele queria, me comer escondido, e depois aparecer com uma loira na capa da revista?

— Calma, amiga. Deixa ele se explicar. — Olhei furiosa para ela.

— Você não está o defendendo de novo, está?

— Linda — ela pegou meu rosto com suas duas mãos pequenas —, você sabe muito bem como é a mídia, eles inventam qualquer coisa para vender.

— Eu não quero mais saber. Isso não é pra mim, Mary. Eu quero estar ao lado dele, andar de mãos dadas, ligar depois do trabalho o convidando para um barzinho. — Ela me abraçou e ali pude ver que tremia.

— Não tome nenhuma atitude antes de conversar com ele, Linda. Desabafe, como fez comigo.

— Eu vou sair com vocês. — Levantei tentando secar o rosto.

— Não sei se isso vai ser uma boa ideia.

— Isso vai ser uma ótima ideia. Eu quero que Artur Scott se foda. Ou foda aquela loira aguada. — Peguei meu estojinho de maquiagem e fui para o banheiro. — Me dê cinco minutos e já podemos ir. — Mary balançou a cabeça reprovando. Mas eu não iria ficar chorando por ele, não agora, não com a raiva que estava sentindo.

O bar era na esquina do jornal. Já tínhamos ido lá algumas vezes depois do trabalho, e era um lugar bem legal.

O pessoal já estava lá e assim que cheguei Jeff me passou uma cerveja.

— Pegue leve, Linda. — Mary repreendeu-me quando virei a garrafa de uma vez.

— Você não é minha mãe. — Fui até o balcão e pedi mais uma.

Eu já estava na quinta cerveja quando o celular vibrou na minha mão. Sorri diabolicamente vendo seu nome no visor.

Atendi só esperando ouvir a voz do outro lado da linha.

— Linda, onde você está?
— Não é da sua conta, caro Deputado. — Fui sarcástica.
— Você bebeu, Linda Marilyn? — Sempre tão autoritário.
— Já disse que não é da sua conta. Como não é da minha saber que você está, nesse exato momento, cercado de mulheres bonitas e loiras, em um coquetel do seu partido que eu nem estava sabendo. — Falei lentamente por causa da bebida.
— Você ficou louca, do que você está falando?
— Não fiquei louca, Senhor quase Senador. Só estou me colocando no meu lugar. O de amante que se come escondido em uma suíte presidencial, ou no seu escritório. Mas não vou te incomodar mais na sua festa, Deputado. Boa noite e uma ótima eleição.
— Linda... — ele estava completamente tenso — me diga onde você está? Por favor — Artur disse mais calmo. — Você bebeu, está sozinha? — Tenho certeza que agora ele passava aquelas mãos enormes no cabelo.
— Não — disse calmamente, me arrependendo no momento seguinte. Eu não poderia derreter. — Estou me divertindo com o pessoal do jornal, mas não quero atrapalhar sua vida com conversas sem importância. Boa noite, Artur. E... — respirei fundo tentando controlar o choro — não coma a loira na cama da suíte que me comeu, é nojento.
— Linda...
Desliguei em sua cara. Eu estava completamente magoada com ele, me sentindo usada. Na verdade estava confusa. O que ele queria comigo. Como pude me levar aos encantos daquele homem... Lindo, gostoso...
— Que se dane. Dê-me mais uma cerveja, por favor.
— Você não acha que já bebeu demais?
— Não, Mary, isso é pouco perto da dor que estou sentindo.
— Linda, era ele no telefone, não era? — Confirmei escondendo minha cabeça em cima do balcão. — Vocês precisam conversar.
— Eu não quero conversar.
— Mas ele quer. — Ela olhou para meu celular que vibrava em minha mão novamente.

— Artur, a gente não tem mais nada pra conversar. — Atendi bruscamente.

— Me fale onde é esse bar, se não quiser que eu acione um rastreador para a droga do seu celular. Estou indo te pegar. — Ele estava gritando tanto que Mary escutou tudo pegando o celular de minhas mãos. — É perto do jornal?

— É, Artur... Sim, é a Mary. Estou tentando... Tudo bem, de nada. — E desligou.

— Você ficou maluca. Ele vai comer meu fígado. Eu vou embora, não quero vê-lo hoje. — Tentei em vão me levantar.

— Você vai se comportar como uma pessoa adulta e esperar ele chegar.

— Não, eu não vou. — Levantei-me observando a distância até a porta do bar, mas já era tarde.

Artur entrava no bar completamente furioso, e com um radar extremo me localizou em menos de dois segundos.

— Eu vou te dar uma lição quando te pegar de jeito, Linda Marilyn. — Gemi involuntariamente quando escutei isso no meu ouvido. — Ninguém deixa Artur Scott furioso e sai ileso. — Ele apertava meu braço deixando-me completamente entregue. — Era isso que você queria todo esse tempo, deixar-me irritado e sem controle?

— Não. — Quer dizer era, mas não iria cutucar a onça com a vara curta. Não em seus braços. Artur puxou-me para fora do bar acenando para Mary e Jared que já estavam ao seu lado, enquanto jogava algumas notas em cima do balcão. — Eu não preciso que pague minhas contas.

— E eu preciso que você cale a sua boca. — Puta que o pariu! Nunca tinha o visto tão irritado assim.

— *Será que ele vai me bater?*

— Não seria má ideia. — Porra. Isso não era hora de pensar alto, Linda Marilyn. — Leve o carro dela para o apartamento, Jonathan. — Artur pegou minhas chaves de dentro da bolsa, e entregou ao segurança quando já estávamos fora do bar. — E você — olhou profundamente em meus olhos, apertando minha mão —, vamos ter uma conversa adulta.

Ele me colocou dentro do seu *Audi* dando a volta e se sentando no banco do motorista. Nesse momento senti um flash cegando minha visão, mas estava bêbada demais para dar conta do que havia sido aquilo.

Fizemos o caminho até o triplex em um silêncio desesperador. Subimos até seu apartamento, porém não paramos na sala e sim no ultimo andar, o da piscina e o heliporto.

— *Será que ele vai me jogar daqui de cima?*

— Essa seria uma das opções também, Linda Marilyn. — Ele riu sem humor, soltando minha mão que segurava desde que me encontrou no bar. — Vamos lá, então. Que historia toda foi aquela. Eu já não deixei claro que você é minha?

— Pena que se esqueceu disso quando deixou aquela loira se pendurar no seu pescoço, alguns minutos depois de termos transado naquele mesmo local. — Fiz uma careta o fazendo rir.

— Tudo se trata de ciúmes?

— Claro que não! Eu não tenho nada a ver com sua vida, não sou nada sua. Por que teria ciúmes? — Dei de ombros.

— Não tem? — Ele se aproximou lentamente com sua pose de leão prestes a atacar. — Então do que se trata esse show, me responda?

— Se trata apenas de você me querer, dizer que sou sua, me encher de flores e palavras bonitas. Porém na hora... — Falei de uma vez com medo de perder a coragem. — Na hora de assumir alguma coisa, nos esconde na suíte presidencial ou no seu escritório, me comendo em silêncio. Estou cansada disso, Artur. Eu queria te ligar. Saber do que você gosta, te convidar para um *happy hour*. — Senti que as lágrimas iriam começar a cair novamente. — Eu queria um pouco de paz do seu lado.

— Então, vamos ver quem está levando a vantagem nessa história, Linda Marilyn. — Ele subiu meu queixo com a ponta dos dedos e fez com que nossos olhos se fixassem. — Eu, que poderia estar ao lado de uma das mulheres mais lindas e inteligentes do meio político, dando como ganha minha eleição. Estar te conhecendo melhor, mostrando do que realmente gosto, e até tomando um *chopp* com você em um bar qualquer. Ou você, que nesse momento estaria afastada do seu trabalho, que ama fazer, por ser namorada de um candidato ao Senado? Você já parou para pensar sobre isso?

— *Então, era por mim que ele estava fazendo isso?*

— E por quem mais seria, sua absurda? — Sorri envergonhada, escondendo meu rosto no seu peito.

— Desculpa, mas a gente nunca conversou sobre isso, então eu pensei...

— Pensou errado como sempre, princesa. — Artur ergueu meu rosto e o vi rindo maravilhosamente. — Quando eu disse que você seria só minha, não estava brincando.

— Desde que você seja só meu. — Ele gargalhou, apertando-me em um abraço gostoso.

— E de quem mais eu seria, Linda Marilyn?

— Meu... Só meu? — perguntei.

— Só seu, amor. — Ele beijou meu pescoço arrepiando-me inteira.

— Você disse namorada de um candidato, é isso? — Tomei coragem de perguntar tudo que tinha direito, estava bêbada mesmo.

— Linda. — Ele pegou meu rosto entre suas mãos enormes. — Eu quero você ao meu lado sempre. Já sinto sua falta quando tenho que fazer algum tipo de discurso e você não pode estar. Quando entro nesse apartamento e você não está comigo. Eu quero você comigo, princesa.

— Tipo namorada? — Ele gargalhou.

— Tipo namorada, porém...

— Porém?

— Assumiremos apenas na festa da minha vitória. Eu quero você maravilhosa e de vermelho ao meu lado, sem nada para nos atrapalhar. Depois da minha eleição ganha você não terá mais problemas de preferências com os candidatos. — Olhei para ele apaixonada, por seu cuidado com minha vida profissional.

— De vermelho? — Ele riu.

— Sim. Meu amuleto da sorte. Quero você sempre de vermelho em todas as minhas posses.

— Vou ser a sua linda primeira dama de vermelho? — Ele gargalhou apertando-me mais no seu corpo, já deixando transparecer sua animação na minha barriga.

— Sim, vai. Mas agora pare de fazer perguntas, e use essa boquinha para fazer algo que estou desejando desde que te encontrei naquele bar. — Sorri maliciosa e desci até seu membro, deixando um rastro de beijos pelo caminho.

— Meu.

— Só seu.

Sentei-me na ponta de uma das espreguiçadeiras e o puxei para mais perto, desafivelando seu cinto, ao mesmo tempo em que abria sua calça a fazendo descer junto com a boxer. Deixando aquele membro grosso, apetitoso, gostoso e meu, saltar pra fora me dando água na boca.

— Vai ficar só apreciando, ou vai se deliciar com ele, princesa.

— Com pressa, Deputado?

— Muita. — Ele entrelaçou suas mãos nos meus cabelos puxando-me para mais perto, fazendo com que eu o engolisse praticamente inteiro.

Apesar da minha pouca experiência, sabia como enlouquecer Artur com minha boca em volta dele. O chupei, lambendo sua glande e o deixando estocar quando estava perto.

Já sabíamos enxergar completamente a necessidade um do outro durante o sexo. E sabia também que quando ele estocava desesperado em minha boca era sinal que estava próximo, e que logo me tiraria dali dizendo que não queria gozar ainda.

— Eu não quero gozar ainda, Linda Marilyn. — Sorri orgulhosa da minha constatação, já de pé. — Quero ver você gritar meu nome, apertando-me enlouquecida, e me dando o melhor orgasmo da minha vida. — Gemi esfregando minhas pernas uma na outra e fui repreendida. — Você não precisa disso tendo meu pau louco para entrar em sua... — Não deixei que ele terminasse invadindo sua boca em um beijo feroz. Minha devassa quando atacava era pior que uma melhor prostituta na cama.

Artur nos ajeitou na espreguiçadeira sem descolar nossos lábios, tirando o resto da sua roupa e se deitando. Desconectei-me da sua boca abrindo lentamente minha blusa e mordendo os lábios, sem nunca desviar nossos olhares. Ele gozaria como um menino.

Subi ficando de pé na espreguiçadeira e abaixei o zíper da minha saia o vendo lamber os lábios e apertar meus tornozelos.

— Não faça isso, Linda Marilyn! Quando eu te pegar... — Artur gemia se tocando.

— Tire as mãos do que é meu. — Me senti poderosa. — Agora vou te mostrar que não se deve provocar uma mulher ciumenta, caro Deputado. — Tirei a calcinha, jogando-a no chão e desci lentamente, já encaixada naquele instrumento delicioso, fazendo com que nós dois gemêssemos.

— Então você admite que esteja com ciúmes. — Artur urrou.

— Ninguém mexe com o que é meu.

Ele gargalhou enquanto eu apoiava meus pés um de cada lado do seu corpo, e pegava impulso começando a subir e descer gemendo como uma louca, sendo acompanhada por ele. Que ora tinha suas mãos nos meus seios. Ora na minha bunda. Ora puxando meus cabelos com força.

— Estou perto, princesa. Vem comigo. — Artur tocou com seu polegar meu clitóris fazendo com que me desmanchasse junto com ele em poucos minutos. Joguei-me em cima do seu corpo, quase o afogando com meus cabelos. E ficamos assim ofegantes naquela posição por alguns minutos, até ele tomar coragem e falar. — Essa posição me matou. — Sorri mais uma vez orgulhosa naquela noite.

— Vai me contar onde aprendeu? — Olhei para ele enquanto subia meu rosto, rindo.

— Vai me dizer que isso se trata de ciúmes, Artur Sebastian?

— Não — ele voltou os olhos para os meus. — Só fiquei curioso.

— *Sei*...

— Sabe o quê? — Ele gargalhou da careta única que sempre fazia quando pensava alto.

— Confesse.

— Você tem um poder sobre mim, até então desconhecido, Linda Marilyn.

— Então... — Não desconectamos nossos olhares.

— Eu morro de ciúmes de você, entendeu? — Apertou-me ainda mais a ele. — Você é minha, Linda Marilyn.

— Instinto, amor, apenas isso. — Deitei novamente no seu peito, satisfeita e respondendo sua pergunta. — Você sabe que sempre fui sua.

— Só minha. — Ficamos ali em um silêncio gostoso esperando nossas respirações se normalizarem. — Eu não sabia do coquetel. — Artur acariciou minhas costas, comigo fazendo o mesmo no seu peito. — Ethan me avisou pouco depois que você saiu.

— Não precisa me falar nada, Artur. — Olhei para ele.

— Precisa, Linda. Eu te devo satisfação agora que sou seu "tipo" namorado. — Sorri envergonhada deitando de novo no seu peito.

— Eu gosto de como isso soa. — Sorrimos juntos.

— Foi tudo combinado com o Presidente do Partido, e a loira... — Opa, esse assunto me interessava muito, me fazendo até levantar a cabeça. — Era mais uma daquelas modelos aproveitadoras, que estava hospedada no Hilton em busca dos seus cinco minutos de fama. Não tenho nenhuma paciência com isso.

— Desculpe pelo show! — Estava extremamente envergonhada. — Eu deveria ter te perguntado, mas fiquei cega de ciúmes.

— Então você admite? — Ele me cutucou.

— Eu também morro de ciúmes. Você é meu... Só meu, entendeu?

— Eu sei disso desde o dia que te ofereci aquela taça de champanhe, princesa. Ali eu já estava completamente rendido.

— Me perdoa por ter agido como uma criança? — Mordi os lábios olhando para ele.

— Se você me prometer que isso não vai mais se repetir. Eu fiquei louco de preocupação, Linda. Deixei o coquetel pela metade.

— Me desculpe, eu não queria. — Mordi os lábios novamente.

— Pare de morder os lábios, quero fazer amor com você agora só na nossa cama. — Sorri me aninhando mais ainda nele.

— Nossa cama?

— Sim. Nossa cama, você sabe disso. — Artur acariciou meu rosto. — Agora nós vamos descer, tomar um banho e comer alguma coisa. Havia planejado te levar pra jantar, mas você estragou tudo. — Fiz um muxoxo o fazendo rir.

— Eu cozinho, quer?

— Não, vou pedir pra Miranda preparar alguma coisa enquanto tomamos banho. O dia amanhã já terá muitas emoções.

— Do que você está falando?

— Surpresa, curiosa. — Ele sorriu nos levantando, e foi aí que percebi como aquele lugar era lindo.

— Nossa! Esse lugar é lindo. Não tinha vindo aqui ainda — percebi que além da área da piscina e do heliporto, havia também uma enorme sala escura —, e lá o que é?

— Vai descobrir amanhã.

— Ai, Artur! Isso não se faz com uma mulher curiosa. — Ele riu, me ajudando com o sutiã.

— Amanhã, amor.

— *Adoro quando ele me chama de amor.*

— E eu adoro quando você me diz o que pensa. — Bati no seu braço mais uma vez, irritada.

Descemos de elevador direto para o segundo andar, onde ficavam os quartos.

Nossa! Essa casa tinha muita coisa ainda pra ser descoberta.

Tomamos um banho, apenas com carícias e conversas sobre a coletiva e o coquetel. Amava o jeito de Artur me contar tudo o que acontecia no seu dia.

Contei o meu também, desde a hora que cheguei ao jornal até como descobri a tal foto. E jantamos uma comidinha leve preparada por Miranda, que não tirava o sorriso de seu rosto. Acho que estava fazendo bem para o seu menino, como costumava dizer.

Subimos logo depois, para o *nosso* quarto, e como prometido, Artur antes de dormir me amou inteira novamente. E eu dormi diferente.

Naquela quarta-feira dormi com o meu, agora oficial, namorado. O homem da minha vida. E estava muito feliz com isso. Já quase me esquecendo do trato de cada um em sua casa.

Naquela noite havíamos feito muitos progressos. Vi mais uma vez um Artur ser humano e receoso, e amava vê-lo desse jeito, ao alcance de minhas mãos.

Capítulo 22

Artur

Acordei mais cedo que o de costume, pois precisava organizar algumas coisas antes de ir para o escritório.

Linda dormia como um anjo ao meu lado, e tentei fazer o mínimo de barulho para não acordá-la. Um banho matinal ao seu lado sempre seria muito tentador, porém naquele momento não daria tempo. Então tomei o meu sozinho, me arrumando rápido e indo para a sala já encontrando Miranda com a mesa do café da manhã repleta.

— Bom dia, meu querido! Pulou da cama hoje? — Sorri, arrumando a gravata.

— Preciso organizar algumas coisas antes de ir para o escritório, Miranda. E quero que você acalme a fera lá em cima — apontei para o segundo andar —, quando acordar e não me ver. Leve uma bandeja repleta com tudo que ela gosta, não esquecendo o *mocha*, esse comprimido — lembrei do seu porre, e logo imaginei que acordaria com ressaca — e o bilhete que vou escrever. — Me sentei à mesa escrevendo-o para Linda. — Não a deixe perder hora, e para essa nossa noite, um sofisticado jantar a luz de velas a beira da piscina. Organize também a biblioteca, hoje vou apresentá-la à Linda.

— Essa menina é mesmo muito especial, não é, filho?

— Sim, Miranda, ela é. — Sorri tomando apenas uma xícara de café e me despedindo dela já com o celular nas mãos. — Peça para Jonathan tirar meu *Audi*, mas hoje eu vou dirigindo. O quero disponível para Linda.

— Pode deixar, e providenciarei tudo. Um bom dia, meu querido.

— Bom dia, Miranda! — No caminho disquei um número conhecido que me atendeu prontamente. — Bom dia, Stefan! Preciso de seus serviços.

— Bom dia, Artur! A que devo a honra logo pela manhã?

— Feche a loja que estarei aí em dez minutos.

— Ok! Estou te esperando.

Estacionei meu *Audi* na frente da joalheria e entrei sem ser visto.

— Bom dia, caro Deputado! O que lhe trás aqui tão cedo?

Stefan era um grande amigo da família já há muito tempo, e por isso havia criado certa liberdade conosco.

— Bom dia, Stefan! Preciso de uma peça rara para hoje à noite. — Ele sorriu, já conhecendo a pressa dos Scott.

— Acho que tenho o que precisa, venha comigo.

Ele me levou para uma sala reservada e começou a mostrar peças únicas de colecionadores.

Mas foi apenas uma que fez com meus olhos brilhassem.

Era um anel de diamantes com platina, não muito ostensivo e perfeito para a ocasião.

Linda iria amar.

— É esse?

— Sim, Stefan. É esse. Embrulhe para mim — eu disse enquanto lhe entregava o cartão de crédito.

— É para uma pessoa muito especial, não é? — Olhei reprovando-o, mas relaxei por ser um amigo da família.

— Ela é — fui seco.

— Teremos algo para elaborar mais pra frente?

— O quanto antes. — Ele sorriu para mim entregando-me o pacote e o cartão.

— Parabéns! — Sorri de volta.

— Obrigado! Entrarei em contato novamente.

— Esperarei.

Saí da joalheria me dirigindo direto para o escritório. Meu dia estava cheio, porém a noite Linda Marilyn teria o seu tão esperado pedido oficial.

Eu a queria ao meu lado pra sempre, e por enquanto, o "tipo namoro", sorri me lembrando do seu termo, estaria de bom tamanho. Mas não por muito tempo.

Linda seria minha de todas as maneiras que eu pudesse encontrar.

Linda

Acordei sozinha na cama. Apalpei a imensa *king size* mais nada dele.

Sentei chateada e minha cabeça latejou um pouco.

— Lembre-se disso da próxima vez que for usar a bebida para afogar as mágoas, Linda Marilyn.

Vi a porta ser aberta lentamente, e sorri olhando fixamente para ela, porém quem adentrou o quarto foi Miranda.

— Bom dia, minha querida! Desculpe lhe decepcionar, mas Artur teve que sair mais cedo hoje. Mas deixou ordens expressas para que você se alimentasse muito bem, tomasse esse comprimido e que não perdesse a hora. — Sorri com seu cuidado.

"Esse homem tem o poder de pensar em tudo mesmo."

Pensei alto novamente, enquanto via Miranda sorrir e colocar uma bandeja enorme em cima da cama, indo em direção à janela para abrir a imensa cortina.

— Obrigada, Miranda! Quer dizer, desculpe-me. — Ainda sorrindo voltou até mim.

— Meu amor, você não tem que se desculpar. É claro que preferiria que fosse ele, não é? — Assenti tomando um gole do suco com o comprimido. — Tem um bilhete para você aí. — Ela apontou pra a bandeja.

— Tão Artur Sebastian isso. — Sorrimos juntas, e Miranda começou a andar de um lado para o outro do quarto.

— *É, eu poderia me acostumar com isso.*

Acomodei-me em *nossa* cama e comecei ler o bilhete.

Bom dia, princesa!
Desculpe não te esperar para o café da manhã, mas precisava organizar algumas coisas para nosso jantar de hoje.
Fique o mais Linda que conseguir, se isso ainda for possível, pois nossa noite será inesquecível.
E desmanche esse lindo bico. Jonathan estará a sua espera ás oito em ponto em frente ao seu apartamento.
Beijos, do seu "Tipo namorado"
Artur Sebastian

Sorri feito uma boba, beijando o bilhete que continha ainda seu cheiro no papel.

Amava quando ele assinava Artur Sebastian, me dava impressão de uma intimidade maior.

— Você mudou a vida dele. — Miranda tirou-me dos meus pensamentos, fazendo-me corar. — Não precisa se envergonhar, minha querida. Eu o conheço desde sempre e nunca o vi assim.

— Eu o amo, Miranda. — Ela sorriu ainda mais.

— Eu sei. Você é muito especial, pois ao seu lado, Artur se transforma em outra pessoa. Na verdade em uma pessoa melhor. Obrigada por transformar nosso menino.

— Ai, Miranda. — Emocionei-me tapando o rosto com as mãos.

— Agora tome seu café que não pode se atrasar, ordens de seu Deputado. — Sorri e continuei tomando meu café, enquanto conversávamos sobre outras coisas.

Tomei um longo banho arrumando-me para mais um dia de trabalho. Despedi-me de Miranda com um abraço, e Jonathan já me esperava na porta do apartamento, para me levar até o jornal.

— Bom dia, Jonathan!

— Bom dia, Srta. Stevens! — Ele acenou para mim educadamente, abrindo a porta para que eu entrasse no elevador. — Direto para o jornal?

— Por favor.

No caminho fui remetida à minha conversa com Miranda. Eu havia modificado Artur. Meu amor havia feito dele uma pessoa melhor. E poderia sentir isso a cada dia ao seu lado. Ele parecia mais aberto e receptivo a esses novos sentimentos.

Sorri da minha constatação, despedindo-me de Jonathan assim que chegamos ao jornal.

E ainda com o mesmo sorriso estampado no rosto cheguei ao meu andar, porém tive que o conter, pois todos da edição olhavam fixamente para mim.

— Bom dia, Linda Marilyn! Tudo bem? — Violet vinha ao meu encontro. Gelei por se tratar da colunista de fofoca mais suja que havia conhecido.

— Bom dia! Algum problema, Violet?

— Nada que você não possa resolver, nos contando como foi sua noite com o homem mais requisitado do momento. — O quê? Como ela havia...

— Linda, minha querida, escondendo o jogo? — Jimmy também vinha ao meu encontro mostrando uma foto.

Eu e Artur saindo do bar na noite anterior...

O flash é claro.

Droga.

— Linda. — Ele estalava os dedos em minha frente. — E aí nos conte tudo.

— Eu não tenho nada para contar. — Tentei me desvencilhar da roda que havia se formado em torno do meu corpo.

— E a loira? Connie, certo? Ele não está pegando? — Violet me perguntava de uma maneira horrível.

— Sim, Linda. Pois ele esteve com ela durante a tarde inteira, e todos nós pensamos que a noite ali seria bem divertida. Para eles e principalmente para nós...

— Porém, eis que ele aparece indo te buscar Metro. — Violet e

Jimmy falavam como se minha vida estivesse em um palco de circo, para sua mera diversão. E aquilo estava embrulhando totalmente meu estômago.

Meu Deus! O que estava acontecendo? Aquilo era meu e ninguém tinha nada a ver com isso.

— Eu já disse que não devo satisfação da minha vida pessoal para ninguém — disse alterada. — Agora se me dão licença, preciso trabalhar.

Saí dali sem olhar para trás, sentindo nojo de tudo que havia acabado de ouvir.

Entrei na minha sala jogando-me no sofá, sem saber por onde começar a raciocinar sobre tudo que estava acontecendo.

E naquele momento passei a entender o que Artur tentava me dizer na noite anterior. Ele só queria me proteger.

Com meu celular nas mãos, não pensei em outra coisa, a não ser discar para o único número que me acalmaria depois de tudo.

— Artur... — Minha voz já saiu chorosa assim que ele atendeu.

— Linda, onde você está? — Sua voz também já estava alterada. — O que aconteceu, princesa? — Sorri da sua maneira carinhosa de me chamar.

— Você... Quer dizer...

— Linda, o que está acontecendo?

— Fotografaram a gente ontem, amor. — Debulhei-me em lágrimas nesse momento. — E fui bombardeada de perguntas assim que pisei no jornal.

— Calma, princesa! Estou indo te buscar agora.

— Não! — exclamei. — você não pode vir. Estão todos aqui. — Ele sorriu sarcasticamente.

— Sou eu, amor. Lembra? — Suspirei. — Saia pela porta dos fundos e me encontre no final da garagem. Estarei aí em cinco minutos. — Parei estática ouvindo-o falar. — Está me ouvindo, Linda?

— Sim, eu vou estar lá. — Desliguei o telefone ao mesmo tempo em que via Laila entrar esbaforida na minha sala.

— Perdoe-me, chefinha. Eu estava na impressão, não pude te proteger.

— Não se preocupe, Laila. Só me ajude a sair pelos fundos sem que ninguém me veja. E avise a Mary, assim que ela chegar que eu estou bem, e que ligo para ela mais tarde.

— Você vai fugir? — Revirei os olhos.

— Trabalhar é que não vou conseguir, com esses urubus em cima de mim — disse dura já com minhas lágrimas quase secas.

— Você tem razão, chefinha. Vou dar uma olhada lá fora.

— Ok!

Arrumei-me um pouco pegando minha bolsa, e em um único sinal de Laila, já estava no elevador de serviço, depois de ter passado por trás da edição inteira, que ainda estava agitada.

— Obrigada, Laila! E se o Victor perguntar por mim diz que estou em *home work* hoje.

— Pode deixar, chefinha. Que daqui cuido eu. Vá descansar. — Ela me abraçou e eu entrei no elevador rezando para que Artur já estivesse na garagem.

Suspirei aliviada quando as portas do elevador se abriram e o avistei piscando o farol do *Audi*.

Corri até ele entrando sem ao menos respirar, me jogando em seus braços, já em prantos novamente.

— Me perdoe, eu não sabia que era...

— *Shi!* Tente se acalmar, amor. Para que eu possa sair daqui. — Artur beijava minhas lágrimas, o que me fazia chorar mais, só que de emoção.

Ele me colocou no banco do passageiro e saímos de lá como prometido, sem ninguém nos ver.

O caminho foi feito no mais absoluto silêncio, com Artur olhando-me a cada dois segundos, segurando forte minha mão.

— Meu apartamento? — perguntei observando o trajeto.

— Achei que você gostaria...

— Com certeza. — Sorri para ele acariciando seu lindo rosto.

Artur sabia do eu precisava.

O cheiro da minha casa me acalmava sempre, e agora misturado com o cheiro do meu homem, eu tinha a certeza que ficaria bem.

Chegamos ao meu prédio, entrando pela garagem, como desde a primeira vez. Subimos em silêncio novamente, com Artur segurando meu corpo, temendo que algo pudesse acontecer. Eu podia sentir sua tensão também.

Adentramos o apartamento e imediatamente ele nos levou até o sofá, me sentando em seu colo.

— Agora podemos conversar. — Ele me deu um selinho.

— Nós fomos fotografados ontem saindo do bar. Não sei como aconteceu... Não sei como eles fizeram tão rápido, você ficou menos de cinco minutos naquele local. — Estava amedrontada.

— Mas não foi isso que te assustou, certo? — Artur estava frio. E essa frieza me assustou, fazendo com que eu voltasse a chorar.

— Não — suspirei. — Eles são muito sujos. Atropelaram-me no corredor do jornal querendo deduzir nossa vida. Colocando no meio da nossa história aquela loira que você nem se quer lembra o nome... Foi horrível, amor. — Ele me aninhou em seu colo acariciando minhas costas.

— Me perdoe — disse por fim. — Não queria que você passasse por isso. — Sorri fracamente, cruzando nossos olhares.

— Eu sei... Quer dizer, eu entendi o que quis me dizer ontem.

— Eles são sujos sim, Linda. Mas eu nasci no meio disso. Estou acostumado a lidar com esse tipo de situação. Mas com você não — ele me apertou ainda mais a seu corpo —, eu quero te proteger, princesa.

— A culpa foi minha, não deveria ter ido para aquele bar, e muito menos te provocado. — Artur sorriu sem humor.

— Eles dariam um jeito. Sempre dão.

— O problema não é a foto, Artur, e sim a manipulação dos fatos. Eles colocaram aquela mulher no meio da nossa história — estava mais calma.

— Eles não sabem de nada — disse mais uma vez frio.

— Eu tenho medo.

— Medo do quê? — Senti uma pontada de medo também na voz do meu, até então, imbatível *homem de ferro*.

— Que isso afete sua campanha. Eu não quero, amor... Eu não quero te atrapalhar. — Voltei a chorar o vendo segurar meu rosto entre suas mãos.

— Olhe para mim, Linda, pois eu vou falar uma única vez. — Nossos olhares se cruzaram. — A única coisa que me importa nesse momento é você. Sempre vai ser você.

— Mas... — tentei falar em vão.

— Não existe, mas. Eu tentei te defender desses abutres durante esse tempo, mas não tivemos êxito. Você não teve culpa, princesa. Pare com isso. — tentei abaixar os olhos, porém ele foi mais rápido. — Olhe pra mim, Linda Marilyn. Apenas você me importa. Apenas a sua segurança me importa. Nada mais.

— E agora?

— Eu não sei ainda, quer dizer...

— Eu não quero que isso atrapalhe sua campanha, Artur. Não quero seu nome envolto a escândalos românticos, eu poderia... — Sofri mesmo antes de pensar naquela possibilidade. Porém Artur me interrompeu, e vi o medo contido ali também novamente.

— Nem pense em pronunciar isso, Linda Marilyn. Nós vamos continuar nossas vidas normalmente. Não vamos nos tornar reféns dessa mídia. Deixe que falem. Minha vida política não será afetada. — Ele me abraçou.

— Mas ontem você me disse que eu poderia te ajudar... — Mais uma vez fui interrompida.

— Eu tenho medo do que possam fazer com você no jornal — Artur disse sincero. — Já te disse isso ontem. Vamos fazer o seguinte — ele me tirou do seu colo começando a andar de um lado pra outro, enquanto eu o observava confusa —, não mudaremos nossos planos, pelo menos por enquanto. Faltam apenas alguns meses para as eleições, e depois assumiremos em grande estilo, na minha festa da vitória.

— Você tem certeza? — Levantei indo a seu encontro.

— Tenho. Não quero que nada aconteça com você, meu amor — ele declarou tocando meu rosto carinhosamente.

— Nem eu com você. — Repeti o gesto e nossos lábios foram colados com uma intensidade única, porém cedo demais seu celular tocou. — Eu odeio celulares. — Artur sorriu já o atendendo.

— Artur Scott... Bom dia, Jared... Sim já estou sabendo, e estou com ela nesse momento. — Ele me abraçou, beijando meus cabelos. — Nenhum plano será mudado, eu não quero que nada prejudique Linda em seu trabalho... Sim, estou indo direto pra Scotts... Nos falamos em dez minutos. — Suspirei não querendo que ele fosse.

Artur me dava à segurança necessária para que eu pudesse me

manter em pé. Ele na verdade era meu esteio, meu pilar. E sua força e coragem eram de suma importância para mim naquele momento.

— Eu tenho que ir. — Nem o percebi se despedindo de Jared, se é que o fez. — Linda — Artur me chamou. — Você vai ficar bem, princesa?

— Sim... Quer dizer, você não estava na Scotts desde cedo? — perguntei confusa.

— Não. — Ele sorriu. — Tive que resolver algumas coisas para a nossa noite, eu deixei isso no bilhete. — Ele se aproximou. — Você vai ficar bem?

— Vou. Na verdade não volto mais para o jornal hoje. Tirarei o dia para me arrumar para esse misterioso jantar. — Ele gargalhou me abraçando ainda mais.

— É assim que eu quero te ver, princesa. Me ligue se qualquer coisa acontecer?

— Ligo, pode deixar. Agora vá, não quero mais atrapalhar sua vida. — Ele endureceu e fez novamente com que eu o olhasse.

— Nunca mais fale isso, Linda Marilyn. Você é a minha vida agora. — Me beijou carinhosamente e saiu, não antes de olhar da porta e dizer: — Me ligue, por favor, e... Te esperarei a noite. Tenho planos para você. — Artur sorriu e saiu.

— Eu sei que tem. — Sentei-me novamente no sofá suspirando, o vendo sair e levar um pedaço de mim.

— *Você é minha vida agora.*

Essas palavras não me saíram da cabeça, e sentia que a minha vida dali pra frente começaria a sofrer drásticas mudanças, mas não tinha medo. Nunca teria medo com Artur ao meu lado, amparando-me e protegendo.

E a cada dia que eu passava ao seu lado esse amor se transformava ainda mais, por estar o conhecendo inteiramente.

Artur não se preocupava com os problemas que isso poderia acarretar a ele, ou a sua carreira. Ele apenas tinha em mente a minha segurança e bem estar.

Estava começando a descobrir um homem que me faria ainda mais apaixonada. Para sempre.

Perdida em meus pensamentos, não percebi que meu celular

começou a tocar. Levantei-me o pegando de dentro da bolsa, que estava em cima do aparador. E sorrindo, por saber quem era, atendi.

— Bom dia, amiga!
— Linda. Como você está, amiga? Acabei de chegar e... — Interrompi Mary, que estava desesperada.
— Eu estou bem, em casa. Na verdade não tenho a mínima vontade de voltar para o jornal hoje. Vamos fazer *home work* hoje? Estou precisando de você, amiga.
— Estarei aí em alguns minutos, você vai ter que me contar tudo.
— Eu contarei...

— Então eles te fotografaram ontem. Meu Deus! Esses abutres são mais ágeis que imaginava. — Já estávamos jogadas no meu sofá, cada uma com um *mocha* que Mary havia trazido para adoçar e aquecer nossas vidas, palavras dela.
— Mas foi o que disse a Artur. O problema não é a foto, mais sim o que eles montam em cima de um clique, amiga. — Ela sorriu e suspirou.
— Ele foi te buscar na mesma hora — confirmei —, te trouxe para onde sabe que você tem paz. — Confirmei mais uma vez. — Seu *homem de ferro* te ama, Linda Marilyn. — Retribui com um sorriso malicioso. — Que sorriso é esse? Conte-me tudo da sua noite ontem.
— Eu estou assim — suspirei tomando mais um gole de meu *mocha* —, tipo namorando.
— Ah! Eu sabia — ela gritou me abraçando. — Conte-me tudo.
— Artur explicou que estava querendo apenas me proteger. Na verdade ele sempre sairia ganhando, principalmente se assumirmos nossa relação agora, no meio de sua campanha. Pois meu nome é forte no meio da política, e comigo ao seu lado essa eleição estaria ganha. Porém ele não queria que eu passasse pelo que passei hoje pela manhã — suspirei. — E sentindo na pele essa loucura, vi que ele estava coberto de razão, Mary.
— Esse cara tem índole, Linda, e está completamente apaixonado por você. Ele poderia ter usado do seu egoísmo e

pensado apenas nele, amiga. Mas Artur Scott pensou em você em primeiro lugar.

— Eu sei... quer dizer, agora eu sei. — Sorri para minha melhor amiga. — E vamos assumir na sua festa da vitória.

— Eu não perco isso por nada. — Mary batia palminha animada.

— E hoje ele está pessoalmente organizando um jantar para mim na cobertura desde manhã. — Pausei me lembrando do triplex. — Mary aquilo não é uma casa, é um...

— Palácio, *amore*. E seu também, pois pelo que seu homem de ferro disse tudo que é dele é seu.

— Ai, não quero pensar nisso agora. No momento o coração dele já esta de bom tamanho para mim.

— Que romântica essa Senhorita Stevens — ela suspirou. — Viu só eu disse que com uma conversa resolveriam tudo, adiantou beber?

— Não. E ainda me deu uma tremenda dor de cabeça. — Pensei sorrindo no comprimido que ele me mandou pela manhã.

— Então aprenda para a próxima vez não fazer besteira — ela beijou minha bochecha —, que tal um almoço com vestido novo?

— Com certeza. — Pulei animada a fazendo rir.

— Milagre. Artur Scott há de ser beatificado.

— Pare de besteira, precisamos de um horário no salão também, quero estar linda. — Sorrimos juntas.

— Para quem já contém o adjetivo no nome, fica fácil.

— Boba! — Abracei-a. — Te amo amiga. E obrigada por tudo.

— Eu a quero feliz e realizando seu lindo sonho.

— Ele está sendo realizado — suspirei a vendo se levantar.

— E esse é só o começo, quase primeira dama. Vamos que nosso dia será curto para tantas coisas para se fazer.

— Não vai ter problema mesmo você ficar comigo hoje?

— Estamos em *home work*, esqueceu? — Mary piscou para mim.

Saímos de casa indo direto para o salão de beleza onde me depilei, fiz as unhas e um lindo penteado. A noite merecia essa produção.

Passeamos também pela Quinta Avenida, onde comprei um vestido maravilhoso da *Gucci*.

— Esse conto de fadas me levará a falência. — Revirei os olhos passando mais uma vez meu cartão de crédito.

— Não, meu amor — Mary sorriu me abraçando —, ele te levará à Casa Branca.

Saindo da loja sentimos um flash na nossa direção, nos entreolhamos e entramos no carro.

— Será?

— Não vamos nos preocupar ainda. Que tal um banho relaxante para a Primeira Dama mais linda?

— Não sei o que eu faria sem você, sabia? — Abracei minha amiga e voltamos para casa.

Chegando ao meu apartamento fui direto para o banho. E depois de meia hora imergida em uma deliciosa água estava pronta.

E pontualmente às oito o porteiro ligou, dizendo que o carro já estava a minha espera.

Dei uma última olhada no visual e gostei do que vi. Mandei um beijo para mim mesmo e saí saltitante do quarto.

Mary acompanhou-me até o elevador, me dando um abraço e ordenando para que eu fosse feliz.

Seguindo seu conselho segui até a limusine sorridente, onde Jonathan já me esperava, abrindo um sorriso também, assim que me viu.

— Boa noite, Senhorita Stevens!

— Boa noite, Jonathan! Vamos que o Deputado não admite atrasos. — Na verdade eu devia estar mais ansiosa que ele.

Chegamos ao prédio do triplex e Jonathan me escoltou até a cobertura. Lá, fiquei maravilhada com a produção do nosso jantar.

Artur estava a minha espera, parado perto da mesa, como um deus grego. E agradeci mentalmente por aquele homem ser meu.

Ele veio em minha direção como um leão, sua posição de quando quer me matar de prazer, com duas taças de champanhe nas mãos e um sorriso no seu lindo rosto.

— Perfeitamente linda. — Estendeu-me a taça e abraçou minha cintura, cheirando meu pescoço. — Pode ir, Jonathan — disse sem tirar a boca do meu pescoço, arrepiando-me inteiramente.

— Com licença. — Escutei-o falar antes de se retirar.

— Agora somos nós dois. — Artur ergueu sua taça.

— Um brinde, Senhorita? — Sorri lembrando nosso primeiro encontro.

— Sim. — Brindamos, tomando o champanhe sem desconectar nossos olhares.

— Você está linda, princesa.

— Como você pediu, amor. — Mordi os lábios, fazendo com que ele me apertasse ainda mais em seu corpo. — Acho que mereço um prêmio por obedecer a suas ordens?

— Com certeza. — Artur subiu sua mão até minha nuca, introduzindo seus dedos em meio ao coque solto que havia feito. E trazendo meu rosto para mais perto do dele, mordeu meu lábio inferior. — Minha vez, princesa. — Ele atacou minha boca ferozmente. — Com você tenho que me controlar para não pular as etapas planejadas.

— Não se controle. — Esfreguei-me ainda mais nele, mordendo seu pescoço.

— Não me provoque — eu ri —, temos um jantar ainda, Senhorita. — Assenti, descolando-me dele e entrelaçando nossas mãos.

Foi naquele momento que meus olhos caíram sobre a linda vista na minha frente.

A cobertura estava toda iluminada, e o que antes era um cômodo escuro, naquele momento se apresentava uma linda biblioteca.

— Meu Deus, isso é lindo! — Disse Abraçando-o. — É uma biblioteca? — Apontei.

— Sim. Aqui é o meu refúgio, princesa. Deixo o escritório no primeiro andar para as reuniões, e aqui reservo para minhas horas de reflexões.

Cheguei mais perto da imensa porta de vidro, observando um piano de calda na outra extremidade da sala. Como se fizesse parte de um adjacente junto à janela.

— Você toca? — Olhei para ele admirada.

— Sim — ele apenas disse.

— Mais uma de suas habilidades?

— Terapia eu diria. — Artur sorriu torto. — Ganhei da Senhora Emma Scott assim que me mudei. Toco desde os oito anos.

— É lindo, toca pra mim? — Seus olhos brilharam.

— Sempre. Porém temos um jantar a nossa espera. — Sorri

saindo daquela bolha envolta ao nosso corpo.

— Então, vamos comer. — Ele nos levou até a mesa ao lado da piscina iluminada e puxou, gentilmente, a cadeira para que eu me sentasse. — Obrigada!

— Você almoçou? — Artur perguntou servindo minha taça de vinho.

— Sim. Logo depois que você saiu liguei para Mary e saímos para comprar mais um vestido. — Revirei os olhos, mas sorri em seguida.

— Almoço com direito a compras, divertido então?

— Sim — Revirei os olhos mais uma vez.

— Não gosta de fazer compras, amor?

Af! Me chamando de amor assim eu desmonto, Senhor Deputado. Parei pensei... Ufa, eu não disse alto.

— Linda?

— Oi? Desculpe. Gosto sim, mas prefiro quando estou mais inspirada. Mary e é fascinada por elas. — Ele bebericou seu vinho.

— Ela é uma boa amiga, não é?

— Uma irmã na verdade. Sabia que ela está namorando Jared? Eles estão muito felizes. Podíamos marcar para sair um dia desses. — Artur sorriu beijando minha mão. — Quer dizer... — Lembrei-me do que nos aconteceu naquela manhã.

— Vamos marcar um jantar, estou precisando mesmo dar uma relaxada. — Artur percebendo meu desconforto, chamou minha atenção — Olhe para mim, princesa. — Ele subiu meu queixo, que sem perceber havia abaixado, fazendo com que nossos olhos se cruzassem. — Não mudaremos em nada nossos planos. Quero a nossa vida com a maior naturalidade e normalidade possível, confia em mim?

— Confio, sempre. — Sorrimos juntos ainda com os olhos conectados, e o jantar foi servido por um *maitre*.

Naquele momento eu soube que tudo daria certo, e que nada nos separaria.

— Cordeiro, gosta?

— Adoro! Ótima escolha.

— Gosto de acertar com você.

— É tão fácil acertar comigo. Deslumbro-me com qualquer coisa que você faça — confessei o fazendo gargalhar.

— É aí que você se engana, Linda Marilyn. Às vezes a senhorita é muito difícil.

— Só quando estou brava.

— Tenho que concordar. — Sorrimos juntos.

Terminamos nosso jantar entre conversas amenas e brincadeiras, nos esquecendo completamente de nossas vidas para o mundo lá fora, principalmente quando Artur nos levou até ao seu refugio particular.

A biblioteca tinha seu cheiro, o cheiro do meu homem. Do homem por quem me apaixonei e que me encantava a cada dia.

— Linda, preciso te dizer algo muito importante. — Virei fixando nossos olhos.

— Diga. — Sorri beijando seus dedos entrelaçados aos meus.

— Eu queria confessar que você me enfeitiçou desde o momento que nossos olhos se cruzaram naquela festa. Naquele dia tive a certeza que seria você a mulher que eu gostaria que ficasse ao meu lado. E com o passar desse tempo isso só veio a complementar o que pensei, mesmo antes de te conhecer. Você me enlouqueceu dando-me o maior presente. — Ele apertou nossas mãos. — Mesmo parecendo machista você é, e sempre será apenas minha. Você se guardou para mim, princesa.

Meus olhos se encheram de lágrimas, e fui acariciada com tanto carinho por Artur, que senti meu coração inflar ainda mais. Se ele soubesse que eu me guardei inteiramente sim, e só pra ele.

— Eu quero que seja minha, Linda Marilyn. Minha, *tipo namorada* — sorri em meio as lágrimas —, minha companheira, minha mulher. Mas principalmente a leveza que eu necessitava na minha vida.

Ele tirou uma caixinha do bolso, e a abrindo me mostrou um lindo anel de brilhantes.

— Amor isso é...

— Perfeito para você. — Artur estendeu minha mão direta e o deslizou por meu dedo anelar. — Aceita ser minha, Linda Marilyn Stevens.

— Sempre fui sua... Eu aceito... eu... eu te amo, Artur Sebastian Scott. — Senti a força das minhas palavras vindas do fundo da minha alma, o deixando sem fala.

— Linda...
— Me beije, Artur. Me ame. Por favor. — Entreguei-me em seus braços com os olhos fechados.
— Abra os olhos, princesa. Quero você ali, como minha melhor música já composta. — Ele apontou para o piano. — Você sempre será a minha melhor parte, Linda. — Fui levada até o piano, onde ele sentou-me no seu colo de frente, começando a beijar lentamente meus lábios.
— Eu te amo tanto. — Beijei seu rosto carinhosamente, apenas mostrando todo o amor por ele guardado todos esses anos. — Apenas me ame, meu amor mais lindo.
— Eu vou te amar para sempre, princesa. Linda, você transcendeu as grades impostas por uma armadura chamada Scott. Deixe te provar como você mexeu comigo?
— Me mostre, por favor — disse sofregamente.
Artur nos levantou, começando a tirar meu vestido devagar, beijando cada parte que ficava descoberta.
Apenas de calcinha, ele me colocou praticamente em cima do seu piano, estendendo meu corpo inteiro em cima daquela peça.
— Uma escultura magnífica — me observava, fazendo-me corar violentamente —, a visão mais linda de todo o universo.
— Não me maltrate, amor.
— Não vou, princesa — dizendo isso ele se despiu lentamente, vindo na minha direção, se ajeitando no meio das minhas pernas, enquanto colocava meus pés em cima das teclas. Fazendo assim uma melodia explodir em nossos ouvidos.
Artur tirou minha calcinha, beijando minhas coxas e panturrilhas, voltando a dar atenção a minha intimidade.
— Depilada.
— Sim. — Corei.
— Não quero que tenha vergonha de mim. Quero sim, que traga a devassa que me enlouquece apenas com o olhar. — Respirei fundo e levantei um pouco a cabeça, lhe lançado um olhar totalmente malicioso.
— Eu quero você ai. — Ele gargalhou tão perto da minha entrada fazendo-me gemer. — Eu quero sua língua ai.
Não me pergunte como isso acontecia. Acho que nunca saberei

explicar. Na verdade sabia. Esse era efeito de Artur Sebastian Scott sobre meu corpo inteiro, que clamava por ele.

— Assim, princesa? — Ele me lambeu.

— Oh, sim. — Essa foi a deixa que Artur precisava para me levar às alturas.

Naquela noite gozei na sua boca, gritando seu nome aos quatro ventos de Nova Iorque.

Gozei com ele dentro de mim, dando o que tanto queria. A sua melhor melodia já feita naquele piano.

Seus gritos também não foram mais baixos que os meus. E juntos ali nos arranha céus daquela cidade imponente, mostramos ao mundo que juntos éramos perfeitos.

Sorrimos nus e felizes ainda em cima do piano. Com Artur deitado no meu peito, enquanto esperávamos nossas respirações voltarem ao normal.

Estava diante ao homem da minha vida, sendo reverenciada como tal por ele também.

Poderia querer algo mais na minha vida?

Não...

Eu já estava bem instalada no coração do meu *homem de ferro*, e para mim era o suficiente.

Nada iria mudar isso...

Nada nem ninguém.

Capítulo 23

Linda

De: Sua "tipo" namorada.
Para: O namorado mais lindo e psíquico desse mundo.
Bom dia, meu amor! Indo para o jornal. Você está bem?
Dormi tão mal sem você, para variar.
Como foi o jantar ontem?
Não aguentei esperar.
Beijos!
O amo mais que tudo...
E cuide do meu coração. Ele está com você.
Sua Linda.

Essa era a frase registrada de Artur, quando precisava se ausentar.

Por causa das suas longas viagens de campanha, Artur me presenteou com um celular particular, para que pudéssemos nos falar sem nenhuma intromissão. Apenas ele tinha esse número, e o aparelho era rastreado por uma equipe de segurança particular dos Scott. No começo me assustei um pouco, porém depois eu vi que só se tratava de uma extrema preocupação. Artur era psíquico quando o assunto era minha segurança, então depois de entender seu lado, acabei relaxando.

Já estávamos sem nos ver a alguns dias, por conta de uma viagem mais longa para o Estado do Texas. Ele estava em campanha por todo o país, e naquela semana não daria para voltar para casa. Por isso acordei menos animada no meu apartamento, onde gostava de ficar quando ele viajava, por estar mais perto de Mary. E foi com ela que tomei meu café, preparado por Angelita, indo direto para o jornal depois.

No meio do dia recebi sua resposta a minha mensagem de manhã. Estranhei, pois nos falávamos durante o dia inteiro. Tratei logo de abri-la e ver quais eram as novidades no Texas, porém para minha surpresa ele foi enigmático e direto.

De: Artur Sebastian
Para: Linda Marilyn
Em cinco minutos na garagem do jornal.

Nem um bom dia, ou um beijo.
Nossa! O que será que aquilo significaria?
Curiosa, tratei logo de obedecer a sua mensagem, pois conhecendo muito bem meu "tipo namorado", sabia do seu mau humor quando tinha que esperar por algo. Mas Artur não devia estar no Texas?

Arrumei-me, pegando apenas minha bolsa e descendo até a garagem, como havia me indicado.

Porém, chegando lá, um aperto se instalou em meu peito com que via, fazendo com que corresse em direção à limusine que me esperava.

— O que aconteceu, Ethan, onde está Artur? — perguntei nervosa, ao assessor do meu namorado. Procurando por todos os lados da garagem, e também dentro do carro.

— Calma, Lindinha. Vamos entrar. Você não quer ser vista comigo, não é? — Ele piscou fazendo graça e abriu a porta para que eu entrasse — Se bem que sou bem bonito também. — Revirei os olhos, entrando na limusine.

— Seu chefe te mataria — disse assim que ele se sentou ao meu lado, fazendo-o rir. — Agora me diga. O que significa isso? — Apontei para o carro, e por fim para ele.

— Não está feliz em me ver, Primeira Dama?

— Ethan, não estou aqui para brincadeira. — Estava irritada e muito nervosa.

— Tudo bem. — Ele balançou a cabeça, rindo. — Você está sendo raptada! — Meu coração parou de bater por alguns segundos. — Artur quer você ao lado dele esse final de semana, e me incumbiu pessoalmente de te pegar.

— Como assim? Eu estou trabalhando, não preparei nada... — Respirei fundo, nervosa, mas no íntimo amei a ideia. Estava morta de saudades do meu Deputado.

— Seu Deputado pensa em tudo, Senhorita Stevens — Ethan disse como se adivinhasse meus pensamentos. — Ele pediu para que Miranda preparasse sua bagagem para o final de semana. E no jornal, bem digamos que vamos estar em *home work.*

— Meu Deus!

— Eu o que diga. Pode me dizer como você aguenta aquele mau humor todo o dia?

— Me diga você, que é o melhor amigo dele há anos. — Dei de ombros, relaxando no banco confortável da limusine.

— Isso não vale. Com você, Artur é uma seda. — Gargalhei fechando os olhos. Logo eu estaria nos braços do meu amor.

— Eu tenho meus meios. — Nem ao menos abri os olhos.

— Não entre em detalhes — bati em sua perna, enquanto Ethan fazia uma cena tapando o ouvido —, mas sério... — Abri os olhos me virando para ele. — gosto de você, Primeira Dama.

— Também gosto de você, Ethan. — Apertei sua mão. — Parceiros contra o mau humor do seu chefe?

— Parceiros sempre. — Ethan apertou minha mão sorrindo. E nossa viagem foi agradável.

Chegamos à Austin perto das cinco da tarde, onde já havia outra limusine nos esperando na pista.

— Vamos? — Apressei-o.

— Sim. Mas dessa vez você vai sozinha. — Ele piscou para que eu pudesse entender que, meu amor estava mais perto do que imaginava.

— Obrigada, Ethan! Nos vemos mais tarde. — Saí correndo em direção ao carro, mas ainda pude ouvir.

— Eu que agradeço. Teremos um fim de semana cheio de paz. — Sorri abrindo a porta do carro, e jogando-me nos braços que me faziam falta diariamente.

— Não acredito que fez Ethan me raptar. — Arrumei-me no colo de Artur, enquanto ele apertava mais meu corpo ao dele.

— Se tivesse tempo, eu mesmo o teria feito. — Beijou meu pescoço.

— Você desestabiliza meu dia, Artur Sebastian.

— O pior foi você que teve o dom de desestabilizar minha vida, Linda Marilyn.

Não resistindo a essa declaração de amor, invadi sua boca levando minhas mãos para a nuca dele, enquanto as mãos hábeis do meu Futuro Senador trabalhavam por meu corpo inteiro, subindo ainda mais minha saia.

— Senti tanta sua falta — ele disse sem fôlego, com nossas testas coladas.

— Uma saudade que chega a doer.

— E corroer a mente, a ponto de não te deixar pensar mais em nada. — Sorri beijando seu pescoço.

— Como você está? E a campanha? — Acariciei sua nuca, pois sabia que isso o relaxava.

— Estamos tendo a receptividade aguardada, tanto da população, como dos correligionários.

— Ótimo! Não disse que essas eleições estavam ganhas. — Arrumei-me no seu colo.

— Como eu disse que você era é a minha cabo eleitoral mais gostosa — bati em seu ombro —, e a única. — Ele sorriu relaxado.

— Acho bom. — Aproximei-me capturando sua boca novamente.

— Gostosa! Como volto pra reunião agora? — Artur apontou para sua ereção já eminente, por baixo da sua calça social.

— Que reunião, não vai ficar comigo, amor? — Fiz manha ganhando um beijo na ponta do nariz.

— Estou em campanha, princesa. Deixarei você no SPA do hotel para se arrumar, e à noite teremos um jantar com algumas pessoas que apoiam minha candidatura.

— Eu? Quer dizer...

— Você é minha namorada. E a quero ao meu lado sempre, entendeu? E de vermelho. — Gargalhei.

— Jura que vai levar a sério essa história de Dama de Vermelho? — Deitei no seu ombro.

— Eu não costumo brincar, Linda Marilyn. — Artur me apertou ainda mais a ele.

— Vou ficar sozinha até lá?

— Você não existe sabia? Ao mesmo tempo em que se entrega ao prazer como uma devassa em erupção, se torna a criança mais dengosa do mundo.

— Não é isso amor, é que estou com saudades. — Ele me beijou de leve.

— Eu também. Mas teremos o final de semana para isso. Quero você ao meu lado, princesa — respirei fundo —, me apoiando.

— Eu vou estar. Te amo!

Senti o carro parar, e Artur nos arrumou no banco da limusine.

— Passo para trocar de roupa. O jantar será aqui mesmo no hotel.

— Te esperarei linda — suspirei.

— Para quem tem Linda no nome isso se torna completamente fácil. — Lembrei-me do que Mary disse. Sorri e o beijei, saltando do carro e sendo recepcionada por Jonathan. Olhei novamente para dentro da limusine, onde Artur colocava seus óculos de sol sem maiores preocupações. — Sua segurança.

— Eu sei que é. Nos vemos mais tarde, e... te amo. — Bati a porta do carro, adentrando junto com nosso segurança as dependências do hotel cinco estrelas de Austin.

Fui encaminhada diretamente para o SPA, onde tomei um delicioso banho de banheira, repleto com todos os sais que um dia poderia imaginar, para logo depois receber uma massagem relaxante. E enfim fazer cabelo, maquiagem.

E como um SPA nunca seria o mesmo sem Mary, aproveitei o tempo em que fazia minhas unhas ligando para minha melhor amiga. Antes que ela colocasse a *Swat* atrás de mim.

— Amiga, desculpa ter sumido é que... — Despejei assim que ela atendeu, pois conhecia sua pressa.

— Você já chegou?

— Como assim, já cheguei? Como sabe que... — ela me interrompeu.

— Amor, seu Deputado dispensou o meu *Jar* por esse final de semana, pois disse que estaria bem assessorado — Mary suspirou.

— Você quer dizer que Artur dispensou Jared, e eu... — ela me interrompeu novamente.

— Não me venha com essa, Linda Marilyn. Você é uma das jornalistas mais competentes desse país, e Artur reconhece isso. Sabe o cuidado que ele tem com sua equipe, e que não dispensaria Jared se não confiasse em você. — Oh, meu Deus! Esse homem tinha o dom de me deixar sem palavras. — Amiga?

— Estou aqui tentando digerir minha nova vida. — Mary gargalhou do meu exagero.

— Pare com isso, onde você está? — Sorri para ela.

— Em um SPA, ficando linda. — Revirei os olhos.

— Não revire os olhos, Linda Marilyn. — Como poderia me conhecer tanto? — Amiga, aproveite seu final de semana, pois para quem iria passar esses dias tomando sorvete e assistindo filmes românticos, estamos no lucro. — Sorri tendo que concordar com ela.

— Tudo bem, Mary, a gente vai se falando e... Aproveite.

— Você também, pois seu Deputado está subindo pelas paredes.

— MARY. — Ela desligou rindo.

Terminei por ali, e fui guiada por uma recepcionista, muito simpática por sinal até nossa suíte. E lá, depois que passei meu cartão na porta pude ver o que realmente me esperava.

Artur havia preparado nossa suíte a meia luz com pétalas de rosas espalhadas pelo quarto inteiro, e para completar...

Oh, meu Deus!

Um vestido vermelho tomara que caia da *Dior*, esticado em cima da cama, ao lado de uma caixa de joias.

Não. Eu não merecia tanto.

Cheguei perto da cama, minhas mãos tremiam, e logo avistei um bilhete que tratei de ler e ainda por cima cheirar feito uma garota boba e apaixonada.

Para: A mais linda de todas
Quero-te a mais linda da noite hoje...
Que todos os olhares se dirijam a você. Para que todos saibam que é minha...
Para sempre minha...
De: Seu Artur Sebastian

Tratei logo de me arrumar, pois não queria atrasar nosso jantar. Porém, passando pelo closet percebi que sua roupa ainda não havia sido separada, então uma ideia me acometeu.

※※※

— Linda, onde você está? — Artur entrou desesperado à minha procura, e quando me viu vindo do closet, já pronta, perdeu completamente a fala. — Você está...

— Como pediu... Linda. — Sorri indo a seu encontro. — Porém deixei para o final dois acessórios primordiais. — Parei a sua frente. — A calcinha e o batom. — Enxerguei em seus olhos um púrpura de desejo, antes de me atacar com um beijo.

— Eu gostaria de fazer amor com você, Linda Marilyn — urrou no meu pescoço, já subindo suas mãos pela lateral do meu corpo.

— Teremos tempo para tudo, Futuro Senador. — E esse foi nosso fim.

Artur apertou-me ainda mais em seu corpo, já inteiramente excitado, e nos levou vagarosamente para a janela.

— Na janela?

— E de quatro. — Ele complementou, atacando minha boca ferozmente. — Gostosa demais.

Nos virou me colocando debruçada em uma cadeira próxima a janela. E desafivelando seu cinto, abaixou e jogou sua calça para longe, me penetrando sem dó.

Ficamos parados ali por segundos intermináveis, matando a saudade daquele momento só nosso. E quando menos esperava Artur começou a estocar forte, e percebi que não duraríamos muito, principalmente quando seu polegar foi direto para meu clitóris.

Gozamos juntos. Urrando o nome um do outro, e nos beijando loucamente encostados na janela, enquanto ele me apertava ainda mais.

— Você está linda, princesa.

Acariciou meu rosto, que denunciava sexo, porém sem mexer em um fio do meu penteado. Estava aprendendo.

— Obrigada, amor! Senti tanta sua falta.

Fiz manha, vendo seu corpo se desconectar no meu. Artur me levou para cama no colo, depositando-me carinhosamente em cima das pétalas de rosa.

— Eu também, princesa. — Ele foi até o banheiro, voltando com uma toalha úmida, limpando-me com toda a delicadeza. — Preciso de uma ducha rápida. — Sorri emocionada com aquele gesto.

— Sua roupa já está separada no closet. — Ele olhou-me surpreso. — Também quero poder cuidar de você. — Artur me beijou apaixonado.

— Não conseguiria viver um dia a mais sem você, Linda. — Sorri em sua boca.

— Também não, agora vá e tome seu banho. Preciso terminar de me arrumar também.

— Em dez minutos estarei pronto.

— Te darei meia hora para voltar mais lindo e apetitoso que nunca. — Ele sorriu indo em direção ao banheiro.

Levantei-me olhando novamente para a janela e sorri por estar tão feliz.

Terminei de me maquiar, colocando minha calcinha. E em dez minutos meu amor saiu lindo do closet vestindo o lindo terno, também da *Dior*, que eu havia separado para ele.

— Perfeita escolha. — Ajudei-o com a gravata.

— Obrigada! — Ganhei um selinho de leve, pois já estava de batom.

— Vamos? — Respirei fundo segurando sua mão.

— Vamos.
— Não precisa ter medo, eu estou ao seu lado.
— Eu não tenho. — Acariciei sua barriga e saímos da nossa suíte com as mãos entrelaçadas.

Vi quando Artur fez um sinal para Jonathan, e entramos os três no elevador, porém já perto do restaurante eu parei.

— O que foi, princesa? — Acariciei seu rosto.
— Vá na frente, o jantar é seu. É da sua candidatura que estamos falando, e não de um novo romance.
— Linda...
— Vá, amor. Eu estarei lá em alguns minutos, sei o que estou fazendo. — Ele me beijou apaixonadamente.
— Você tem o dom de organizar minha vida de uma maneira única.
— Eu apenas quero o seu bem. — Eu lhe dei um selinho retirando o excesso do batom dos seus lábios. — Agora entre.
— Eu vou e te espero. — Ele apertou minha cintura.
— Eu estarei lá. — Sorri, vendo-o novamente fazer um sinal para o segurança que nos acompanhava. É claro que não ficaria sozinha. — Te amo. — Artur sorriu e entrou no restaurante.

Dez minutos depois entrei acompanhada por Jonathan. Todos os convidados já estavam acomodados em seus lugares e entretidos demais para prestarem atenção na minha presença. Apenas um olhar se fixou em minha direção, nervoso por minha demora. Sorri andando até ele. Como eu já conhecia meu Senador.

— Já estou aqui. — Sorri discretamente tocando sua mão.
— Já estava a ponto de ir buscá-la. — Sempre nervoso.
— Impaciente. — Ele sorriu aproximando nossos corpos.
— Linda — sussurrou em meu ouvido. — Venha, quero te apresentar nosso maior correligionário do Texas.
— Ok!

Seguimos até uma roda de homens conversando animadamente, mas quando Artur se aproximou todos abriram seus maiores sorrisos, e ali eu vi pessoas que estavam ao lado dele.

— Boa noite, futuro Senador! — Um dos homens disse nos fazendo sorrir.
— Boa noite, Coronel Anderson! Gostaria de lhes apresentar,

Linda Stevens. — Todos sorriram em minha direção. Com certeza, corei violentamente.

— Ora! Ora! Estamos falando com a jornalista política do *New York Times*. — Eu me surpreendi, pois não imaginava ser tão conhecida.

— A melhor jornalista, Coronel. — Vi o orgulho nos olhos de Artur e isso me inflou ainda mais.

— E o que podemos falar dessa eleição, cara jornalista? — outro correligionário perguntou diretamente a mim.

— Que estamos no caminho certo. Principalmente com a honestidade e o apoio da população cansada de muito falatório, e pouca resolução.

Todos admiraram minha destreza, e a conversa se tornou agradável ao lado de todos que era apresentada. Falando também da nossa exclusiva, que o havia elevado nas pesquisas.

Depois do jantar, não saindo do lado de Artur um minuto sequer, fui apresentada por Ethan a um casal que trabalhava na Scotts, na área de relações públicas, enquanto meu namorado atendia algumas pessoas ao lado.

— Então, a famosa jornalista Linda Stevens está hoje nos dando à honra de sua presença. — Senti uma pontada de ironia, e sarcasmo nas palavras de Raquel.

— Estamos todos trabalhando arduamente para a campanha de Artur — Ethan foi rápido em sua resposta, usando da mesma ironia.

— Teremos mais uma exclusiva, McCartney? — Essa ruiva estava me causado arrepios com a forma que me olhava.

— Como da primeira vez, minha equipe saberá coordenar muito bem todos os passos da minha campanha, Raquel. — Artur chegou com raiva nos olhos, e isso me assustou, por nunca tê-lo visto assim. — Vamos, Linda. Temos algumas pessoas ainda para conhecer. Venha também, McCartney, precisamos conversar sobre o discurso de amanhã.

— Se vocês me dão licença — falei pela primeira vez já sendo puxada por Artur pela cintura. — O que aconteceu ali? Pelo jeito você não se sente bem com esse casal. — Artur parou em minha frente, e fez com que eu olhasse dentro de seus olhos.

— Fique longe deles, Linda Marilyn. Ryan e Raquel só estão na

Scotts ainda, por serem de confiança do Governador. Por favor, estou te pedindo. — Eu via como ele falava sério, então resolvi acatar sua decisão, e por enquanto não me aprofundar no assunto.

— Tudo bem. — Sorri vendo-o relaxar e me apertar em seu corpo. — Será que podemos subir? — Passei o nariz no seu pescoço, o arrepiando.

— Com certeza, esse jantar já terminou para nós. Temos algo bem mais produtivo para fazer na nossa suíte.

— Concordo, Futuro Senador. — Sorrimos como duas crianças travessas e saímos à francesa.

Nós nos amamos o resto daquela noite inteira. E sentindo cada poro de Artur gritando por mim, fiz com aquele incidente do jantar fosse inteiramente esquecido.

Eu estava feliz. Porém no dia seguinte, durante o café da manhã, Ethan nos interrompeu, entrando nervoso no restaurante.

— O que aconteceu, McCartney? — Artur enrijeceu seu corpo, fazendo-me tencionar também.

— A imprensa...

— O que tem que tem a imprensa?

— Deixe o Ethan falar, amor. — Segurei sua mão, tentando acalmá-lo.

— Connie Watson está em Austin. E digamos que a mídia já os assimilou novamente. — Isso estava com cheiro de armação.

— Como? Quem está em Austin, Ethan?

— A loira que intitularam como sua namorada, na sua coletiva — disse calma, porém senti as narinas de Artur inflar.

— Eles não podem manipular as informações desse jeito — Artur estava irritado —, vamos assumir. — Ele olhou intensamente para mim.

— Não, amor. — Os dois homens a minha frente se assustaram com minha decisão. — Não vamos nos tornar reféns dessa mídia, Artur. É isso que eles querem. Vamos assumir sim, mas em sua festa da vitória, como programamos desde o início. Não dando ênfase ao nosso romance no meio da sua campanha. — Apertei sua mão.

— Não quero ter problemas novamente com isso. Linda, essa mulher nos fez brigar, mesmo sem eu ter trocado uma palavra com ela. — Ele acariciou minha mão debaixo da dele.

— Sou eu que estou aqui, amor. Eu que fui raptada por esse grandão aí. — Apontei para Ethan, que riu.

— Linda tem razão, Artur. Você nunca se importou com o que diziam a seu respeito, sempre focado em sua carreira. Continuaremos assim até a vitória.

— Mas agora não estou sozinho, Ethan — Artur disse cansado.

— Estou aqui com você, não estou? E no momento isso é o certo a fazer. Deixe o povo falar, pois sou eu aqui tomando café com meu *tipo namorado*.

Ele sorriu, decidindo acatar nossa decisão, minha e de Ethan.

E como havíamos combinado no carro, antes de embarcarmos para Austin, nós dois, conseguimos contornar o tão temido Artur Scott.

Porém, isso ainda seria algo que eu investigaria. Nada me tirava da cabeça que havia armação de alguém por trás dessa loira, e alguém muito próximo. Mas deixaria para pensar nisso depois das eleições. Nesse momento apoiaria meu amor em todos seus compromissos, e estaria ao seu lado sempre.

Pois era isso que importaria no momento.

Sua eleição ao Senado.

Capítulo 24

Linda

— Pare de me olhar como se eu não fosse mais voltar, por favor — disse indo em sua direção, esticando os pés para beijar seu queixo.
— Você não poderia ir agora?
— Amor, são apenas três dias, e preciso votar, esqueceu? — Artur me abraçou cheirando meus cabelos.
— Vou sentir sua falta, princesa. Não consigo mais sem você. — Sorri do seu exagero.
— Amor, olha pra mim. — Eu nos empurrei para a cama do quarto, — Não vejo meus pais a mais de três meses. Dona Ruth já está berrando comigo ao telefone, você mesmo já presenciou isso,

e o Chefe Stevens, bom a essa altura do campeonato está querendo te capar. — Sorri da sua careta engraçada.
— Promete estar aqui no domingo à noite?
— Prometo estar ao seu lado quando for anunciada sua vitória. — Nos beijamos apaixonados, mas cedo demais Artur levantou. — O quê? Eu quero mais. — Ele sorriu com o celular na mão.
— Vou providenciar o jatinho.
— Já disse que não precisa, amor. — Corri até ele pegando sua mão com o celular.
— Mas é da sua segurança que estamos falando, Linda — ele falou seco.
— Eu ainda não sou ninguém, Futuro Senador. Eles até amenizaram as fotos do meu dia-a-dia. — Artur já se derretia quando eu o chamava de Senador. Imagine na primeira vez de verdade...
Mas eu estava certa. Nas primeiras semanas fui fotografada durante todos os dias, em uma busca incessante de notícias sobre nosso relacionamento. Porém, minha vida normal não era algo a ser vendido com facilidade, principalmente com Artur viajando o tempo inteiro em campanha. E o interesse foi perdido logo na primeira semana.
De casa para o trabalho, e do trabalho para casa, não vendia revista.
— Nunca mais fale isso, Linda Marilyn! Olha para mim. — Ele ergueu meu queixo. — Você é minha vida e não vou aceitar que vá para Washington em um voo comercial, e muito menos sem seguranças. — Respirei fundo, o fazendo me abraçar e beijar meus cabelos. — Você me entende?
— Eu entendo. — Eu me rendi, sendo sincera.
— Então você não vai me desobedecer?
— Não. Eu não vou.
— Ótimo! — Ele sorriu e ergueu meu queixo novamente, beijando-me.
Estávamos a quatro dias das eleições americanas e Artur estava uma pilha. Não dormia direito, e acordava mais cedo que o de costume, já correndo até eu o parar naquela bendita esteira.
Nosso namoro completava três meses, e não poderíamos estar

melhor. Depois do pedido, naquele jantar na cobertura, não tivemos mais nenhum tipo de problema, que poderia nos causasse uma briga mais séria.

No jornal também, depois daquele primeiro choque da foto do bar, não houve mais burburinhos e muito menos perguntas estúpidas sobre nossa relação. Fomos fotografados juntos novamente apenas no final de semana que passei com ele no Texas. Victor não tocou no assunto em todas as reuniões que tivemos. O que achei muito bom, pois meu namoro, ou minha vida pessoal não eram do seu interesse.

Artur passou a maior parte desse tempo viajando em campanha, me deixando tempo também para cuidar das coisas do meu apartamento. Dar mais atenção a Mary, a meus pais e ao trabalho. Pois, quando um certo candidato ao Senado, estava comigo, minha atenção era requerida por ele vinte quatro horas. Ora, pra falar sobre o último discurso. Ora, para um carinho no *homem de ferro* mais carente que já havia visto. Ora, para namorar. E isso nos demandava bastante tempo.

Saímos pra jantar algumas vezes com Mary e Jared. E ali conheci mais um pouco de meu Artur humano, amigo, leve. Com Ethan também era assim. Quando nós o encontrávamos era sempre uma brincadeira. Ele havia me aceitado como namorada de Artur. E depois de um tempo, conversando a noite na biblioteca, que havia se tornado o meu lugar favorito também, Artur me disse que Ethan tinha medo de quem se envolvesse com ele. Proteção além do profissional, proteção de melhor amigo. Mas quando me conheceu de verdade tudo isso foi para o espaço, e nos tornamos amigos, deixando meu poderoso *homem de ferro* louco de ciúmes.

Essa era uma parte bem interessante também do meu "tipo namorado". Artur era extremamente ciumento, mesmo com toda a sua prepotência e autoritarismo. Mas como esse sentimento também me acompanhava, não podia dizer nada, a não ser que eu o entendia.

Almoçávamos praticamente todos os domingos com Emma e George, o que deixava sua mãe nas nuvens, me agradecendo todos os dias pelas mudanças do filho.

O circuito político estava pegando fogo, Artur se mantinha firme e sensato na briga com Dylan Parker, mas a recíproca não era verdadeira. O que me fazia pensar diariamente em como um ser humano conseguia ser tão sujo, para chegar ao topo? Mas mesmo indiretamente, em meus artigos diários, eu dava minhas cutucadas. Pois, acima de tudo, era o comando do meu país que estava em jogo e não poderia deixar de dar minhas opiniões.

Contei para meus pais sobre nosso namoro, e dona Ruth deu gritos ensurdecedores no meu ouvido. Sal, mais centrado sempre, me perguntava se eu estava bem e feliz. Acho que minha voz apaixonada dizia tudo, não é?

Minha mãe e Mary sempre foram minhas melhores amigas, então sabiam desde o principio, do meu amor platônico por Artur Sebastian Scott. Ruth suspirava sempre que eu contava algo novo que acontecia em nossas vidas, dizendo que meu sonho de princesa estava sendo realizado. Palavras da Mary também, desde o primeiro dia, quando me disse que a plebeia adentraria os castelos dos Scott, sim.

— Me ligue assim que pousar. — Sorri ainda abraçada com ele na porta do elevador.

— Amor, você vai monitorar o radar do jatinho, tenho certeza disso. — Artur riu em meus cabelos. — Mas eu ligo assim que pousar em Washington, em hipótese nenhuma quero que use o rastreador — disse fazendo uma falsa careta.

— É serio, Linda, não me faça usá-lo. — Tão mandão.

— Não vou fazer. Agora me deixe ir, o piloto já esta me esperando.

— Não quer mesmo que eu te leve? — Ele ainda estava agarrado em mim.

— Não, você tem uma reunião agora pela manhã com os meninos, esqueceu? — Artur sempre sorria encantado quando eu mostrava que sabia sobre sua agenda de cor e salteado.

— Tudo bem, Jonathan. Leve as malas da Senhorita Stevens, e só a deixe quando estiver segurança ao lado do Chefe Stevens. — Revirei os olhos.

— Está embarcando uma criança por acaso?

— Não, Linda Marilyn, uma criança não, mas o bem mais precioso de minha vida. — Sorri aproximando nossos rostos e o beijando apaixonadamente.

Ok! Depois dessa me derreti, e não me importaria de viver com três seguranças colados no meu pé vinte quatros horas por dia.

Jonathan tinha ordens de embarcar comigo para Washington, e só voltar à Nova Iorque quando estivesse protegida por meu pai. Isso é claro, dando graças a Deus de ser filha do mais respeitado Chefe do Pentágono, senão teria que ficar com Jonathan o fim de semana inteiro.

Essa era minha rotina desde que começamos a namorar, porém como já disse não tinha do que reclamar.

— Te amo mais que tudo, e calma. Vai dar tudo certo, ok — falei ainda com nossas testas ainda coladas.

— Se cuida, por favor.

Despedir-me dele era uma tarefa quase impossível, porém precisava embarcar.

Separamo-nos e fui escoltada por Jonathan até o aeroporto. Entramos por uma área privada, indo direto para a pista. Antes de desligar o celular mandei a última mensagem.

De: Sua "tipo" namorada.
Para: O namorado mais lindo e preocupado desse mundo
Eu estou prestes a decolar, porém cuide do meu coração, ele também fica com você quando estamos separados.
Beijos!
O amo mais que tudo.
Linda

Desliguei o celular acomodando-me em minha poltrona confortável, com o piloto ligando os motores, dando a checada geral e decolamos.

Perdida nas minhas leituras sobre a eleição, não vi à hora passar, e em pouco menos de cinquenta minutos estávamos desembarcamos em Washington.

Jonathan me ajudou com as malas, e antes de atravessar os portões liguei o celular vendo uma mensagem de Artur piscando. Abri a página, sorrindo.

De: Namorado psíquico (foi assim que você me chamou um dia)
Para: Namorada mais linda.
Já estou com saudades.
Beijos!
Obs.: Não me faça ter que usar o rastreador. Entendeu, Linda Marilyn?
Seu Artur Sebastian

Mandão como sempre. Digitei logo a mensagem da minha chegada.

De: Namorada já com saudades
Para: Sim, namorado psíquico, mas que eu amo.
Acabei de aterrissar.
Vou curtir meus pais um pouco, nos falamos mais tarde.
Amo você!
Beijos,
Sua Linda Marilyn

Enviei, fechando o celular. E quando as portas foram abertas senti-me em casa novamente. Meus pais estavam ali, me esperando de braços abertos, e com os sorrisos mais lindos nos rostos. Naquele momento eu vi como Ruth e Sal me faziam falta.

— Meu bebê! — Ruth veio correndo me abraçar. — Você está tão... — ela me girava —, iluminada, filha.

— Ai que saudade, mãe! — Eu a abraçava ainda mais, sentindo aquele cheiro de lar. — Pai — estendi o braço, que logo foi pego por meu chefe de segurança favorito —, senti tanto a falta de vocês.

— Oh, minha garota. Nós também. Como você está?

— Estou ótima! — Olhei para Jonathan, me despedindo. — Acho que estou entregue, não é? — Sorri para ele recebendo, o que era raro no chefe de segurança e motorista do meu *homem de ferro*, que era a retribuição de um sorriso.

— Às suas ordens, Senhorita Stevens.

— Faça boa viagem, Jonathan.

— Obrigado, Chefe Stevens. — Eles se cumprimentaram e Jonathan se foi.

— Que história é essa de entregue, querida? — minha mãe perguntou curiosa, enquanto andávamos em direção à saída do aeroporto, com meu pai logo atrás, trazendo minhas malas.

— Artur deu ordens expressas para que Jonathan me deixasse sob os cuidados do papai. — Revirei os olhos, vendo minha mãe suspirar. — E se o papai não fosse o tão famoso e eficaz Chefe do Pentágono, com certeza à uma hora dessas estaria com pelo menos dois seguranças em minha cola.

— Ele pensa em sua proteção, minha filha. — Ela me abraçava já apaixonada pelo futuro genro.

— Artur é uma das pessoas mais íntegras que já conheci. Ele e sua família. — Pronto, com o aval do chefe Stevens, Artur já estava em casa. — Mas ainda espero o pedido formal. — Eu ri e minha mãe bateu no seu braço,

— Você está ficando velho.

— Quero apenas as coisas certas para a nossa única filha. — Sorri da briga dos dois.

— Eu senti tanta falta de vocês.

— E nós de você, bebê. Não fique muito tempo sem nos visitar, por favor.

— Pode deixar.

Papai nos deixou em casa e teve que voltar para o Pentágono, tinha que resolver algumas pendências, que nunca terminavam segundo Ruth. Sorri mais uma vez, vendo que nada havia mudado, nem os motivos das brigas dos dois.

— Agora nós vamos conversar. — Ela subiu comigo para meu antigo quarto, depois de ter conversado com Thelma, a diarista que ajudava mamãe durante alguns dias da semana, há anos, sobre o jantar.

— O que a senhora quer saber que ainda não me perguntou, hein? — Sorrimos juntas, jogando-nos na cama.

— Bebê, ele é o seu *homem de ferro*. O homem de todos os seus sonhos. Diga-me, mudou algo em relação ao que pensava sobre Artur?

— Nada — pausei —, quer dizer. Mãe ele é muito melhor. Eu tinha medo de chegar perto dele. O imaginava frio, autoritário, prepotente. — Sorri. — Ele é tudo isso e muito mais, porém comigo, mãe, Artur é esse cara que manda seu segurança particular me trazer pessoalmente para cá. É o cara que ficou bicudo enquanto eu fazia as malas. O cara que me enche de carinho e beijos, e que me manda mensagens assim. — Mostrei o celular particular para ela.

— Ele te ama, meu amor — suspirei.
— Ele não se declarou com todas as palavras ainda, mas...
— Você tem alguma dúvida?
— Não, quer dizer, ai — suspirei mais uma vez. — Mãe ele é o sonho da uma vida inteira. Foi difícil colocar Artur no patamar da minha realidade. Porque acima de tudo, ele é um ser humano, que erra, mas que principalmente tem sentimentos. E os dele — pausei lembrando-me da intensidade da nossa relação —, são completamente intensos.

— Amor, vocês não acham que estão indo rápido demais? — ela acariciou meu rosto. — Eu não quero me meter, mas vocês já estão praticamente casados.

— Não daria pra ser diferente, não com ele. — Ela sorriu. — No começo eu tentei, mas...

— Você está feliz, eu vejo isso em seus olhos. — Ela estava certa. — O nosso *homem de ferro* te faz feliz, é isso que me importa. — Mamãe me abraçou. — Esses olhos brilhantes e apaixonados que me importam. Mas agora, me conte dos Scott... Oh, meu Deus! Vou conhecer Emma Scott. — Minha mãe tinha verdadeira adoração por Emma.

— Eles são maravilhosos, e Emma... Ela é encantadora.

A conversa se tornou divertida, quando contei detalhes da casa dos Scott, de George e principalmente de Emma. Depois de muito papo Ruth desceu para ajudar Thelma a organizar o jantar, e aproveitei para matar um pouco a saudades do meu amor. Ajeitei-me na cama, apertando a discagem direta.

— Olá, Linda Marilyn! — Com apenas três palavras esse homem tinha o poder de me arrepiar. Sorri, pois conhecendo um pouco Artur, sabia que estava querendo me provocar.

— Ocupado?
— Para você nunca. Como foi a viagem?
— Ótima! Li todas as matérias que levei sobre a eleição. — Artur

sorriu, pois não sabíamos quem estava mais atento a tudo, eu ou ele? — E você está em casa? — Precisava me certificar, é claro. Mesmo que o celular não tivesse câmera... — *"Mas tinha rastreador".*

— Por que quer usar o rastreador, Linda? — bufei o fazendo rir. — Já estou sentindo sua falta.

— Eu também, amor — eu me derreti.

— Mas não respondeu, por que quer usar o rastreador. Está pensando em me rastrear, Senhorita Stevens? — ele perguntou irônico. — Não basta saber que estou em casa, sentindo sua falta?

— Basta — respondi simplesmente.

— Então...

— Ai, amor, eu não quero brigar. — Ele sorriu.

— Muito menos eu. E sim, estou em casa — respondeu minha pergunta. — Ethan e Jared acabaram de sair daqui. Como estão seus pais?

— Loucos para te conhecer. — Ele sorriu mais uma vez.

— Isso não vai demorar a acontecer, pode ter certeza, princesa. — O que era isso, uma promessa?

— Está tudo calmo por aí? Não tive tempo de abrir nada desde a hora que cheguei.

— Descanse, amor. E não se preocupe. Aqui está tudo calmo, nossa eleição já está ganha. — Sorri de sua autoconfiança.

— Disso eu sei, Futuro Senador. — Ele gemeu do outro lado da linha fazendo-me morder os lábios.

— Não me provoque, pois você não sabe do que sou capaz.

— Eu sei sim, e já estou morrendo de saudades, meu Senador. — Queria deixá-lo a ponto de bala.

— Você realmente sabe liberar a devassa quando quer, não é? — Gargalhei diabolicamente. — Eu criei um mostro.

— Mais que você ama. — Sorri maliciosa.

— Você sabe que sim.

— Linda, o jantar está servido, filha! — Ruth gritou do andar de baixo.

— Já vou, mãe. Eu preciso ir — falei manhosa.

— Nos falamos mais tarde, se cuida.

— Você também, e coma alguma coisa. — Ele sorriu da minha

preocupação.

— Miranda já cuidou disso, Senhorita Stevens.

— Que bom. — Artur nervoso não comia direito, e descontava todo seu nervoso correndo, como um louco, naquela esteira. E se não fosse Miranda, Emma e agora eu, não sabia o que seria dele. — Vou descer, te ligo antes de dormir.

— Ficarei esperando ao piano, ele me lembra você. — Sorri apaixonada. — Se distraia e curta seus pais, eles merecem.

— Pode deixar. Beijos.

— Beijos, princesa. — Desligamos juntos e suspirei apaixonada. Quando levantei, vi Sal parado na porta com as mãos em rendição.

— Eu não ouvi a conversa de vocês, cheguei agora. — Sorri indo abraçar meu pai. — Ele te faz feliz não é, Linda?

— Muito pai.

— Você sabe que a vida pública não é fácil. Está mesmo disposta a enfrentar isso, filha?

— Com Artur ao meu lado eu enfrento qualquer coisa, pai — sorri o abraçando, e descemos juntos para a cozinha.

Nosso jantar foi muito tranquilo e bem familiar. Nossa! Só estando perto deles é que percebia como me fazia falta. Era como recarregar as baterias. Na verdade, era isso mesmo que estava fazendo naquele final de semana.

Pois, a partir dos próximos dias, minha vida mudaria bruscamente. E eu não seria apenas a colunista do *New York Times*. Seria sim reconhecida mundialmente como a namorada, do mais famoso político e bilionário, Senador Artur Scott...

Porém estava preparada. Ao seu lado enfrentaria tudo e todos.

Naquela noite demorei a dormir por não ter seu corpo ao meu lado. Nos falamos ainda duas vezes, pela mesma dificuldade encontrada em certa biblioteca, situada nos arranha céus de Nova Iorque. Mas depois de um tempo fomos vencidos pelo cansaço, e dormimos praticamente ao mesmo tempo.

O dia seguinte também foi repleto por um programa gostoso em família.

Sai logo cedo com minha mãe para fazermos algumas compras, e passear um pouco no shopping. Com ela brincando, o tempo todo, que eu teria que aproveitar meus últimos momentos do anonimato, pois logo seria a primeira dama mais linda, que já viram.

Cheguei em casa no final da tarde, e percebi que havia falado com Artur apenas pela manhã, quando o avisei que passaria o dia fora com minha mãe. Tentei falar com ele pelo nosso celular, mas nada. Seu particular também não atendia. O profissional, caixa postal. Liguei para o triplex, e Miranda disse que ele ainda não havia voltado do escritório.

Comecei a ficar nervosa, e andar de um lado para o outro do meu quarto. Onde será que ele tinha se metido?

Resolvi tomar um banho, pois o jantar já estava para ser servido e não queria preocupar meus pais. Entreguei naquele chuveiro todas as minhas preocupações, saindo de lá um tempo depois, vestindo uma roupa confortável.

E quando terminava de pentear meu cabelo molhado, minha mãe gritou.

— Linda, o jantar está servido. E temos visita, filha. — Quem será que tinha vindo para o jantar?

Desci a escada devagar e desanimada, começando a ficar preocupada. Mas a visão que tive na sala, sentado ao lado do meu pai, me fez sorrir feito uma boba apaixonada.

— Quase me fez usar o rastreador hoje. — Artur sorriu torto, se levantando e vindo ao meu encontro.

E naquele momento meu coração voltou a seu lugar certo.

Capítulo 25

Artur

— Emitiremos a pesquisa para o comitê ainda hoje. Nessa última, realizada ontem, a eleição mais uma vez está ganha, Artur... Artur?

— O que você disse, Ethan? — Ele estava rindo da minha cara, ou era impressão minha?

— Posso te dar um conselho, amigo?

— Se conselho fosse bom a gente vendia e não daria, Ethan. Mas... — Ele gargalhou e pedi, fazendo um gesto com as mãos, que continuasse.

— Vai para Washington. — Eu o olhei interrogativo. — É isso mesmo. Aqui está tudo tranquilo, você não tem mais nada para fazer, a não ser esperar. Então, vá atrás da sua mulher.

— Ethan tem razão, Artur. Vá encontrar Linda e relaxe um pouco antes da apuração, mas volte a tempo de votar.

— Vocês estão me mandando embora, Jared? — Sorri deixando os dois com cara de tacho. — Estou parecendo um homem desesperado?

— Artur... Quer dizer. — Revirei os olhos, me entregando.

— Eu sou um homem desesperado. Mas se isso sair daqui, os dois estarão no olho da rua. — Eles gargalharam vindo me abraçar. — Não é para tanto, — Sorri. — Mas vocês tem razão. Não tenho mais nada pra fazer aqui, então vou resolver outra pendência, antes que nosso namoro se torne oficial.

— Outra pendência?

— Sim, Ethan. Pedirei a mão de Linda Marilyn oficialmente ao Chefe Stevens. — Ele sorriu e voltou a me abraçar.

— Amigo, essa mulher foi feita pra você, tenho que dar minha mão a palmatória. Linda é bonita, inteligente...

— Pode parar. — Eu o cortei irritado. — Ela é tudo isso, porém apenas eu posso dizer em voz alta.

— Ok, Futuro Senador! Então vá atrás da sua primeira dama, porque um dia longe dela já o tornou mais insuportável ainda, se isso for capaz, — o fuzilei com o olhar, enquanto Jared se contorcia de tanto rir.

— Preparem tudo, embarcarei ainda hoje.

Eu estava absurdamente estressado nesses últimos dias por conta das eleições, e ficar sem Linda só veio agravar ainda mais o meu estado. Ela embarcou no dia anterior para Washington, e desde então minha vida se remeteu a um jantar forçado por Miranda. Aguentar as brincadeiras de Ethan e Jared, que por conta da intimidade que Linda Marilyn lhes deu, se sentiam no direito de dar palpite na minha vida. Falar com ela ao telefone ou por mensagens, através do nosso telefone particular, e tocar piano.

Tranquei-me na biblioteca na noite anterior, e acabei adormecendo por lá mesmo, sendo acordado por Miranda preocupada. Aquela suíte não tinha o mesmo brilho sem ela, e mesmo sabendo que estávamos indo rápido demais, não podia deixar de pensar que conosco não poderia ser diferente.

Nossa relação sempre foi muito intensa para termos que cumprir protocolos, ou passarmos por todas as etapas normais.

Linda era minha e a queria aqui, ao meu lado.

E por isso acatei a proposta de Ethan, pois além de buscar minha mulher, eu já acertaria nossa situação para com seus pais.

Pedi que Miranda arrumasse minhas malas, fazendo com que seu sorriso crescesse ainda mais. Linda tinha algum tipo de feitiço só podia ser, pois todos que a conheciam se rendiam aos seus encantos. Foi assim comigo, Emma, Miranda, Jared, e até os durões, o Governador George Scott e Ethan McCartney.

No final da tarde estava decolando de Nova Iorque com destino a Washington, ao lado de Jonathan e Tim.

Chegamos à capital americana no começo da noite, e segui diretamente para a casa dos Stevens.

Pedi — revirei os olhos lembrando os seus sermões sobre o assunto — para Jonathan e Tim irem direto para o palácio, enquanto eu me dirigiria até a casa de seus pais com o *Aston,* um dos carros que tínhamos em Washington.

Não precisaria de seguranças para pedir a mão da minha namorada para o Chefe de Segurança do Pentágono, precisaria?

Chegando a frente da casa, percebi que Linda havia tido berço. Não era uma casa ostensiva, porém não deixava de ser uma bela casa de classe média alta.

Apertei a campainha sendo recepcionado por Ruth. Já havia visto algumas fotos dela com Linda, e nunca esqueceria o rosto da minha futura sogra.

— Deputado... — Ela estava de boca aberta, o que me fez sorrir.

— Senhora Stevens. — Tentei tirá-la do transe. — Boa noite.

— Oh, meu Deus! Desculpe-me, querido, mas eu... — Sorri por ver de quem Linda havia puxado seus trejeitos atrapalhados quando estava nervosa. — Vamos entrar — Ruth deu-me passagem e eu adentrei ao hall da casa. — Sal, por favor, querido, venha até a sala.

— Deputado Scott. — Chefe Stevens ficou tão assustado quanto sua esposa, assim que me viu na sua sala.

— Boa noite, Chefe! — Sorri lhe estendendo a mão.

— Boa noite, Deputado! — Cumprimentamo-nos. — Vamos nos sentar. Ruth, sirva alguma coisa para o Deputado.

— Chefe. Apenas, Artur. Não estamos no Pentágono, certo? — Ele esboçou um sorriso de leve.

— Ok! É o costume de dever e respeito aos meus superiores. —

Sorri mais uma vez para meu futuro sogro.

— Na verdade, aqui em sua casa, e principalmente estando com sua filha, quem lhe deve respeito sou eu, Chefe. — Ele confirmou.

— Vou chamar Linda, só um minuto.

— Senhora Stevens, por favor, só não diga que estou aqui, quero... — ela sorriu abertamente.

— Já entendi... E, apenas Ruth, Artur. Posso te chamar assim, não?

— Deve. — Serviu-me um copo de uísque e saiu em direção à escada — Chefe...

— Bom, se somos praticamente da família, apenas Sal. — Assenti.

— Estou aqui hoje para... —, mas naquele momento não vi mais nada. Minha garota. Sim, era assim que eu denominava Linda descendo aquelas escadas, trajando aquela roupa que me enlouqueceria mais tarde. Um short curtíssimo, com uma camiseta apenas.

— Quase me fez usar o rastreador hoje. — Sorri tortamente levantando-me, e involuntariamente indo a sua direção, como imãs.

— Você sabe que não seria preciso, não sabe? — Beijei de leve seus lábios, enlaçando sua cintura.

— Fiquei preocupada — ela disse manhosa fazendo-me sorrir.

— E eu senti sua falta.

— *Rum Rum* — Sal coçou a garganta tirando-nos da nossa bolha.

— Desculpem-me. — Virei nossos corpos em direção à sala.

— Então, como você ia dizendo, Artur — Linda sorriu da intimidade do seu pai —, você está em Washington, por que mesmo?

— Eu precisava resolver algumas pendências antes da eleição, Chefe. Quer dizer, Sal. — Linda olhou-me preocupada.

— Aconteceu alguma coisa, amor? — Sorri novamente, sentando-me ao seu lado no sofá. Enquanto Ruth fazia o mesmo, em nossa frente, ao lado de Sal.

— Não, princesa. Nada aconteceu. Apenas alguns procedimentos a serem cumpridos. — Ela ergueu as sobrancelhas.

— Artur...

— Como eu ia dizendo, Sal. Vim para Washington para pedir oficialmente a mão de Linda em namoro, pois a partir da semana que vem, nossa relação não será mais segredo para ninguém.

Então, antes disso, preciso da permissão de vocês dois. — Os olhos de Ruth continham o mesmo brilho do que os de Linda naquele momento. Porém, foi Sal que deu continuidade a nossa conversa.

— Não esperaria outra atitude do senhor, Deputado. Conheço sua família já há muito tempo, e fico feliz por Linda ter encontrado uma pessoa tão integra como você. Porém...

— Pai — Linda disse, fazendo-me conter o riso.

— Amor, é seu primeiro namorado. Deixe-os fazer as coisas certas. Por favor — Ruth dizia amorosa, deixando Linda envergonhada. Então eu também fui o primeiro a pisar na sua casa? Linda Marilyn, me fascinava a cada minuto.

— Prosseguindo, Artur. Linda é minha única filha. Espero que não precise intervir no caso dela sair machucada dessa história.

— Sal. Linda também é o meu bem mais precioso. — Olhei diretamente nos olhos dela, que nesse momento estavam lacrimejando. — Nada acontecerá com ela se eu estiver ao seu lado.

— Eu acho muito bom. — Sal levantou-se, estendendo sua mão para que eu a pegasse. — Estamos de acordo então, Scott. — Sorri também me levantando, e apertei a mão do meu futuro sogro.

— Com certeza, Chefe.

— Será que vocês podem parar de falar da minha vida como se eu fosse um objeto? — Linda fez um lindo bico.

— Filha, isso é apenas um acordo de cavalheiros — Sal concluiu voltando a seu lugar, o que me fez fazer o mesmo, a apertando em meus braços.

— Não faça esse bico e muito menos morda esses lábios na frente de seus pais. Não sei se consigo me controlar — sussurrei no seu ouvido. E devassamente ela mordeu aqueles lábios tentadores para me provocar. E ali descobri que a teria muito antes do que imaginei. Linda Marilyn seria meu fim.

— Vamos para a outra sala, o jantar será servido. — Ruth levantou-se, indo para a cozinha. — Artur, como eu não sabia que viria...

— Ruth, por favor. Quem deve desculpas sou eu. Deveria ter avisado.

— Claro que não, meu querido! Foi uma ótima surpresa. Porém, vai descobrir mais um dos segredos da sua namorada. — Ela sorriu, fazendo com que Linda a fuzilasse com o olhar.

— Eu adoro os segredos de Linda. — Instiguei minha futura sogra.

— Então, vai provar o prato preferido dos meus dois amores. — Ela olhou para a filha e o marido. — O famoso estrogonofe da Vovó Stevens. — Sorri do jeito animado de Ruth.

— Eu adoro estrogonofe. — Levantei-me ainda com Linda nos braços. — Está uma tentação com essa roupa — sussurrei novamente, apenas para ela ouvir —, espero que você não fosse sair assim. Certo?

— Certo, Senhor Scott. — Ela fingia estar brava, apenas para ficar mais sexy. — Vamos jantar antes que minha mãe me entregue completamente.

— Eu adoraria! — Dei-lhe um selinho e nos dirigimos até a sala de jantar.

Nosso jantar foi muito agradável, e ver a felicidade de Linda junto com seus pais, só me fez ter mais certeza que a ideia de Ethan havia sido a mais acertada.

Depois da sobremesa voltamos para a sala, onde conversamos sobre política e as eleições, com Ruth reclamando, e fazendo-nos rir ao se lembrar de dona Emma.

— Elas se darão muito bem. — Linda sussurrou no meu ouvido, como se adivinhasse meus pensamentos.

— Com certeza, princesa! — Sorrimos um para o outro dentro de nossa bolha particular.

— Sal, vamos deixar os dois mais a vontade. Já está na hora de subirmos, meu bem. — Ruth levantou, puxando-o pelas mãos. — E era engraçado ver o homem mais poderoso do Pentágono, sendo conduzido por uma mulher. Na verdade, esse deveria ser o dom das mulheres dessa família, pois Linda Marilyn também me tinha em suas mãos.

— Artur, foi um prazer tê-lo aqui esta noite, e não esperaria outra atitude vinda de você. — Sorri levantando e apertei sua mão.

— Obrigado pela confiança, Sal. E não pensaria em algo diferente, em relação a isso. Boa noite.

— Querido, durma aqui com Linda. — Ruth sempre animada deixou a mim, e principalmente Sal constrangido.

— Não será necessário, Ruth. Mesmo assim obrigado.

— Meu querido, você dorme com Linda há muitos anos naquele quarto, não seria a primeira vez. — Ela sorriu, e eu tive que olhar para o rosto da minha princesa, que naquele momento estava branco.

— MÃE — Ela gritou.

— Oh, meu Deus! — Ela colocou as mãos em seu rosto. — Ele não sabia, meu amor. Falei demais?

— Vamos subir, Ruth, antes que entregue nossa filha de bandeja ao Deputado. Filha, desculpe sua mãe. — Ela sacudiu a cabeça, envergonhada.

— Me desculpem! E boa noite, meus amores. — Ela saiu de cabeça baixa acompanhada por Sal.

— Você não vai esquecer, não é?

— Com certeza não. — Sorri a abraçando.

— Então vem comigo.

Subimos para o segundo andar e entramos em uma das portas do corredor.

Seu quarto era bem espaçoso e arejado, e ainda tinha trejeitos de menina. Pelo jeito não mexeram na decoração desde quando ela saiu de casa, com dezoito anos.

— Belo quarto! — Eu a abracei por trás, inalando o perfume dos seus cabelos.

— Senti sua falta. — Linda virou, enlaçando os braços no meu pescoço, fazendo charme. Sabia que estava querendo me distrair.

— Princesa, eu quero muito beijar você — lhe dei um selinho —, te jogar nessa cama. — Apalpei sua bunda gostosa fazendo-a gemer. — Porém, estou curioso. O que sua mãe quis dizer com... "Eu durmo com você há muito tempo?" — Ela bufou saindo dos meus braços e foi em direção a sua mesa de estudos.

— Você sempre foi a parte mais instigante da minha pesquisa, Artur. — Ela suspirou trazendo uma pasta, e entregando-me. — A parte mais envolvente, pela qual eu passava noites suspirando. — Abri a pasta e vi ali uma bibliografia completa, minha?

— Você quer dizer que sua pesquisa por minha família começou por minha causa?

— Mais ou menos. — Linda sentou ao meu lado olhando para as mãos, que não paravam de mexer. — Na verdade sempre gostei de política, e principalmente do jeito de governar da sua família, mas quando eu te conheci... — Sorri do seu jeito envergonhado.

— Você já era apaixonada por mim — eu estava afirmando aquilo.

— Agora você vai se sentir para o resto da vida — declarei, pegando-a no colo.

— Eu já me sinto, princesa — ela bateu em meu braço.

— Ai! Isso dói.

— É pra doer mesmo, estou morrendo de vergonha. — Ela escondeu a cabeça no meu peito.

— De mim, princesa? Sou eu, lembra? — Tentei erguer seu rosto.

— Mas isso era... quer dizer...

— Linda, você sempre me amou. Você se guardou para mim.

— Mesmo parecendo loucura, você sempre fez parte de todos os meus pensamentos, Artur. Não conseguiria me entregar a outra pessoa, que não fosse aquela que eu estivesse perdidamente apaixonada, desde os doze anos. Você sempre fez parte da minha vida, dos meus sonhos — ela olhou para o quarto —, você sempre dormiu ao meu lado aqui.

— Isso é. — Sorri deixando-a de frente para mim, pois precisava ver seu rosto. — Eu te amo, princesa. — Essa era a maior verdade de toda a minha vida.

— Oi?

— O quê? — perguntei confuso.

— Repete o que você disse. — Sorri e beijei a ponta do seu nariz.

— Eu te amo, Linda Marilyn. — Ela entrelaçou as pernas na minha cintura, ficando ainda mais grudada a mim.

— Você nunca me disse... Quer dizer...

— Eu precisava dizer em palavras? Os gestos não foram suficientes? Eu sempre te mostrei o meu amor, desde o primeiro dia. — Ela se escondeu novamente.

— Uma mulher sempre precisa de palavras, e gestos. — Ela sorriu, beijando meu peito.

— Tudo bem, Senhorita Stevens. Se é de palavras que precisa, vamos a elas. — Peguei seu rosto entre minhas mãos. — Eu estou muito feliz de poder ter realizado seu sonho de adolescência, e ter deixado seu amor platônico se tornar real, mesmo sem saber. — Ela gemeu, frustrada. — Princesa, não precisa ter vergonha. Isso —

apontei para a pasta —, é a coisa mais linda que eu poderia ficar sabendo de você.

Linda respirou fundo e mais uma vez peguei seu rosto.

— Eu te amo mais que a mim mesmo. Eu a quero ao meu lado. Sinto sua falta, a ponto de vir te buscar através de uma ordem do Ethan. — Ela gargalhou. — Você faz coisas comigo, que nunca imaginei que alguém pudesse fazer.

— Obrigada por me deixar entrar na sua vida! — Eu via o brilho daquelas palavras nos seus olhos. — Não foi proposital, em nenhum momento... Na verdade nunca imaginei nada parecido

— Eu nunca pensaria isso de você. Eu te conheço, acima de tudo. Você é muito verdadeira, Linda.

— Obrigada!

— Obrigado a você, por ter entrado na minha vida. — Aproximei nossos rostos tomando sua boca com paixão.

A paixão de um amor avassalador, que tinha entrado na minha vida para me consumir. Linda teve o poder com apenas vinte e dois anos de tomar meu coração por inteiro.

De colocar-me aos seus pés.

De querê-la por perto vinte quatro horas por dia.

E, naquele momento, estava completamente entregue ao amor da minha vida, que rebolava e gemia como uma devassa no meu colo.

— Eu preciso que me mostre que não estou sonhando.

— Podemos resolver isso, princesa, mas não acha que existem muitas roupas entre nós?

— Acho, Senador — Gemi, apertando suas coxas.

— Quando eu ganhar essa eleição, a primeira coisa que quero fazer é te comer naquela biblioteca, com você gritando Senador aos quatro cantos do mundo. — Ela gemeu, se levantando.

— Eu faço. Porém, hoje vamos precisar ser silenciosos, amor. Não queremos que o Chefe Stevens descubra que você está comendo a garotinha dele, no quarto ao lado, não é? — A devassa piscou em cima da cama, mordendo os lábios.

— Não. Nós não queremos. Mas desde já deixo claro, a escandalosa aqui é você. — Ela gargalhou, rebolando aquela bunda, enquanto tirava seu short minúsculo.

— Eu quero você, amor. — Linda, manhosa desceu seu corpo devagar, enquanto eu, com muita pressa, livrava meu corpo da calça e da *boxer*. — Quero me encaixar em você. — Ela mordeu os lábios novamente.

— Pare de morder esses lábios, você me deixa alucinado. — Eu a sentei no meu colo, fazendo-a gemer.

— Então me coma logo, Artur Sebastian, e em silêncio. — Essa foi a deixa que precisava para nos levar conectados para o meio da cama, a invadindo com toda a força. — *Ah!*

— Eu disse que a escandalosa era você. — Mordi seu lábio inferior começando a estocar com força, enquanto ela rebolava em cima de mim. — Vem, gostosa. Quero sentir você me apertar.

— Eu vou. — Ela gemeu. E tirando o resto das nossas roupas, nos entregamos a uma dança inteiramente sensual.

Como eu sentia falta daquele corpo pequeno envolvendo o meu e de seus gemidos, que eram música para meus ouvidos.

Linda se ajeitou, colocando em prática mais uma vez, nossa posição preferida, com os pés plantados no colchão, porém com os corpos sentados.

Essa menina tinha o dom. Ela segurou no meu pescoço, apertando-me mais a ela. E subindo e descendo no meu pau, fez com que me perdesse naqueles seios empinados, na minha frente.

— Eu vou...

— Então vem, estou quase lá. — Não duramos mais um minuto, e tivemos um dos orgasmos mais fortes das nossas vidas.

— Dizem que o proibido é mais gostoso, não é? — Nos acomodamos deitados na sua cama, rindo da sua frase.

— Com certeza, princesa. — Ergui seu rosto até encontrar o meu, e lhe dei um selinho. — Te amo. — Ela me lançou seu sorriso mais lindo, e beijou meu peito.

— Eu também te amo, mais que tudo.

Entrelaçamo-nos e dormimos ali, sem banho. Apenas sentindo as reações do corpo um do outro.

Eu estava praticamente completo. Tinha a mulher da minha vida ao meu lado, agora oficialmente. E estava prestes a ocupar um dos maiores cargos na política.

Sim, eu poderia me considerar o homem mais feliz do mundo.

Capítulo 26

Artur

Faltavam apenas mais alguns minutos para eu ser eleito o Senador mais votado dos últimos tempos.

Voltamos de Washington no domingo pela manhã, logo depois de Linda votar, dando tempo assim de chegar e irmos direto ao local onde eu votaria. Ela preferiu ficar no carro esperando, enquanto eu cumpria meu dever.

Depois, fomos direto para o comitê do partido. Onde ficamos quase três dias enclausurados dentro de uma sala.

Linda não saiu do meu lado, causando curiosidade a todos que estavam ao nosso redor. Conversava muito com Ethan, Jared e meu pai, porém meu encantamento era sua ligação com Emma.

Eu, nesses três dias de apurações, não conseguia raciocinar

muito bem. Comia porque era me empurrado, dormia porque era obrigado por Linda a ir para casa pelo menos algumas horas por dia. Mas minha cabeça girava em torno dessa votação que parecia não ter fim. Muitos números, Dylan em meu encalce, problemas com urnas em alguns estados. Isso me tirava o sono e a fome, deixando-me ainda com mais gana de vencer.

Porém uma coisa me surpreendeu. Minha mulher, a que eu escolhi para estar ao meu lado, ali ficou. Sem ao menos pensar nela própria.

Linda estava trabalhando do comitê, mandando todo seu material por *e-mail* para o jornal e, acima de tudo, respeitava o momento silencioso em que me encontrava. Apenas ficando ao meu lado, apertando minha mão e sorrindo, mostrando-me sua força nata.

E faltando alguns minutos para acabar esse sofrimento, foi que consegui olhar em seus olhos e sorrir abertamente para ela.

— Obrigado! — Sussurrei no seu ouvido, lhe dando um selinho casto.

— Não tem que agradecer, amor — ela respondeu sorrindo lindamente.

— ACABOU! — Ethan gritou nos tirando da nossa bolha particular. — Parabéns, Senador! Você foi o político mais votado de todos os tempos.

A sala inteira gritou, relaxando a tensão de praticamente três dias seguidos. Mas eu só tinha olhos para uma pessoa, que naquele momento, batia palmas, emocionada.

Aproximei-me, pegando-a pela cintura e a beijei apaixonado.

Todos aplaudiram. Alguns surpresos, outros nem tanto, pois já desconfiavam de nossa relação.

— Parabéns, Senador! — Estávamos com nossas testas coladas, ainda sem fôlego.

— Você me deve uma noite na biblioteca. — Ela riu, mordendo os lábios, deixando-me duro apenas com aquele gesto.

— Eu nunca me esqueceria. E vai ser ainda hoje — ela sussurrou. — Estou indo para o triplex daqui a pouco.

— Eu não perco por esperar.

— Não vai perder, amor. — Sorrimos ainda abraçados.

— Parabéns, Scott! — Agora pelo Presidente do partido, que vinha me cumprimentar.

E isso aconteceu de um a um, enquanto Linda sorria do outro lado da sala com uma taça de champanhe nas mãos.

Depois de ser cumprimentado por todos do partido fui até ao seu lado, e a abraçando pela cintura, chamei a atenção de todos.

— Por favor, um minuto de suas atenções.

Todos se viraram em nossa direção e pude ver os olhares maléficos de Raquel e Ryan, porém não me importei. Na verdade, o que me importava naquele momento era o sorriso perfeito da minha mulher ao meu lado.

— Gostaria de dizer a todos vocês que a partir de hoje, eu e Linda Marilyn estamos assumindo nosso relacionamento publicamente. Ela terá livre acesso nas empresas, em Washington e principalmente na minha vida. Linda Marilyn a partir de agora faz parte da família Scott, e eu exijo o máximo de respeito. — Sorri beijando-a novamente.

— Você não precisava disso. — Ela corou.

— Você merece muito mais, minha linda Primeira Dama.

— Então, sua linda primeira dama está indo se preparar, pois ela ainda terá uma noite, quer dizer, uma madrugada para se produzir, caro Senador. — Sorri cheirando seu perfume gostoso, a vendo pontuar essa palavra que me enlouqueceria nos próximos anos.

— Te deixo ir por ser por uma ótima causa, tirando isso não sairia do meu lado hoje. — Eu a soltei.

— Eu sei, meu amor. Mas como você disse, será por um ótimo motivo. — A devassa piscou para mim.

— Tudo bem, nos vemos no triplex em...

— Uma hora e, por favor, nenhum minuto a mais, nem a menos. — Sorri da minha princesa mandona.

Essa mulher já havia me domado, e deixado em suas mãos.

Linda se despediu de Ethan, Jared e do meu pai. Já que dona Emma havia ido pra casa mais cedo. E foi cumprimentada animadamente por todos os presentes na sala, menos pelo casal de relações púbicas da Scotts, Raquel e Ryan, porém esses já estavam na minha lista negra.

Pedi para Jonathan a acompanhar até em casa e voltar para me buscar em uma hora, nem um minuto a mais, nem um minuto a menos. Como ela havia mandado.

Sorri e voltei para uma conversa animada junto com minha taça de champanhe. Pois naquele dia eu só tinha motivos para comemorar.

Linda

Eu estava completamente feliz, meu amor havia acabado de ganhar sua eleição, sendo o mais votado de todos os tempos. Eu ainda estava rindo como uma boba da felicidade estampada em seu rosto, depois da vitória.

Foram três dias completamente tensos, e foi ali, dentro daquele comitê que conheci de perto o político Artur Scott. Tenso e compenetrado, como um bom profissional deve ser. E foi ali também, ao seu lado, lhe entendendo e segurando sua mão que me tornei sua linda primeira dama.

Artur assumiu nossa relação para todo seu partido, e agora seria apenas uma questão de tempo para o mundo inteiro saber que o político mais famoso, rico e gostoso dos Estados Unidos, havia encontrado sua primeira dama, que modéstia parte era eu.

Fiz o caminho até o triplex, perdida nos meus pensamentos, e é claro, já organizando mentalmente a surpresa que esperaria Artur essa madrugada.

— Chegamos, Senhorita Stevens!
— Obrigada, Jonathan! — Agradeci assim que ele abriu a porta do carro para mim. — E, por favor. Traga seu chefe em uma hora, nenhum minuto a mais. — Ele assentiu e esboçou um sorriso entrando comigo no elevador.

— Ai, minha querida, que felicidade. Ele ganhou! — Miranda me recebeu de braços abertos no hall de entrada.

— Sim, Miranda. E Artur está radiante — disse, retribuindo seu abraço.

— E ele onde está, não veio com você?
— Pedi para ele ficar com o pessoal do partido, enquanto eu vinha pra casa e preparava nossa comemoração. — Pisquei para ela.

Miranda e eu já estávamos intimas, Ela era uma mãe para Artur e se tornou uma grande amiga e conselheira, assim como Emma.

— Quer ajuda querida? — Ela me olhou cúmplice.

— Não, Miranda. Vá descansar que já se passa das duas da manhã, eu mesma vou até a adega. Vou precisar apenas de uma garrafa de champanhe e duas taças. — Ela sorriu para mim.

— Tudo bem, mas qualquer coisa é só chamar.

— Pode deixar. E, Jonathan — chamei o motorista que estava na porta nos olhando —, uma hora, ok?

— Ok, Senhorita Stevens — ele assentiu sorrindo.

— Vou tomar meu banho. Boa noite, queridos.

Subi para nossa suíte já tirando minha roupa, e senti seu cheiro em cada ponto daquele lugar. Tomei um banho relaxante, vestindo a *lingerie* comprada especialmente para aquele dia, e fui para o terceiro andar. Não antes de passar na adega e pegar o champanhe mais especial da sua coleção, junto com duas taças.

Cheguei à biblioteca arrumando tudo, e o esperando sentada no piano, como Artur gostava.

Aquela noite seria dele. Eu me daria por completo para o amor da minha vida.

Eu daria a melhor noite de comemoração para o meu Senador.

Uma hora em ponto depois, escutei o elevador privativo chegar à cobertura e ir direto para o segundo andar, que dava aos quartos. Preparei-me, ficando de costas para a porta, e observando a madrugada calma de Manhattan.

Dez minutos depois senti seu cheiro de banho tomado e sorri. Meu homem estava ali, complemente gostoso, de cabelos molhados e cheirando sabonetes e minha loção predileta.

— Pontual. — Virei com o robe aberto, para que Artur pudesse ver a produção feita apenas para aquela noite da vitória.

— Porra! Se soubesse que teria essa recepção teria largado tudo e vindo com você. — Ele se aproximou com aquele sorriso safado, que me desconcentrava.

— E qual seria a graça sem a expectativa da surpresa. — Peguei nossas taças, mostrando o champanhe para ele. — Um brinde?

— Com certeza.

Artur pegou a garrafa com aquelas mãos e a abriu fazendo

aquele estrondo gostoso. Deixando que respingos chegassem a nossos corpos, praticamente colados.

— Um brinde ao político mais inteligente e especial de todos os tempos — eu disse assim que ele nos serviu.

— Um brinde a primeira dama mais linda e extraordinária que todo político gostaria de ter ao lado, porém que só um tem o privilegio — ele declarou e eu gargalhei entrelaçando nossos braços sem desconectar os olhos. — Eu.

— Eu te amo. Parabéns! Você mereceu cada voto.

— Obrigado por estar ao meu lado! Eu te amo muito, princesa.

Artur aproximou ainda mais nossos rostos e me beijou apaixonadamente, invadindo minha boca com sua língua, fazendo-nos gemer com o contato.

— Minha dama de vermelho. Você sabe que eu não resistiria a isso não é, Linda Marilyn? — Ele mordeu meu ombro, deixando com que a alça do espartilho vermelho escorregasse por meu braço.

— Eu sou sua, Senador. Faça o que quiser de mim — enfatizei novamente a palavra que o enlouqueceria nos próximos anos.

— Eu vou, Linda Marilyn. E você vai perder os sentidos. — Ele puxou meu corpo ao dele, virando-me de costas e colocando as taças em cima do piano. — Quero você naquela janela. — Fomos andando devagar até a vidraça, chegando ao ponto onde ele prometeu que me teria pela primeira vez, como Senador. — Agora quero ver você gritar, Linda Marilyn... Gritar para o mundo escutar a quem pertence. Você pertence a quem, meu amor? — Porra, ele estava sendo brutal, apertando minhas mãos para trás, e mordendo o lóbulo de minha orelha. E eu? Estava adorando tudo aquilo.

— A você — pausei devassamente —, caro Senador. — Ele urrou e puxou meu rosto beijando-me com fúria.

— A partir de agora você só refere-se a mim assim. Ok! — Artur apertou mais meu corpo ao dele, ainda com nossas bocas próximas, fazendo-me rir do seu estado.

— Eu farei o que o senhor quiser, meu Senador.

Ele beijou meu ombro descendo a outra alça do espartilho, tirando as fitas da parte frente agilmente. Eu apenas rebolava e gemia a cada toque das suas mãos, levando as minhas próprias a seus cabelos, o puxando com força, fazendo com que ele também gemesse de tesão.

Artur tirou o espartilho, beijando e mordendo cada parte exposta do meu corpo, ainda sem me virar de frente para ele. E a sensação de tê-lo me serpenteando com as mãos, e sua boca deliciosa, olhando para o horizonte de Nova Iorque, era indescritível.

— Eu te amo — ele sussurrou no meu ouvido, introduzindo dois dedos em mim, afastando minha calcinha. Enquanto a outra mão tomava conta do meu seio esquerdo.

Escutar Artur se declarar para mim em palavras, deixava-me ainda emocionada, mesmo me dizendo que sempre havia demonstrado seu amor, desde o primeiro dia. Mas ouvir aquilo da sua boca, logo depois de ser pedida em namoro oficialmente para meus pais, me fez derreter, ainda mais apaixonada. Se é que existia espaço para mais amor no meu coração.

Eu sempre sonhei com ele.

Foi sempre com Artur, que imaginei ser pedida em namoro ao Chefe Stevens.

Foi sempre com ele que me imaginei na cama, tendo os melhores orgasmos. Como o que estava quase tendo naquele momento.

— *Argh!* Você está me torturando, amor.

— Diz que me ama, preciso ouvir. — Sorri olhando para trás e vendo seus olhos cheios de tesão, enquanto estocava cada vez mais forte em mim.

— Eu amo você mais que a mim mesma, meu Senador. — Foi o que faltava para Artur abaixar sua calça de pijama e rasgar minha calcinha, invadindo-me sem pedir permissão. — *Ah!* Como eu amo. — Ele sorriu beijando meu pescoço e estocando forte. Eu segurava na vidraça, tendo meu corpo equilibrado apenas por suas mãos fortes em meu quadril.

— Isso, princesa, grita para o mundo saber a quem você pertence.

— A você, meu Senador, mais gostoso. — Levei uma das minhas mãos para suas bolas, que batiam em minha bunda a cada estocada.

— Você quer me matar, Linda Marilyn? — ele urrava, mordendo meu pescoço.

— Não. — Eu o massageie. — Quero ver você se derramar por inteiro dentro de mim.

— Você vai ser meu fim, Linda Marilyn Stevens — ele urrou.

— Não, meu amor. Eu vou ser sua linda primeira dama. — Ele riu, deixando a cabeça cair no meu ombro, no instante que se derramou inteiro dentro de mim. Fazendo-me vir com ele. — Eu te amo. — Subi minhas mãos acariciando as suas, que agora estavam no meu ventre.

— Eu também, princesa. — Artur saiu devagar de dentro de mim, e juntos gememos pela falta de contato. — Foi a melhor comemoração da minha vida.

Virei completamente nua para ele, mordendo os lábios devassadamente.

— Me agradeça quando acabar, Senador. Me leve para o piano, quero que me tenha ali. — Ele sorriu torto e fez o pedi, me amando deliciosa e demoradamente em cima daquele piano, até o dia clarear.

★★★

Acordei com o sol já a pino, percebendo que já estava sozinha. Também não era para menos, quando olhei no relógio do celular, pulei da cama, pois já que se passava do meio dia e naquele dia seria a festa de comemoração da vitória de Artur. Que havia sido há três dias.

Tirei a semana para trabalhar em casa. Queria me dedicar especialmente a meu amor, então o jornal poderia esperar. Minhas matérias estavam sendo entregues nos dias e horários certos, e apenas comparecia ao jornal se fosse algo de muita importância, como duas reuniões com Victor sobre a eleição.

Sentei-me espreguiçando, e sorri por me lembrar dos nossos últimos três dias.

Artur estava muito mais tranquilo, mas isso não queria dizer sossegado. Ele continuou sua rotina diária, levantando por volta das seis e meia da manhã para correr naquela bendita esteira, e se inteirar das noticias do dia. O que me rendia, é claro, aquela visão diária do seu corpo másculo e suado. Com certeza, eu não tinha do que reclamar, pois logo após me deliciar com sua visão esplendorosa, nossos banhos matinais eram os melhores.

Depois de irmos dormir praticamente às sete da manhã no dia da sua vitória, ainda tivemos pique, quer dizer, Artur me animou para um jantar na casa dos seus pais para comemorarmos sua vitória estrondosa. O que me deixou muito feliz, principalmente por George dizer que eu fazia parte inteiramente daquela decisão, por conta da exclusiva. Claro que me senti. Não era toda vez que você recebia um elogio do seu futuro sogro, sendo ele o temido Governador Scott.

Criei coragem para me levantar daquela cama que estava muito boa e me arrastei para o banheiro, sozinha. Detestava meus banhos matinais sem sua presença, mas como Artur já devia estar trancafiado naquele escritório com os meninos, era o que me restava fazer.

De banho tomado, coloquei um vestido leve indo até a sala encontrando Miranda, que arrumava um vaso de flores no aparador.

— Bom dia, minha querida! — Ela sorriu maternalmente.
— Boa tarde, não é, Miranda? — Revirei os olhos.
— Dormiu bem?
— Bem e demais. Onde está, Artur? — perguntei apenas por desencargo de consciência, pois sabia muito bem onde se encontrava meu homem naquele exato momento.
— No escritório com Ethan e Jared.
— Como se precisasse perguntar. — Rimos e ela continuou.
— Você o mudou um bocado. Artur só pensava em política, minha querida. E agora ele pensa em você sempre em primeiro lugar. — Sorri apaixonada. — Quer comer alguma coisa, tomar seu café da manhã?
— Vou falar com ele primeiro e depois vejo isso. Obrigada, Miranda. — Saí em direção ao escritório e antes de entrar bati na porta fechada. — Com licença, posso entrar? — Vi Artur abrir seu maior sorriso quando me viu, deixando os meninos a ponto de uma piada, porém meu *homem de ferro* não deixou por menos.
— Uma piada fora de hora e vocês nem começam meu mandato. — Eles riram e fecharam suas bocas em sinal de zíper. — Bom dia, dormiu bem?

— Como eu disse para Miranda, bem e demais, você deveria ter me acordado. — Aproximei-me da mesa lhe dando um selinho.
— Você estava dormindo muito bem, não quis atrapalhar. — Ouvi algumas tosses e sorri.
— Vamos esperar lá fora.
— Já deveriam ter ido, Ethan.
— Artur Sebastian — o repreendi. — Bom dia, meninos! — Eles responderam e saíram rindo.
— O quê? — Fez sua maior cara de inocente pegando-me pela cintura. — Acabei com você ontem, não foi?
— Olha, você tem o dom. — Enlacei seu pescoço, lhe fazendo um carinho gostoso.
— Tenho planos para você hoje. — Eu o olhei ressabiada. — Quero-a esplendidamente linda essa noite, e para isso reservei o melhor SPA de Nova Iorque para você.
— Oi?
— Vai ficar linda pra mim, princesa. Jonathan já está a sua espera no hall. Encontramo-nos no Hilton na hora da festa. — Fiz um biquinho.
— Eu só vou te ver na hora da festa?
— Sim. — bateu de leve na minha bunda. — Agora vá, quero você a mais linda primeira dama de todos os tempos. — Sorri o beijando apaixonada.
— Eu vou estar à altura do mais lindo e gostoso político de todos os tempos.
— Formamos um belo par então, não é, cara jornalista. — Rimos juntos.
— Com certeza. Amo você, Senador! — Eu me afastei.
— Linda Marilyn — ele me advertiu balançando a cabeça, pois aquela palavra saída da minha boca o deixava duro em qualquer lugar. — Também te amo, princesa, nos vemos a noite. — Soprei um beijo de longe para ele e saí saltitante, já com o celular na mão. Um SPA nunca seria o mesmo sem Mary.

Capítulo 27

Linda

— Não acredito que Artur ligou primeiro. — Eu e Mary já estávamos em uma sessão de massagem no SPA.
— *Amore,* ele sabe que um dia em um SPA não tem graça sem mim — concordei —, e seu *homem de ferro* pensa em tudo.
— Ai, Mary! Às vezes acho que estou vivendo um sonho. — Ela sorriu.
— Eu sempre te disse isso. Você que nunca acreditou.
— Eu sei, mas ele é tão...
— Tudo — suspirei.
— Mais que tudo. E hoje Miranda disse algo que me deixou ainda mais... — suspirei novamente.
— Boba? — Revirei os olhos. — Eu estou brincando. Apaixonada,

seria a palavra certa.

— Mais que isso... Ela me fez sentir poderosa. — Fechei os olhos, ao mesmo tempo em que pulei com seu berro.

— Quer me matar, o que ela disse?

— Mais um grito igual a esse você perde a amiga.

— Conta logo. — Ri do seu desespero.

— Ela me disse que eu o modifiquei por inteiro, pois antes Artur só pensava em política, e agora sempre venho em primeiro lugar. — Suspiramos juntas, fazendo as massagistas rirem.

— Ai que lindo.

— Também achei, mas o melhor é que sinto isso, a cada dia.

— Todos estão sentindo, amor. Jared comenta todos os dias isso. Na Scotts você será beatificada. — Sorri do seu exagero. — E por falar nisso, me lembrei da festa. Nada do vestido, nenhuma pista?

— Nada. — Artur estava fazendo um tremendo suspense sobre meu vestido da festa de vitória. — Minha única certeza? — Olhei para Mary, derretida — Que será vermelho, como ele confessou ser seu desejo, porém do resto, nada.

— Mas esse segredo não poderá durar muito, pois estamos quase na hora.

Ouvir isso da boca de Mary me fez remeter a última festa de Artur, e em como nossas vidas haviam mudado de lá para cá. Mas o frio na barriga que começava sentir era o mesmo daquele dia, com uma diferença. Em sua festa de vitória, eu seria sua linda dama de vermelho...

Mas antes que pudesse terminar meus pensamentos, uma funcionária entrou na sala com uma enorme caixa nas mãos.

— Senhorita Stevens?

— Sim, sou eu. — Levantei mais do que depressa, vestindo o roupão e indo até ela.

— Entrega para a Senhorita.

— Obrigada! — Peguei a caixa das suas mãos, sentando-me em uma poltrona ao lado das macas.

— Vamos ver o que tanto o poderoso Senador Scott, escondeu por todos esses dias. — Mary já ao meu lado, empolgada.

— Oh, meu Deus!

Fiquei boquiaberta assim que abri a caixa, me deparando com

um exuberante longo vermelho com alças finas, um decote generoso, que com certeza ficaria absurdamente colado no meu corpo.

— Isso é... Realmente lindo. — Mary estava sem fala.

— Vamos para a sala da maquiagem, as profissionais já as esperam. — Outra funcionária nos tirou do transe.

— Vamos — Mary respondeu, tirando a caixa das minhas mãos, e foi ali que pude ver que tinha um bilhete.

— Artur Sebastian, sem cartão...

— Não seria Artur Sebastian. — Sorrimos, e abri o envelope já vendo aquela caligrafia que me deixava com as pernas bambas.

Para: Minha Linda Dama de Vermelho
Um lindo vestido para complementar sua beleza já natural. Espero que tenha gostado do modelo, achei completamente oportuno para a ocasião.
Sexy, e ao mesmo tempo, imponente.
É assim que a quero hoje ao meu lado.
É assim que quero que a vejam... extremamente sexy e minha.
As joias são de uma coleção particular e exclusiva da Tiffany's, e a calcinha... bem a calcinha será um caso a parte, para ser pensado depois da festa.
Espero que tenha gostado!
Estou ansioso para ver sua produção completa.
Hoje você será o centro das atenções, minha linda dama de vermelho. E se acostume, esse será apenas o primeiro passo ao meu lado.
Beijos,
Seu Senador.

Estava sem palavras naquele momento. Dentro da caixa ainda havia duas caixas azuis da *Tiffany's*, e a calcinha. Sorri vendo aquele pedaço de pano em minhas mãos.

— *Acho que você também pode ser surpreendido, caro Senador.* — Ri, pensando alto.

Guardei tudo na caixa, olhando para Mary, ainda boquiaberta, lendo o cartão.

— Vamos. Estou pronta.
— Você vai ficar linda, amiga. — Sorri para minha melhor amiga.
— Para ele... Para o meu Senador.
Fomos para o banho, e depois de uma hora estávamos prontas à espera do motorista que viria nos buscar.
— Linda, eu não tenho palavras para descrever o que estou vendo. Você vai ser a primeira dama mais linda de todos os tempos.
— Ele merece ter alguém a sua altura. — Olhei para o espelho, amando o resultado.
— Senhoritas, a limusine já está à espera.
— Obrigada, Jenny, por toda sua hospitalidade. Voltaremos com mais frequência. — Ela sorriu para nós.
— Eu que agradeço, Senhorita Stevens. Por recebermos alguém tão ilustre em nosso salão. — Mary sorriu para mim. E foi ali que percebi que já não era a mesma Linda.
Eu já era a namorada do poderoso e bilionário Senador Scott. E estava gostando desse novo status, pois com ele eu tinha Artur ao meu lado.
O meu *homem de ferro* era definitivamente meu.
Aproximamo-nos da limusine e sorri, vendo que Jonathan havia sido escalado para nos buscar.
— Boa noite, Senhorita Stevens! — Ele abriu a porta do carro para nós.
— Boa noite, Jonathan! Fico muito feliz que seja você a nos levar até á festa.
— O Senador fez questão.
— Eu sei que fez. — Entrei e Mary veio logo atrás, depois de também cumprimentar o motorista.
— Ele é uma graça, não é?
— É sim. Eu gosto muito de Jonathan, e Artur confia muito nele.
Seguimos o trajeto em silêncio, pois Mary sabia como estava nervosa, e respeitava minha vontade de ficar calada.
Respirei fundo quando o carro se aproximou do hotel, e dali já podia ver a movimentação de fotógrafos e repórteres na porta.
— Pronta?
— Pronta, amiga.
Jonathan abriu a porta para nós e quando descemos fomos

clicadas por todos os lados. Conseguimos chegar ao hall de entrada, sendo escoltadas por mais dois seguranças particulares de Artur, junto com nosso motorista.

— Ufa! Não foi tão ruim assim. — Respirei, arrumando meu vestido.

— Amiga, se prepare. Pois você ainda não é oficialmente a linda dama de Artur Scott, porque quando for...

— Já entendi, Mary. E também já fiquei nervosa. — Ela riu, entrelaçando nossos braços carinhosamente.

— Você vai estar sempre ao lado do seu *homem de ferro*, não se preocupe.

Respirei fundo novamente, quando as portas dos salões principais do Hilton foram abertas para nós. E como imaginava, todos os olhares se voltaram para mim. Porém o único que me interessava era aquele que estava lindo, e tortamente sorrindo na minha direção naquele momento.

Aproximamo-nos como imãs, e quando nossos corpos estavam praticamente colados, Artur deu-me um beijo casto no rosto.

— Como eu imaginei. Perfeita, — Sorri do elogio.

— Então estou à sua altura, caro Senador? — Eu o provoquei.

— Como sempre, princesa — sussurrou em meu ouvido.

— Só tivemos um probleminha — ele me olhou ressabiado —, a calcinha marcou — pisquei os cílios postiços. — Emma — Desvencilhei-me dos seus braços, indo cumprimentar minha futura sogra.

— Você está maravilhosa, meu amor. — Ela me abraçou carinhosamente.

— Obrigada, Emma! Você também está muito bonita.

— Seus olhos, querida. Pronta para o estrelato?

— Com medo, devo confessar.

— Não tenha medo, minha querida. Estaremos todos ao seu lado. — Emma me abraçou novamente e fomos em direção a George.

— Boa noite, Linda Marilyn! Está esplendida hoje. — Um elogio do pai do *homem de ferro* também tinha muito valor.

— Obrigada, Governador! — O cumprimentei, percebendo mãos imponentes e conhecidas envoltas a minha cintura.

— Venha. Quero lhe apresentar algumas pessoas. — Sorri me aconchegando naquele corpo que era meu. — Com licença, Governador, mamãe.

— Fiquem à vontade, meus queridos. — Nos afastamos e percebi que minha brincadeira ainda rondava sua mente.

— Então, você quer brincar hoje, Linda Marilyn? — Artur passou a mão por meu quadril, percebendo que falava sério em relação à calcinha.

— Eu não minto, Senador. — Rebolei meu corpo ao seu, discretamente.

— Você vai clamar essa noite, Linda Marilyn — ele disse sério e sedutor.

— Não perco por esperar. — Eu adorava brincar com fogo.

Fui levada a alguns políticos e empresários, e podia ver o brilho nos olhos do meu amor, quando me apresentava formalmente a todos eles. Eu estava feliz e segura ao lado de Artur, porém em um dos momentos da festa dois olhos me deram medo ao brindarem comigo de longe. Os do meu editor chefe Victor Parker.

— Algum problema, princesa? — Artur perguntou quando sentiu meu corpo se retrair.

— Não, amor. Problema algum. Já volto, vou falar com Mary.

— Ok! Só não saia do meu campo de visão. Não quero perdê-la um minuto sequer essa noite. — Sorri acariciando seu rosto.

— Não vou sair. — Artur beijou minha mão.

Fui até Mary, que estava conversando animadamente com Jared e Ethan.

— Oi, amiga! Aconteceu alguma coisa? — Ela me conhecia muito bem.

— Não, Mary. Estou ótima. — Sorri para eles.

— Estamos combinando uma balada amanhã, linda dama de vermelho — Ethan disse brincando, fazendo-me revirar os olhos.

— Você dê graças a Deus de não ser Artur escutando isso, McCartney. — Ele arregalou os olhos.

— Meu Deus! Você adquiriu os mesmo trejeitos dele, preciso ter medo? — Sorri para ele.

— Tenha medo. Mas continuem a me falar da balada — pedi animada.

— Precisamos comemorar em grande estilo essa vitória, Linda. Se é que você me entende. — Jared me faz rir.

— Precisamos relaxar um pouco dessa imponência política. Queremos uma coisa menos formal. — Ethan continuou, piscando pra mim.

— Eles querem dizer que amanhã iremos curtir uma balada forte na Lótus, amiga.

— Simples e objetiva, depois as mulheres que gostam de enrolar.

— E precisamos da sua ajuda, amiga.

— Por quê? — perguntei confusa.

— Você é a única que tem as armas certas para convencer o temido Senador Scott. — Sorri sem saber se estávamos falando da mesma pessoa.

— Vocês querem que eu convença Artur para comemorarmos sua vitória em uma boate, é isso?

— Exatamente. Sempre tentamos convencê-lo, porém demoramos uma eternidade, agora com você...

— Ethan, você está brincando com fogo — brinquei. — Mas vou ver o que posso fazer por vocês. — Artur de longe, chamou-me discretamente. — Já volto. — Os três acenaram para mim, e comecei a atravessar o salão em busca dos braços do meu amor.

— Boa noite, Linda! — Gelei por um motivo desconhecido, quando escutei a voz de Victor atrás de mim.

— Boa noite, Victor. Como vai? — Virei o cumprimentando.

— Não tão bem como você. — O que será que ele queria dizer com isso? — Gostaria de te parabenizar por sua atuação brilhante durante essa eleição. Seus artigos, essa semana, foram os mais lidos.

— Obrigada! — Sorri nervosa.

— A semana trabalhando em casa te fez muito bem.

— Sim. Às vezes, precisamos de um tempo longe da loucura do jornal para poder raciocinar melhor.

— Ou mais perto da fonte. — Artur olhou-me, percebendo meu mal estar. Porém, Victor foi mais rápido, captando nossa sintonia. — Há algo que eu deva saber, Linda Marilyn? — Ele perguntou desconfiado. — Algo que esteja acontecendo há algum tempo diante dos olhos de todos?

— Sendo você meu editor chefe, e a única coisa que poderia te interessar seria minha vida profissional, que de acordo com o elogio que acabei de receber está em ordem, não. Não há nada que você deva saber, Victor. — Ele revirou os olhos e mãos firmes enlaçaram minha cintura.

— Com licença. Boa noite, Parker! — Meu *homem de ferro* estava me salvando. Sorri para Artur que cumprimentava meu chefe.

— Boa noite, Senador Scott! Meus parabéns pela vitória estrondosa, e pela bela recepção.

— Obrigado! E sinta-se a vontade. — Ele me puxou fazendo com que nossos olhos se cruzassem. — Vamos está na hora da dança dos anfitriões. — Assenti olhando novamente para Victor.

— Com licença, Victor. Nos vemos segunda.

— Boa noite, Linda, Senador. — Sua voz era sarcástica e isso me assustou. O que será que ele pretendia?

— Algum problema, meu amor? — Artur perguntou preocupado, enquanto nos dirigia até a pista de dança.

— Não. Claro que não. — Resolvi relaxar, pois nada estragaria minha noite ao lado de meu *homem de ferro*.

— Você está linda, princesa. — Ele pegou minha cintura nos girando pelo salão, sorrindo sem parar. E a orquestra começou a tocar *Fly Me To The Moon de Frank Sinatra.*

— Você também está magnífico, amor. — Aconcheguei-me no seu peito sentindo meu perfume favorito, o perfume do meu homem. Do homem que me protegeria até o fim. — Eu te amo. — Olhei intensamente em seus olhos, para que ele pudesse sentir a força dos meus sentimentos.

— Eu também te amo muito, princesa. — Artur deu-me um selinho casto, quase imperceptível aos olhos de quem estava ao nosso lado. E isso nos fez rir como duas crianças travessas, rodopiando ainda mais pelo salão.

— Desculpe atrapalhar, mas está na hora do discurso da noite, Senador. — Ethan estava atrás de nós.

— Protocolos a serem seguidos, amor. — Acariciei seu rosto, vendo-o revirar os olhos.

— Ok! Vamos lá... E você — apontou para mim —, não saia do meu campo de visão.

— Nunca, meu Senado. — Eu lhe dei mais um selinho leve, e o vi se dirigir até o palco, ao lado de Ethan.

— Boa noite! E com vocês o anfitrião dessa festa magnífico. O político mais votado de todos os tempos, Senador Artur Scott. — Todos no salão o aplaudiram de pé, enquanto ele subia ao palco. Senti uma emoção indescritível naquele momento.

— Boa noite! Gostaria antes de qualquer coisa, agradecer a todos que me confiaram seus votos e dizer que darei o máximo para que a honestidade, e a vontade de governar para o próximo, prevaleçam. Devo agradecer isso a minha família, que sempre esteve ao meu lado. À educação que me deram, e principalmente aos seus exemplos, seguidos desde meu avô Sebastian Scott. Agradeço também a toda minha equipe, pois sozinho nunca conseguiria esse resultado. — Sorri emocionada, quando nossos olhos se encontraram. — Mas hoje, em especial, gostaria de agradecer a Deus por ter colocado em minha vida uma das pessoas mais íntegras e inteligentes que conheço. Alguém que com sua sensibilidade conseguiu colocar-me no patamar em que estou hoje. Agradeço a você, Linda Marilyn Stevens, por ter entrado em minha vida e aceitado fazer parte dela. Para sempre. Obrigado mais uma vez! E a festa continua.

Com certeza aquelas palavras me emocionaram, a ponto de chorar.

Esse homem ainda me mataria.

Mary me olhou de longe, como se adivinhasse meus pensamentos. Esses pensamentos, que estavam na festa de lançamento dessa mesma campanha.

A festa onde nos conhecemos.

A festa onde ele se apaixonou por mim, fazendo com que assim, meu sonho se tornasse realidade.

O resto para mim, naquele momento, era resto.

— Eu amo você. — Artur se aproximou, enxugando minhas lágrimas que teimavam em cair.

— Eu também te amo muito. E... Obrigada! — Eu lhe beijei.

— Apenas uma pessoa tem o que agradecer hoje, princesa. E sou eu, por ter você ao meu lado. — Ele abraçou a minha cintura. — Bem vinda, oficialmente, a minha vida. — Sorri e o beijei novamente.

Continuamos juntos, dando atenção a todos os convidados, e percebendo todos os jornalistas inquietos. Eles queriam fotos nossa junto. Que não nos recusamos a tirar, porém não falamos muita coisa. Artur já havia dito tudo.

— Vamos embora? — ele chamou minha atenção quase no final da festa — Eu ainda não acabei com você hoje, Linda Marilyn. — Gemi involuntariamente, encostada nele.

— Vamos, amor. Estou tão cansada. — Pisquei inocente para ele.

— Você vai clamar, Senhorita Stevens. — Gargalhei, indo até nossos amigos.

Despedimo-nos de todos que ainda estavam ali, e Ethan nada discreto, piscou para que não me esquecesse do nosso plano. A balada na Lótus, no dia seguinte. Sorri, abraçada ainda mais a Artur.

Saímos do Hilton de mãos dadas, e todos os fotógrafos, que estavam a nossa espera não perderam nenhum *flash*. Com certeza nosso relacionamento já estaria estampado nos sites de fofoca em menos de meia hora.

Assim que entramos na limusine Artur puxou-me para seu colo, beijando meu pescoço, e subindo para meus lábios.

— Senti falta deles. — Sorri retribuindo o beijo, apaixonadamente.

— Eu também, amor, muita. E obrigada mais uma vez.

— Você merece. E como já lhe disse hoje, a única pessoa que tem algo a agradecer aqui sou eu.

O puxei ainda mais a mim pela nuca, começando uma dança inteiramente sensual, com nossas línguas. Fazendo-nos gemer com o contato intimo.

— Você me enlouqueceu a noite inteira, Linda Marilyn. Só de pensar no seu corpo sem calcinha.

Ele subiu suas mãos por baixo do meu vestido, fazendo-me gemer mais. Porém, assim que no som do carro, começou a tocar *Diana Krall, Temptation,* lembrei-me de onde estávamos, e de Jonathan dirigindo o carro.

— Amor, para. — Ele me olhou interrogativo com a mão na minha coxa. — Jonathan, Artur. — Apontei com a cabeça para frente da limusine, fazendo-o sorrir.

— Você acha que me deixaria ser pego por algum dos meus funcionários em algo tão íntimo, princesa? — Agora fui eu que o olhei interrogativo. — Linda, a parte interna da limusine é protegida de sons e imagens. Olhe. — Ele apontou para o controle remoto ao seu lado, apertando um botão, que abriu o compartimento da frente do carro, chamando a atenção de Jonathan.

— Algum problema, Senhor?

— Não, Jonathan, apenas um teste. Siga para casa.

— Ok! — Ele fechou novamente a tal janela, rindo da minha cara.

— Eu tenho que ter bola de cristal agora, caro Senador sabe tudo. — Fiz um bico, fazendo com que ele me apertasse ainda mais.

— Você fica ainda mais linda brava, princesa. Mas estou sem tempo para isso agora. Chegaremos ao triplex em dez minutos, e quero ver você gozar até lá. — Gemi quando seus dedos introduziram minha intimidade molhada.

— *Ah!* Artur — urrei seu nome, recebendo estocadas fortes dentro do meu corpo, fazendo com que me contorcesse em seu colo. O puxei novamente para um beijo feroz, invadindo com minha língua sua boca, sem pedir permissão. Sorri de satisfação quando o ouvi gemer, sem parar de estocar. Rebolei em seus dedos, como uma maluca, enquanto minhas mãos desciam para seu pau duro, coberto por sua calça preta. — Preciso tanto de você aqui, Senador. — Estava jogando baixo.

— Precisa? — Ele rebolou em minhas mãos, para saber do que estava falando. — Você é uma garota muito travessa, Linda Marilyn.

— Eu sou sim, Senador. — Ele rosnou, pedindo silêncio, e alcançou com a mão livre o controle novamente.

— Jonathan — era apenas o sistema de voz. Graças a Deus! Pois meu rosto, naquele momento, denunciava sexo —, mudanças de planos. Nos leve ao píer.

— OK, chefe.

— Para o píer?

— Foi o lugar mais longe que encontrei para que pudesse te comer com certa calma, Linda Marilyn. — Gemi jogando a cabeça pra trás, tendo meu pescoço tomado por sua boca raivosa. — Mas nossa noite não se encerra aqui. Vou acabar com você naquele iate essa madrugada, entendeu?

— Tudo, meu Senador mais gostoso. Eu entendi tudo. —
Desci seu zíper, abaixando a calça junto com a *boxer*, e me encaixei perfeitamente naquele pau que era só meu. E mesmo se alguém nos visse naquele momento, o vestido encobriria toda a fúria do nosso sexo selvagem. Quer dizer, tirando meus seios na sua boca.

— Porra! Por que tão gostosa? — Sorri rebolando ainda mais, sentindo seu pau inteiro dentro de mim.

— Gostoso demais. — O beijei com paixão, apertando minhas paredes nele, ao mesmo tempo em que se derramava em mim.

— *Time* perfeito. Chegamos. — Artur estava ofegante. Ele beijou meu ombro, tirando-me do seu colo, enquanto subia suas calças, e descia meu vestido, ao mesmo tempo.

— *Uau*! O que dizer depois disso. Jesus Cristo! — falava coisas sem sentido, totalmente anestesiada.

— Que me ama já está de bom tamanho. — Balancei a cabeça em negação. — Jonathan. — Foi aí que percebi que a porta da limusine aberta, e Artur praticamente fora do carro. — Você não vem, Linda? — Puta que o pariu! Ele me come em quinze minutos em um carro em movimento, e ainda quer que eu pense coerentemente. Essa seria uma tarefa praticamente impossível. — Você está dispensado, eu ligo amanhã para nos pegar.

— Tudo bem, chefe. Boa noite, Senhorita Stevens!

Naquele momento vi que o negócio do carro funcionava mesmo, ou Jonathan era o robô mais humano da face da terra. Pois ele foi muito educado e discreto, quando saí do carro toda desengonçada.

— Boa noite, Jonathan! — Entrou na limusine novamente, dando partida. — Nós vamos passar a noite aqui?

— Não íamos. Mas você me dá muitas ideias, Linda Marilyn. — Sorri maliciosa. — Vem, vamos entrar.

O iate era lindo, grande e luxuoso. Estava maravilhada com mais um descobrimento do meu homem.

— Gostou?

— Muito, amor. — Entrelaçamos nossas mãos, e entramos no barco.

— Quero tê-la sem pressa, princesa. Sem preocupações, sem medo de barulhos. — Sorri acariciando seu lindo rosto.

— Também quero você com calma, sem preocupações, amor. — Tirei sua gravata borboleta, deixando seu paletó no chão também.

— Vem, vou te levar para cama. — Deixei ser levada para a parte inferior do barco e paramos em um quarto magnífico. — Eu amo você.

— Eu amo muito você também. — Agora, nos amaríamos com a calma da madrugada tranquila, do píer de Nova Iorque.

Artur tirou meu vestido devagar, distribuindo beijos por onde suas mãos passavam. E quando me viu nua e sem a calcinha, sorriu levando-me para cama e depositando um beijo casto na minha intimidade.

— Tão linda. — Sorri por estar sendo idolatrada por meu *homem de ferro*. — Goza pra mim de novo, princesa. Quero sentir seu gosto.

— *Uhum!* — Urrei quando ele começou a distribuir beijos e introduzir a língua na minha entrada. — Me chupa, Senador. — Rebolei na sua boca, enlaçando minhas pernas no seu pescoço.

— Eu vou, mas quero que se derrame para mim, gostosa. E agora.

— Sim. — Ele sorriu perto demais, disparando uma corrente elétrica no meu corpo, para logo em seguida cair de boca em mim. — Aí, isso... Que gostoso... Ai, Artur. — Não demorou muito para que eu obedecesse suas ordens, derramando-me inteiramente em sua boca. Deixando meu homem louco, e não desperdiçando cada gota. — Agora é minha vez. — Ele sorriu maliciosamente.

— Minha devassa em ação. — Lhe dei uma chave de perna, jogando-o de costas na cama.

— Sua devassa vai fazer você clamar também, Senador. — Sentei na sua perna, enquanto me deliciava com aquele pau gostoso em minha boca, depois de tirar sua calça.

— Eu clamo, Linda Stevens... Eu clamo. — Artur falava coisas incoerentes, fazendo-me rir com ele na minha boca. Eu também tinha o poder. — Mas não quero gozar ai hoje. — Fiz um muxoxo, e ele me pegou pelos braços. — Quero gozar aqui, gostosa. — Posicionou seu pau na minha entrada e penetrou de uma só vez, estocando sem parar.

— Você é muito, gostoso. — Ele gargalhou nos sentando na cama.

— Você que é a devassa mais gostosa. — Sorri poderosa, rebolando ainda mais.

Clamamos um para o outro mais duas vezes naquela madrugada, antes de cairmos exaustos na cama, com o sol já a pino.

Havia tido uma das noites mais especiais da minha vida. E ela fez-me esquecer momentaneamente dos receios em relação a Victor. Pensaria nisso depois.

Pois, ainda merecíamos nos divertir na balada formada pelos meninos, na *Lótus*.

Sorri, relaxando em cima daquele corpo másculo e apetitoso, que já ronronava baixo, e exausto depois de mais de três orgasmos.

Capítulo 28

Artur

Acordei sentindo o peso e o perfume da minha princesa sobre meu corpo. Tentando não me mexer muito para que ela não acordasse, saí da cama sem ser percebido.

Coloquei minha calça do smoking e fui até a parte superior do iate, já discando o número do triplex.

— Bom dia, querido!
— Bom dia, Miranda! Tudo bem por aí?
— Sim, tirando o telefone que não para de tocar.

Logo imaginei que seria assim, principalmente depois que eu e Linda saímos da festa de mãos dadas. Agradeci mentalmente sua provocação, nos trazendo para o iate, pois não queria preocupá-la com isso.

— Siga sempre as mesmas instruções. Não estou pra ninguém.
— Sim, meu querido. É isso que estou fazendo.
— Ok. Preciso que você arrume algumas coisas para mim, e peça para Jonathan trazer-me para o iate.
— Do que você precisa, filho?
— De roupas de banho, para mim e Linda. Algumas peças de roupas normais e o mais importante, Miranda. Prepare um café da manhã completo.
— Vou fazer isso agora, meu filho. Mais alguma coisa?
— Não, apenas isso. E mantenha o telefone fora do gancho se facilitar seu trabalho. — Rimos juntos.
— Pode deixar.
— Obrigado, Miranda! Nos vemos mais tarde.
— Vou providenciar tudo o mais rápido possível, divirtam-se.

Desliguei, sentindo a brisa do fim daquela manhã de sábado, e pensando em como minha vida não poderia estar mais perfeita.

Havia acabado de ganhar uma das eleições mais importantes da minha vida, e ainda por cima, sendo o político mais bem votado de todos os tempos. Mas o que não me deixava tirar o sorriso presunçoso do rosto era ter Linda ao meu lado.

Depois dela se declarar apaixonada por mim durante toda a sua vida, não pude deixar de agradecer a minha futura sogra Ruth por essa revelação. Linda já era um fascínio, porém depois daquela declaração não poderia ser o homem mais feliz dessa vida.

Se me senti?

Sim, com certeza.

Minha mulher. A mulher que sempre foi minha, desde seus primeiros pensamentos...

Linda me encantava diariamente, ela sempre teve o dom, desde o começo para me surpreender. Ela havia se guardado para mim, e agora depois de sua declaração tive a certeza...

Sempre fui eu.

Era o meu corpo que ela desejava.

Era o meu amor que ela almejava.

E eu realizando, que para mim era o meu melhor e maior projeto, a faria, consequentemente, a mulher mais feliz do mundo.

Esse era o meu ideal de vida.

Na verdade, essa era minha obrigação. Faria com que seu sonho se transformasse em uma realidade plena e feliz. Porém, Linda nunca ficaria atrás.

Ela estava sendo espetacular. Na festa se comportou como uma esplendorosa mulher de político. Dando atenção para todos os convidados, sorrindo e sendo simpática como toda primeira dama deve ser. E no final da noite a devassa me atacou, nos trazendo mesmo sem nada planejado, para o píer de, onde estava atracado o iate de nossa família. Linda definitivamente nasceu para estar ao meu lado.

Minha única preocupação foi sua tensão o lado do seu editor chefe. Ela ficou muito nervosa quando encontrou Parker na festa, e senti-a muito incomodada quando a tirei da sua conversa com ele. Conversaríamos sobre isso mais tarde, pois sabia muito bem já perceber quando Linda estava me escondendo algo.

Mas não queria pensar naquele momento. Continuei na proa do iate até Jonathan chegar, uma hora depois, com tudo que eu havia pedido. Ele ainda me ajudou com a bandeja que eu levaria para Linda, e logo depois o dispensei novamente. Terminando de arrumar nosso café da manhã, o levei para o quarto.

— Bom dia, bela adormecida! — Ver Linda acordando era uma das visões mais perfeitas que meus olhos já haviam presenciado, fora seu ronronar de gata manhosa, que me deixava duro apenas com um gemido.

— Bom dia, amor! — Ela sorriu, levantando um pouco e vendo a bandeja de café da manhã, ainda em minhas mãos. — Café da manhã na cama?

— Você merece, princesa. — Lhe dei um selinho. — Vamos comer?

— O que temos aqui... — Ela começou a observar a bandeja, já tomando um gole do seu suco — *Waffles, mocha*? — Tão esperta minha garota, que já sabia qual seria sua próxima pergunta. — Você não trouxe a Miranda pra cá, não é, Artur?

Bingo...

— Tecnicamente não.

— Tecnicamente não?

— Eu trouxe seu café da manhã até nós. — Seu olhar interrogativo me fazia rir. — Está bem! Eu liguei para Miranda, pedindo que ela preparasse nosso café, Jonathan o trouxe, junto com algumas roupas.

— Pretende me raptar a bordo desse lindo iate, Senador? — Linda tinha o dom de me enlouquecer, ainda por cima mordendo os lábios.

— Por hoje sim, Linda Marilyn. — Ela sorriu aproximando nossos rostos. — Quero um pouco de paz ao seu lado, e esse lugar, mesmo sem planejar, se tornou perfeito.

— Então meu ataque foi providencial? — A devassa já estava praticamente no meu colo.

— Com certeza. — Gargalhei a fazendo sorrir inocentemente. — Você é literalmente uma devassa, Linda Marilyn.

— Por que, amor? Só por te querer da hora que acordo, a hora que vou dormir? — Ela mordeu meu lábio inferior.

Não preciso dizer que nosso café da manhã teve que ser adiado.

★★★

— Esse lugar é lindo.

Linda estava na proa do iate, devidamente vestida com seu biquíni branco, logo depois de conseguirmos sair daquele quarto e do banheiro. Porque como minha princesa costuma dizer, nossos banhos matinais são os melhores.

— Também gosto dele. — Eu a abracei por trás, sentindo seu perfume de banho recém-tomado. — Pensei quando fomos para a ilha de irmos com ele, mais não tínhamos muito tempo, não é?

— Verdade, mas o helicóptero e lancha também fizeram daquela viagem algo muito emocionante. — Linda se aconchegou ainda mais no meu corpo.

— Foi um dos finais de semana mais gostosos que já tive. — Ela sorriu.

— Para mim também. — Se virou, enlaçando meu pescoço com os braços. — Amor, por falar em fim de semana, os meninos estão querendo comemorar sua vitória hoje em uma boate. — Fiz uma careta, ganhando um selinho gostoso.

— Você quer ir? — Ela sorriu manhosa.

— Acho que seria legal. Nós nunca saímos para dançar, e o Ethan já reservou um camarote para nós com entrada privativa. Do jeito que você gosta. — Sorri a apertando ainda mais a mim.

— E eles te pediram para me convencer?

— Tecnicamente sim. — Gargalhei da sua imitação quase perfeita minha.

— Eles me pagam.

— Eu disse isso a eles. — Linda fez uma falsa careta, fazendo-me rir ainda mais.

— Você disse?

— Disse e impus medo. — Ela estava se sentindo poderosa.

— Essa é minha garota. — Girei nossos corpos a beijando apaixonadamente.

⭐⭐⭐

— Ethan, já estamos a caminho — disse no celular, com Linda praticamente no meu colo.

Ela estava vestida para matar, com um vestido tomara que caia preto, curtíssimo. Não gostei muito no começo, porém pensando friamente, me facilitaria no caso de mais um ataque na limusine.

Preferi vir com ela, já que precisaria dos serviços de Jonathan e dos outros seguranças.

— Ok, irmão! Vou ficar esperando vocês na porta, junto com os seguranças.

— Ótimo! Chegaremos em dez minutos.

— Beleza — desliguei o celular a encarando.

— Você sabe que a partir de hoje sua vida não será mais a mesma, não sabe?

— Claro que sei, amor. — Ela estava relaxada. — Não se preocupe, Artur, nós vamos passar por isso. Eu estou com você, e isso pra mim é o que importa.

— Com certeza teremos vários *paparazzis* esperando uma brecha nossa, quando descobrirem nossa presença na Lótus.

— Eu não me importo. — Ela enquadrou meu rosto com suas duas mãos pequenas. — Eu só quero me divertir ao seu lado hoje, tudo bem?

Linda sabia como ninguém, perceber quando eu estava uma

pilha. E naquela noite só queria protegê-la dessa loucura, que a mídia teimava em transformar nossas vidas normais.

— Tudo bem! Vamos lá — disse assim que o carro parou em frente da boate.

— Vamos. — Ela pegou minha mão, sorrindo.

Havia uma fila enorme do outro lado da entrada. Mas graças a um nome forte, e um dos camarotes mais caros do mundo, eu e Linda entramos direto.

— Boa noite, amigos! — Ethan sorriu como um bobo quando entramos direto no camarote.

— Boa noite, Ethan! — Linda lhe cumprimentou com dois beijinhos, indo até Mary.

— E ai, irmão? Fiquei feliz que tenha vindo. Essa festa é para você. — Ele me abraçou.

— Para nós, Ethan. Somos uma equipe, não conseguiria nada sem meus assessores. — Ele sorriu me abraçando ainda mais.

— Deveria relaxar mais vezes, amigo. — Revirei os olhos.

— E vocês deveriam ser mais homens, medo de mim? — Vi Jared se aproximar, cumprimentando-me. — Pedindo reforço para Linda. — Olhei em direção a minha princesa, que já balançava discretamente aqueles quadris, que seriam meu fim.

— Não é bem assim, Artur — Jared falou sempre calmo. — Só pedimos uma forcinha, pois sabemos que não nega nada para ela.

— Sei. — Tentei ficar sério, mas sorri no final. — Vamos nos divertir, é para isso que estamos aqui.

— É assim que se fala, irmão.

Fui até Linda, abraçando-a por trás e sentindo seu perfume.

— Boa noite, Mary.

— Oi, Artur, tudo bem?

— Tudo ótimo! — Linda virou seu corpo de frente para o meu, começando a dançar sensualmente. — Vamos nos divertir, Senador? — A devassa estava mordendo os lábios.

— Vamos, Linda Marilyn — Apertei ainda mais sua cintura. — E contenha-se. Se não quiser ser comida naquele banheiro — apontei para o banheiro do camarote.

— Não seria má ideia, amor. — Ela rebolou ainda mais, e eu precisava me recompor.

— Vou pegar alguma coisa pra beber, você quer? — Eu sussurrei no seu ouvido, por causa da música alta.

— Quero, amor, por favor. — E voltou a sacudir seu corpo no ritmo da música.

Fui até o garçom e peguei uma *Heineken* pra mim, pedindo um *drink* pra Linda.

Quando voltei, ela estava conversando animadamente com o pessoal, sem parar de se mexer sensualmente.

— O drinque da senhorita. — Entreguei a taça.

Ela bebeu e fez uma careta, sorrindo.

— *Uau*! É forte... Mas uma delícia. Obrigada, amor.

Deu mais um gole, me beijando logo depois. E percebi apenas pelo beijo que sua bebida era forte mesmo. Linda pegaria fogo. E eu a pegaria de jeito.

Encostei-me em seu corpo, sentindo o ondular de seus quadris conforme a batida do som, e me movimentei com ela colando nossos quadris. Fazendo-nos rir como duas crianças travessas, pois minha ereção já era eminente.

Meu rosto foi automaticamente ao seu pescoço, absorvendo seu cheiro, enquanto minha mão apertava seu quadril por cima do tecido fino do vestido.

— Eu te amo tanto, sabia?

Linda levantou os braços, enlaçando meu pescoço por trás, sem parar de rebolar seu quadril contra o meu. Fazendo-me revirar os olhos de tesão, com aquele contato entre nossas intimidades.

— Você está provocando, Linda Marilyn.

— Eu sei... Senador. — Deixei minha cerveja em cima da mureta do camarote e segurei seu quadril com as duas mãos. Fazendo-a parar de rebolar contra meu corpo.

— Linda — A chamei, sussurrando no seu ouvido. — Mais algumas dessas reboladas, e vou gozar na frente de todo mundo. E não seria propicio para um Senador da República gozar em público, não acha?

Ela riu, jogando a cabeça pra trás. Seus cabelos roçando meu rosto, seu cheiro me invadindo, deixando-me ainda mais alucinado.

Então se virou de frente pra mim, e colocou sua taça vazia ao lado da minha garrafa.

— Eu tenho um lugar melhor pra você gozar, Senador! — Ela

passou seus braços em volta do meu pescoço.

Ainda tocava *Pitbull, Give Me Everything*, e Linda rebolava seu corpo, sem tirar os braços presos do meu pescoço, encarando-me. O movimento do seu corpo fazia com que nossas intimidades se tocassem, e isso estava saindo de meu controle.

Espalmei minha mão direita nas suas costas, a esquerda entrou em seus cabelos e a puxei, colando nossos lábios com urgência e sem delicadeza alguma.

Ela arfou, enquanto nos afastávamos das vistas das pessoas, encostando nossos corpos em uma das paredes mais afastadas do camarote, e espaçando minhas pernas, encaixei-a entre elas.

— Eu estou tão molhada, Senador — ela sussurrou no meu ouvido, mordendo o lóbulo da minha orelha. — Eu preciso de você agora, amor. — Linda agarrou meus cabelos, olhando-me fixamente. — Me come aqui, Senador... Agora. — Eu disse que essa bebida faria minha mulher pegar fogo.

— Vem comigo — puxei-a pela mão, fazendo-a rir devassamente.

Tentei ser discreto, percebendo que Jared dançava animadamente com Mary. E Ethan... Bem, Ethan à uma hora dessas já estava na pista atrás de algum rabo de saia loiro. Sorri e puxei Linda sem ninguém perceber para o banheiro do camarote.

— Agora você vai ver que não se deve provocar um Senador poderoso, Linda Marilyn. — Ela gemeu quando a peguei com força pelo braço, jogando seu corpo sem delicadeza dentro do banheiro, trancando a porta. — Vou te comer com tanta força que vai sair daqui no meu colo.

E assim eu o fiz.

Comi Linda freneticamente naquele banheiro, ao som estrondoso de *Pitbull,* o que a fez se sentir a vontade, e gritar muito enquanto a penetrava com força.

— *Uau*! Isso foi maravilhoso. — Ela ergueu o rosto ofegante, beijando-me furiosamente. — Eu te amo, meu Senador mais gostoso.

— Eu também te amo, minha maluca mais apetitosa. — Sorri, tirando mechas grudadas de cabelo do seu rosto.

— Vamos embora, acho que precisamos de um banho. — Linda fez uma careta, olhando para baixo, e isso me fez rir.

— Você se lembra disso agora, não é?
— Eu adoro nossas loucuras. — Me deu um selinho carinhoso, voltando a ser aquela menina meiga.
— Eu também, princesa. Mas você vai ser minha ruína.
— Não, meu amor. Eu já te disse. Vou ser sua linda primeira dama.

E por incrível que pareça, até por aparentar ser tão frio e calculista. Linda deixava-me emocionado quando dizia isso, pois sentia o poder de suas palavras.

Beijei-a apaixonado antes de sairmos do banheiro, com nossos corpos denunciando sexo.

Mary nos olhou, sorrindo travessa para Linda, enquanto Jared segurava o riso, por medo de ser repreendido. Sorri e fomos nos despedir deles.

Já com o celular nas mãos, acionei os seguranças para nossa saída, que não foi nada calma.

Na porta, fomos recepcionados por dezenas de fotógrafos e repórteres, querendo saber sobre nossa relação.

Linda se assustou no começo, porém dentro do carro, e já no meu colo consegui acalmá-la.

— Eu avisei que sua mudaria drasticamente, princesa. — Beijei seus cabelos.
— E eu disse que não me importaria. Estou com você. — Ela ergueu seu rosto encarando-me com aqueles olhos chocolates, que me alucinavam. — Eu amo você mais que tudo, Artur Sebastian. E enfrento qualquer coisa por você.
— Eu também, princesa. Mas quero apenas te proteger.
— E eu quero ser protegida, mas vamos para casa, agora. — Ela me abraçou mais.
— Vamos. — Apertei o controle remoto, fazendo-a rir. — Jonathan, hoje nós vamos direto para casa.
— Para casa, amor? — A devassa voltou com tudo, rebolando em meu colo.
— Hoje eu te quero em casa, Linda Marilyn.
— Ok! Então, para casa, Jonathan. — Sorrimos felizes e tranquilos, e fomos direto para o triplex.

Capítulo 28

Linda

— Eu vou sentir sua falta, amor. — Beijei sua mão sobre a mesa do café da manhã.
— Nos encontraremos em breve, e não me faça usar o rastreador, Linda Marilyn. Quero você ao lado dele vinte quatro horas. — Sorri de seu autoritarismo, apontando para o celular ao meu lado.
— Digo o mesmo para o senhor. — Ganhei o melhor sorriso do dia, e ainda um selinho, do meu homem que havia acordado muito sério.
— Linda, aconteceu alguma coisa com Victor que você não tenha me contado? — Gelei, tentando não transparecer meu nervosismo sobre aquele assunto. — Linda, eu te fiz uma pergunta.
— Não aconteceu nada, amor. Não se preocupe. — Fiz um

carinho no seu rosto percebendo-o tenso.

— Linda, você estava tensa com ele na festa.

— Não foi nada, apenas a tensão normal de funcionária e chefe. Imagine como seus funcionários te veem? — Tentei desconversar. — Até os meninos tem medo de você, amor.

— Isso se chama respeito, e aquelas dois maricas ainda vão escutar hoje.

— Mas foi um fim de semana maravilhoso. — Ele sorriu.

— Preferi o sábado no iate, e o domingo na cama.

Artur conseguia me deixar molhada com apenas algumas palavras, logo pela manhã. E olha que já tínhamos tido nossa despedida no chuveiro, mais cedo.

Estava tudo pronto para que ele embarcasse para Washington, onde começaria os preparativos da sua posse, que iria acontecer naquela quarta-feira. E eu o encontraria lá, apenas na terça-feira à noite, por não poder me ausentar do jornal por muito tempo.

— O banheiro da boate também foi bom, vai, amor. — Pisquei inocente para ele.

— Mas é uma devassa mesmo. — Apertou minha coxa por debaixo da mesa, fazendo-me gemer. — Vamos mudar de assunto. — Gargalhei da sua fisionomia, que não me deixava dúvidas de que ele estava duro naquele exato momento. — Jonathan ficará com você. E, Linda, por favor. Pelo menos nesse primeiro momento não rejeite essa segurança. Você viu o que nos aconteceu no sábado.

— Eu sei, Artur. Mas Jonathan é seu motorista e chefe da segurança.

— O prefiro com você. Tim vai estar comigo.

— Você tem certeza, amor?

— Ficarei mais tranquilo com você protegida, Linda. E quando as coisas se acalmarem veremos um carro para você.

— Mas eu tenho um carro, Artur Sebastian.

— Você terá outro. — Balancei a cabeça, revirando os olhos.

— Adianta discutir?

— Você sabe que não. Agora, vamos que Jonathan tem que me deixar no aeroporto antes de te levar para o jornal. — Foi sua vez de revirar os olhos, fazendo-me gargalhar. — Ordens de certa primeira dama.

— Com certeza. Quero pelo menos levar meu Senador ao aeroporto, já que não posso embarcar com ele.

— Eu adoro esse seu autoritarismo. — Artur puxou-me para seu colo, beijando meus lábios, apaixonadamente.

— É a convivência. — Sorrimos e terminamos nosso café, comigo no seu colo.

Despedimo-nos de Miranda, que o abraçou, lhe desejando boa sorte e felicidades, o fazendo sorrir, como um menino envergonhado, e fomos direto para o aeroporto. Porém preferi permanecer no carro para evitar mais confusões com os *paparazzis*.

— Por favor, Linda. Não saia sem Jonathan. E qualquer coisa me ligue, a qualquer momento. — Sorri beijando-o, praticamente no seu colo novamente. — Esse vestido está me enlouquecendo.

— Isso porque você ainda não viu o da posse, Senador. — Mordi os lábios, o fazendo balançar a cabeça, sorrindo.

— Você quer-me ver duro em pleno Capitólio, Linda Marilyn? — Ele me apertou ainda mais.

— Não, amor. Só quero que você goste do que vai ver — disse sincera.

— Apenas você me importa, princesa. A sua presença apenas é essencial para mim.

— Mas o vestido ajuda, vai. — O fiz gargalhar. — Eu estarei lá, amor. — Fiquei séria.

— Senador, o jato já está pronto — Tim falou do lado de fora do carro.

— Vai, amor eu não quero te atrasar.

— Se cuida. — Ele me beijou novamente. — E me ligue se qualquer coisa acontecer.

— Pode deixar! Amo você. — Ele sorriu tortamente para mim.

— Também amo você, princesa. Jonathan não se esqueça do combinado — Artur chamou a atenção do motorista.

— Ok, chefe. — Ele saiu do carro, já me fazendo sentir falta do seu corpo junto ao meu.

Linda Marilyn, se comporte, são apenas dois dias.

Tentei me recompor, sentando direito no banco traseiro do carro.

— Para o jornal, Jonathan — sorri do meu jeito autoritário,

adquirido com sua convivência —, por favor. —
Porém com a educação que ele estava adquirindo comigo também. E como Mary dizia... Na *Scotts* estava sendo ovacionada, e chamada de Santa Linda Marilyn, por conta da drástica mudança de humor do seu patrão.
— *"O que o amor não faz, não é?"*
— Disse alguma coisa, Senhorita Stevens? — Jonathan chamou minha atenção rindo, e eu com certeza havia pensado alto. Mais uma vez.
— Não, Jonathan. Vamos para o jornal.
— Ok.
Ele me deixou no *New York Times*, e disse que estaria me esperando naquele mesmo local.
— Ok! *Essa história de seguranças e motoristas são coisas adaptáveis na vida de uma pessoa* — Pensei alto, entrando no elevador.
— Então, a famosa namorada do poderoso Senador Artur Scott, nos dá a honra. — Fui recepcionada por Jimmy assim que pisei no meu andar, com o restante dos meus colegas olhando-me, curiosos.
— E ai, Linda Stevens, para que tanto segredo, se logo vocês assumiriam em grande estilo? — Violet perguntou logo em seguida. — Mas nos conte como foi conquistar o coração do temido, e não menos gostoso, Artur Scott? — Tentei avançar para cima dela, porém Mary foi mais rápida.
— Vocês não têm o que fazer, ao invés de ficar incomodando e futricando a vida pessoal de Linda?
— Não se preocupe, Mary. O problema é que na verdade, todos vocês deveriam estar no primeiro andar, o seu andar Violet. Por não conseguirem ter a capacidade de separar o profissional do pessoal, pois aqui — olhei para cada um —, sou apenas Linda Stevens, a colunista política. E não devo satisfação da minha vida pessoal a ninguém. Agora me deem licença que eu — enfatizei bem — tenho mais o que fazer
Virei às costas, sendo acompanhada por Mary e Laila, que veio em nossa direção, esbaforida.
— Você pode cair, Linda Marilyn. — Violet falou fazendo-me virar novamente.

— Mas tenho quem me ampare. Já você... Não é, querida? — Continuei andando, porém não resistindo, parei novamente. — Continue cuidando com mediocridade, da vida alheia. Pois quem escolhe essa profissão deve ter uma vida muito sem graça mesmo. Não, na verdade uma merda de vida. E nunca saberá o que é ser manchete de capa.

Voltei a andar, indo direto para minha sala.

— Você está bem, amiga? — Mary me abanava como se eu tivesse passando mal.

— Não... Eu estou furiosa com essas pessoas que não tem o que fazer. Mas já estava preparada, depois do que enfrentamos no sábado.

— Mas vai ficar tudo bem. Logo eles se acostumam, chefinha. E parabéns. — Sorri pela primeira vez, desde que havia colocado os pés no décimo andar naquela segunda-feira.

— Obrigada, Laila! Mas agora vou me concentrar no meu trabalho, que na quarta temos uma posse para cobrir, Mary. — Ela batia palma animada.

— É assim que se fala. Essa é minha amiga.

— Linda, antes o Victor quer falar com você. Ele disse que teria que ser a primeira coisa que fizesse, assim que pisasse no jornal.

— Então ele vai ter que se contentar em ser segunda opção, pois a primeira foi ser metralhada lá fora.

Sorrimos juntas. E saí de cabeça erguida, indo para sala do meu editor chefe. Porém chegando lá, o frio na barriga da sexta-feira voltou com tudo. Respirei fundo, batendo na porta.

— Posso entrar?

— Entre — foi apenas o que ele respondeu.

— Bom dia!

— Então quando iríamos ficar sabendo do show do ano? — Victor virou da janela, irritado.

— Como?

— É isso mesmo. Eu te dei chances durante um mês, porém você as rejeitou. Pensou que esconderia um romance com o solteiro mais cobiçado do mundo para sempre?

— Só não achei que minha vida pessoal fizesse alguma diferença aqui no jornal, Victor. — Tentei ser dura, mas estava tremendo por dentro.

— Desde que se vá para cama com um dos políticos mais famosos do mundo, faz diferença sim.

— Você está me ofendendo. Aqui eu sou uma profissional, e não acho que deva satisfação com quem vou ou não para cama.

— A partir do momento que sei que isso afetará meu jornal, é do meu máximo interesse sim, saber com quem meus jornalistas estão saindo. — Não sei para onde essa conversa nos levaria, mas estava ficando muito nervosa.

— Eu não sei ainda onde você está querendo chegar com isso.

— Vou ser mais objetivo, Linda Marilyn. — Ele se levantou, começando a andar de um lado par ao outro da sala. — Estamos no maior jornal dos Estados Unidos, quiçá do mundo, e não queremos que a vida pessoal dos nossos profissionais afete a qualidade do jornal.

— Ainda não estou entendendo. — Eu estava tremendo de ódio.

— Como todos já sabem, sua vida de algum tempo pra cá se tornou o maior circo da atualidade. Você é a pessoa mais comentada no mundo hoje, Linda Marilyn.

— Sim, como a namorada do Senador Artur Scott, porém onde entra a profissional do New *York Times*, o senhor pode me informar?

— Tão autoritária. Deve estar tendo muitas aulas, não é, cara jornalista?

— Não estamos falando da minha vida pessoal, Victor.

— Engano seu. Seu namoro vai atrapalhar nosso trabalho aqui no jornal. Você, como uma crítica política, Linda Marilyn, não pode estar envolvida emocionalmente com ninguém do meio, para que suas matérias não sejam influenciadas.

— E nesse período o senhor observou alguma dessas influências em minha coluna? — Eu nunca fui influenciada, e sempre tomei o máximo de cuidado para que isso não acontecesse.

— Isso não se trata apenas da coluna?

— E se trata do quê? Vamos ser mais práticos, isso vai nos levar para onde?

— Você terá que escolher entre sua tão almejada carreira, ou seu namorico com o Senador Scott. — Eu juro que não estava acreditando no que ouvia.

— Você está me fazendo escolher entre minha profissão e minha vida pessoal, é isso?

— Exatamente. Porém te darei até o fim de semana para que possa ponderar os prós e contras da sua vida, com calma. — Ele ainda estava querendo ser bonzinho?

— Mas seja inteligente, Linda Marilyn. Você é apenas mais uma diversão para aquele homem, que pode ter mulheres diferentes todas as noites em sua cama. Enquanto uma carreira promissora no maior jornal do país, você não encontrará assim tão fácil. E ainda corre o risco de ficar sozinha e desempregada. O que diria o Chefe Stevens depois disso? Que decepção, não é?

— Não meta minha família no meio disso. — Levantei-me, tentando não transparecer minha raiva de olhar para sua cara. — Era só isso?

— Sim, por hora só. — Se virou para a janela novamente. — E pense muito bem.

— Você me deu muitos motivos para isso, não é?

— Com certeza. — Ele voltou seu olhar para mim com um sorriso aberto. — Te esperarei na sexta. — Tentei segurar o choro ao lembrar-se de Artur.

Daquele seu sorriso lindo.

Daquele homem que eu transformei.

Daquele amor que eu conquistei.

— Eu estarei aqui. — Sai de lá batendo a porta, sem olhar para os lados.

Precisava respirar.

Precisava colocar minha cabeça no lugar.

Minha vida estava em jogo. E depois dessa decisão, colocaria de lado um dos meus maiores amores.

Minha profissão, que escolhi e lutei para conquistar o lugar que ocupava, dando o maior orgulho para meus pais, por verem sua única filha trabalhando no maior jornal dos Estados Unidos.

Esse, que através de um dos seus profissionais, havia feito a mim, a proposta mais indecente, que um dia poderia ouvir. A de abandonar o amor da minha vida inteira.

Aquele que sempre fez parte dos meus sonhos. Aquele que completou minha vida, apenas por me escolher.

E pensando bem, Mary sempre teve razão. Nada poderia ser impossível, se existisse um amor predestinado no meio. E no meu caso e de Artur, o universo havia conspirado a nosso favor. E naquele momento eu era mais a mulher mais feliz e realizada do mundo. Mas isso mudaria, se eu o escolhesse?

Será que Artur sentiria o mesmo orgulho, como sentia, sendo eu, a jornalista política mais famosa do New York Times? Será que ainda enxergaria minha gana? Iria me respeitar? Ou me transformaria em mais uma boneca de porcelana. Como a maioria das esposas dos homens poderosos?

Eu não era assim. Mas também não conseguiria viver sem ele, mesmo tendo a profissão perfeita. Estava tão confusa.

Precisava sair daquele lugar, pensar no que minha vida havia se transformado, e no que ela poderia se tornar. Na verdade, queria ficar sozinha.

Desci pelas escadas, os dez andares e observei Jonathan do outro lado da rua lendo seu jornal. Sai correndo para o outro lado. Necessitava caminhar e sem ninguém atrás de mim.

Andei por aquelas ruas de Nova Iorque, passando pelas lojas mais famosas do mundo, sem me dar conta do que estava fazendo. As lágrimas tomavam conta do meu rosto e quase fui atropelada duas vezes ao tentar atravessar a rua.

Resolvi então que era a hora de ir para casa, a minha casa, o meu apartamento. Lá eu conseguiria pensar com mais clareza.

Lá, onde eu tive a primeira noite com o homem da minha vida, o lugar aonde ele chegou desesperado várias vezes por conta dos meus sumiços, onde ele me comeu na bancada da cozinha.

Suspirei cansada, pois, não teria um lugar no mundo onde Artur não me trouxesse lembranças. Não me livraria delas nem em meu refúgio particular.

Graças a Deus, sempre deixava uma chave com o porteiro. Pois, Angelita, depois que praticamente me mudei para o triplex, vinha apenas uma vez por semana para mantê-lo em ordem, e como sai do jornal sem nada nas mãos, ficaria para fora.

— Bom dia, Senhorita Stevens! Como vai?
— Bom dia, Harry! Você poderia me dar a chave do meu apartamento, por favor?

— Claro. A senhorita está bem? — Ele percebeu que eu estava tremendo, assim que peguei as chaves das suas mãos.

— Estou sim. — Tentei segurar o choro. — Obrigada!

Subi até o apartamento tentando encontrar algo dentro daquela Linda Marilyn de antes de Artur Sebastian, mas isso seria impossível. Eu sempre fui dele, mesmo antes de conhecê-lo. Mas, além disso, a primeira coisa que bati o olho, assim que entrei no apartamento foi um porta-retrato de nós dois sorrindo. Aquele sorriso torto, que Jared dizia que ele só tinha quando estava ao meu lado. Aquele sorriso que me fez sorrir também, mesmo entre as lágrimas, que já teimavam em cair.

Desabei no sofá, agarrada ao porta-retrato, deixando-me ser levada pela dor e raiva que sentia naquele momento. Victor não tinha o direito de se intrometer na minha vida assim.

— *"Na nossa vida amor"* — pensei alto, olhando para nossa foto.

O telefone de casa começou a tocar como um louco, e foi aí que me toquei que estava incomunicável. E que se Artur me ligasse ficaria furioso, pois havia saído do jornal sem minha bolsa e meus celulares. Mas respirei aliviada quando o identificador de chamada apontou ser o telefone de Mary. Pois não estava preparada para falar com ele.

— Alô! — Atendi fungando.

— Você pode me dizer o que aquele calhorda te fez, para você sair correndo da sala dele?

— Mary, calma! — Comecei a chorar novamente.

— Calma? Como calma, você esta chorando, Linda. — Minha amiga estava desesperada do outro lado da linha.

— Mary, me faz um favor. Eu preciso que me ajude agora, amiga. — Ela respirou fundo se acalmando. — Por favor.

— Eu vou para o seu apartamento agora. Mas o que você está fazendo ai, ao invés de estar no *triplex*?

— Mary, eu preciso ficar um pouco sozinha, e... Preciso de você aí.

— O que você precisa que eu faça, amiga. — Ela se deu por vencida.

— Pegue minhas coisas que esqueci ai, e se o celular particular — funguei —, o de Artur, tocar, diz a ele que tive que resolver um problema aqui no apartamento... Pode ser gás... Isso gás está bom.

Diga que tive que vir correndo, por isso esqueci minha bolsa com os celulares, e também de avisar Jonathan. E esse é o outro favor, amiga. Desça até a portaria do jornal e o dispense para mim. Diga também para não se preocupar, pois não sairei mais de casa hoje.

— Linda, o que está acontecendo? Você está me deixando aflita.

— Nós conversamos a noite, amiga. E obrigada! — Desliguei jogando-me no sofá novamente.

Não sei por quanto tempo fiquei ali naquela mesma posição, agarrada ao porta-retrato e perdida nos meus pensamentos. Mas o telefone de casa voltou a tocar novamente, e eu já sabia quem era antes mesmo de olhar o visor.

— Oi!

— Você está querendo me enlouquecer, é isso? Por que não pediu para Jonathan te acompanhar, e resolver o problema no apartamento? Por que tem que fazer tudo sozinha? Ele está ai para isso.

— Porque, pelo trânsito que estava, a pé eu chegaria mais rápido — menti.

— O que está acontecendo, Linda? Por que acho que você está me escondendo alguma coisa?

— Porque você é um desconfiado por natureza, amor. — Tentei sorrir. — E eu já estou com saudades. — Artur suspirou.

— Eu também, princesa. — Senti meu coração voltar a bater depois de um dia horrível.

— Como estão as coisas por ai? — Tentei parecer calma, mas Artur me conhecia tão bem, que cruzei os dedos para convencê-lo.

— Corridas, e insuportáveis sem você. — Sorri da nossa dependência mútua.

— Também daria tudo para estar em seus braços agora. — Fui sincera, tentando engolir o choro.

— Me fale o que está acontecendo, Linda. Não quer que eu volte para te buscar, quer? — Sorri involuntariamente. Eu amava esse seu jeito autoritário.

— Bem que eu queria, mas amanhã à noite estarei aí.

— Eu espero e... O jato já está de volta, apenas esperando suas ordens.

— Ok! Eu combino tudo com Jonathan.

— E por falar nisso, ele já está no seu prédio. — Respirei fundo.

— Amor, o dispensa pra mim, por favor. Eu não vou mais sair hoje. — Fiz manha.

— Você tem certeza, posso confiar?

— Absolutamente, meu Senador. — Ele sorriu torto. Tenho certeza. — Faz isso por mim, amor. Vou aproveitar e resolver algumas coisas por aqui hoje, porque quando está comigo fica quase impossível, não é?

— Tudo bem, mas, Linda, não me faça embarcar só pra te buscar.

— Não vou fazer.

— Preciso ir.

— Vai, amor. Nos falamos mais tarde. Aviso assim que Mary trouxer nosso celular.

— Espero você me ligar.

— Eu ligarei e... Eu te amo.

— Também te amo, princesa. — Nos despedimos e eu resolvi tomar um banho para tentar relaxar um pouco.

Depois de meia hora debaixo do chuveiro saí apenas enrolada em uma toalha, me deitando na minha caminha aconchegante.

Não sei por quanto tempo dormi ou chorei, mas quando acordei, Mary estava ao meu lado, acariciando meus cabelos.

— Oi. — Foi só o que consegui dizer.

— Oi. Será que agora podemos conversar?

— Ai, amiga. — A abracei chorando.

— O que aconteceu, Lindinha. O que aquele crápula te fez? — Respirei fundo e contei tudo a ela, que me olhava perplexa. — Meu Deus, isso é horrível! Esse cara é um...

— É, não temos nem adjetivos para isso.

— Calhorda, nojento, profissional de merda, mal comido.

— Essa é boa. — Tentei rir.

— Mas e agora?

— Estou tão confusa.

— Artur ficará furioso.

— Eu sei. — Estava cansada. — Por isso não quero falar com ele até a posse, só embarcarei na quarta de manhã.

— Linda, ele vai ficar mais doido ainda.

— Mas como eu chego lá amanhã com essa cara? Eu não sei

mentir para ele, Mary.

— Eu sei. E nem preciso dizer que estou ao sei lado, certo? — Sorri apertando a mão de minha melhor amiga. — Mas a sua decisão está tomada, Linda. Seus olhos já me disseram. E só te digo uma coisa. — Mary pegou meu rosto entre suas mãos pequenas. — Você está mais do que certa.

— Obrigada, por estar comigo. Dorme aqui?

— Nem precisa pedir. Acha que deixaria minha amiga sozinha, e nesse estado? Mas antes você precisa comer. — Fiz uma careta, ao me lembrar que não havia comido nada o dia inteiro.

— Não quero. — Fiz manha. — Não desce, Mary.

— Claro que desce, ou você quer que seu Senador me mate por não cuidar bem de você? — Sorri imaginando Artur vendo meu estado naquele momento. Então resolvi fazer um esforço e botar alguma coisa para dentro.

— Tudo bem — disse vencida.

— Ótimo! Coloque seu pijaminha e vamos para a cozinha, Senhorita Linda Marilyn Stevens.

Estar com Mary me fazia muito bem. Às vezes sentia falta desses momentos com minha melhor amiga, pois com Artur comigo, meus dias eram bem movimentados, mas não havia do que reclamar, em nenhum momento.

Devidamente alimentadas fomos para cama, onde Mary colocou um filme, que não consegui prestar atenção nem no título. E juntas suspiramos de saudades dos nossos amores, já que Jared também já estava em Washington, para a posse de Artur.

Bem, esse me ligou mais duas vezes no nosso celular, só ficando tranquilo quando disse que Mary ficaria comigo no apartamento, para relembrarmos os velhos tempos.

Acordei na terça feira bem melhor, principalmente depois do café da manhã, que minha querida amiga deixou antes de trabalhar. É claro, de má vontade, e querendo matar nosso editor chefe. Porém, avisei que não compensaria o crime, e que ela precisava do emprego.

Eu ainda não tinha condições de pisar no *New York Times*, e muito menos enfrentar Artur, antes da posse. Então, passei o dia na cama, não tendo forças para nada. Artur me ligou três vezes pela manhã, e a tarde... À tarde eu perdi as contas, pois inventei uma desculpa que estava com problemas com o vestido da posse, por isso o atraso do meu embarque.

— Linda, eu te dou até às sete da noite.

— Amor, eu não posso matar a estilista — menti olhando para o vestido pendurado à minha frente.

— Você tem muitos vestidos, Linda Marilyn, pegue qualquer um no *triplex* — Artur estava muito nervoso. — Eu não posso ficar mais um dia sem você, princesa. — Deu-se por vencido, fazendo-me engolir o choro novamente.

— Amor, eu vou estar aí, não se preocupe.

— Tenho que desligar, não me faça voltar para Nova Iorque apenas para te buscar, Linda. — Sorri da sua ameaça, já corriqueira.

— Eu amo você, nunca duvide disso, tá?

— Eu nunca duvidarei do seu amor, princesa. — Senti meu corpo inteiro tremer. — E... Também te amo. Linda?

— Oi?

— Não desligue essa porra por nada. — Sorri e desligamos juntos.

Pedi para Mary embarcar comigo, e liguei para Artur, pedindo para não se preocupar, pois chegaria antes da sua posse.

Na quarta-feira, antes de embarcar, nos falamos novamente, com ele dizendo que estaria me esperando na pista do aeroporto.

Olhei para Mary, chorando.

— Amiga, você terá que enfrentar esse problema mais cedo ou mais tarde.

— Eu sei, mas não queria deixá-lo nervoso, não hoje.

— Então enxugue essas lágrimas, e esteja linda, como uma primeira dama que se preze, ao lado de seu *homem de ferro*.

— Ok! Eu vou conseguir. — Retoquei a maquiagem com sua ajuda.

— Podemos decolar, Senhorita Stevens? — O piloto perguntou.

— Podemos.

Ali respirei fundo, tomando coragem para enfrentar minhas novas escolhas de frente. Eu seria uma nova Linda Marilyn. E Artur saberia da minha decisão logo depois da posse. Porém, como uma primeira dama que se prezasse, não atrapalharia um dos momentos políticos mais importantes do meu Senador, por um problema meu. Aquele era um dos dias mais importantes para Artur Sebastian, e eu estaria inteiramente ao seu lado, o apoiando, e lhe dando todo o suporte.

No resto pensaríamos depois, com calma.

Desembarcamos depois de menos de uma hora. Despedindo-me de Mary, que entrou no outro carro, que também, nos esperava na pista. Coloquei meus enormes óculos de sol, entrando na limusine que estava ali, apenas por mim.

E ao olhá-lo, impecável em um terno *Armani*, tive a certeza que havia feito a escolha certa.

Sim, minha escolha sempre esteve certa, dentro do meu coração.

— Você quase me matou. — Artur me colocou no seu colo.

— Me beija.

E meu homem me beijou. Tirando do meu peito toda aquela angústia dos últimos dois dias.

Naquele momento meu mundo havia voltado a girar.

Capítulo 30

Artur

Sentir o cheiro de Linda tão próximo era minha maior sensação de paz.

Essa paz que eu havia perdido por conta da demora do seu embarque. Tirando-me completamente o sossego.

Ela estava estranha desde segunda feira. Sentia por sua voz ao telefone que algo havia acontecido naquele jornal, que não queria me dizer.

Por isso meu mau humor desde então só tendeu a aumentar, principalmente quando quis pegar o jatinho e buscá-la na marra, sendo impedido por Ethan.

Naquela noite entrei feito um furacão na nossa casa de Washington, com meu assessor a tira colo. Tentando em vão, também ser acalmado por minha mãe, que havia acabado de chegar para minha posse.

— Posso saber o motivo de tanto nervosismo, Artur?
— Senhora Scott, o entrego em suas mãos. — Emma com toda sua calma riu do palhaço.
— Filho, calma! — Ela olhou para Ethan como se eu não estivesse ali. — Isso ainda é por causa de Linda?

Eu havia ligado para minha mãe antes dela embarcar, contando a história do vestido de Linda, e pedindo para trazê-la na marra. É claro, que ela não concordou, dizendo que minha mulher precisava do seu espaço.

— E por quem mais seria, Primeira Dama. — O desgraçado riu.
— Será que tem como pararem de falar como se eu não estivesse aqui? — Preparei uma dose dupla de uísque, virando de uma só vez.
— Filho, já tive vários problemas com meus vestidos também. E pare de beber. — Ela tirou o copo da minha mão. — E também peça desculpa a seu amigo.
— Ele é meu assessor, Senhora Scott.
— Não, Artur. Ethan é acima de tudo seu amigo.
— Um amigo que quer perder o emprego. — O cachorro riu mais uma vez.
— Você não teria coragem de ficar sem mim, Art. — Quase voei em seu pescoço, porém minha mãe me segurou.
— Ethan, querido, vá descansar. E o senhor para o quarto. — O quê? Eu tinha quinze anos novamente?

Subi sem resmungar. E antes de dormir, anestesiado por quase uma garrafa de uísque, que encontrei no bar da minha suíte, liguei para Linda dizendo que estaria a sua espera quando desembarcasse, com o carro na pista do aeroporto.

— Será que podemos conversar agora? — Sentia seu corpo tenso junto ao meu, ainda com nossas testas coladas.
— Já não basta o que te fiz passar por conta do vestido, quer dizer — Linda olhou para seu corpo — bem que valeu a pena. — Mas

hoje é seu dia, meu amor. Não quero te deixar nervoso.
— Linda, eu já estou nervoso.
— Mas não agora, amor. E vamos. Já estamos atrasados.
— Você não vai me escapar. — Ela deu-me um selinho.
— Eu não quero — Linda lançou seu melhor sorriso. — Tim, podemos ir. — Ela apertou o controle remoto, dando a ordem para o motorista.
— Senti sua falta, Primeira Dama. — Sorri orgulhoso.
— Eu também, amor.
O caminho até o Capitólio foi curto demais, para o que eu pretendia fazer com Linda. Nosso amasso foi pouco, pela saudade que sentia dela. Porém, nesse pequeno trajeto, minha princesa conseguiu o que todos tinham tentado naqueles dois dias.
Acalmar-me.
Chegando lá fomos ovacionados tanto pela população, como pela imprensa. Os fotógrafos não perderam nenhum ângulo e em nenhum momento Linda deixou de sorrir. Ela cumprimentou a todos, dando atenção aos repórteres, e as pessoas comuns que se encontravam ali, como uma diplomata nata.
Não conseguia parar de sorrir ao ver que minha espera havia sido compensadora. Na verdade, esperaria por Linda por uma vida inteira se fosse necessário, pois não haveria ninguém tão perfeita para estar ao meu lado.
Quando adentramos aos salões do Congresso sua receptividade para com as pessoas ali não foi muito diferente, ela sorriu, tiramos mais fotos, conversamos com alguns políticos. E na hora de nos despedirmos, pois precisava subir ao plenário, seus olhos estavam marejados.
— Agora é sua vez, Senador. Vá e tome o seu mais que merecido posto.
— Eu amo você, Linda. — Ela sorriu acariciando meu rosto.
— Eu também, amor. Nunca se esqueça disso. Agora vá, estarei aqui. Sempre.
— Se não estiver eu te busco. — Linda gargalhou, e educadamente deu-me um selinho.
Subi até o plenário sendo recepcionado por alguns colegas, e quando olhei para a plateia, vi uma das cenas mais lindas de toda

a minha vida.

Linda havia se juntado a nossos pais. E pelo que parecia, Emma e Ruth já tinham se tornado amigas de infância, em menos de uma hora. Conversando animadamente, e sorrindo o tempo todo. Já George e Sal, sempre sérios e compenetrados, prestavam atenção em tudo ao seu redor, calmamente.

Minha princesa foi beijava por seus pais e pelos meus. E uma cena me emocionou, mesmo dizendo por aí que não tinha coração. George beijou a testa da minha namorada, deixando-a até um pouco envergonhada, porém extremamente feliz.

Nossas famílias estavam unidas por um único propósito, o nosso amor. E foi observando aquela cena, que imaginei pela primeira vez um filho com Linda. Que poderia ser um homem forte e sério, como os da família Stevens e Scott, ou uma adorável menina sorridente, tão firme e determinada quanto. E percebi ali, como nossas famílias tinham muito em comum.

Sorri mais uma vez, voltando a prestar a atenção ao inicio da sessão. Não sem olhar para Linda Marilyn de segundos a segundos.

E foi naquela hora que cheguei a uma única conclusão. Nada teria sentido na minha vida se ela não estivesse ao meu lado, nem mesmo a política.

Respirei fundo, dando início ao meu primeiro discurso como Senador.

— Eu prometo diante de todos os presentes, honrar esse título me dado. Esse título conquistado por uma carreira honesta, que acima de tudo continuará lutando para que os votos dos meus eleitores sejam recompensados. Venho de uma família que traz a política no sangue, tive através do meu avô, o Presidente Sebastian Scott, e meu pai, o Governador George Scott, a melhor escola. Com a da honestidade em primeiro lugar, e a força para lutar pelo bem da população, e principalmente combater todos os tipos de corrupção aqui presente. Obrigado por cada voto! Darei valor a cada um, quando estiver sentado nessa cadeira. — Apontei para meu assento nesse Capitólio. — Agradeço também a Linda Marilyn. A mulher forte e determinada, que entrou na minha vida, para guiar meus passos, através do seu coração enorme. — Olhei em direção a Linda, que chorava compulsivamente. — E vamos ao trabalho.

Terminei meu primeiro pronunciamento como Senador, arrancando lágrimas também da minha mãe.

No final todos aplaudiram. E depois da sessão encerrada, de muitas fotos e entrevistas ao lado de aliados políticos, fui em direção a minha família, que conversava animadamente.

Toquei a mão da minha princesa, sentindo-a estremecer e sorri dando-lhe um selinho casto.

— Você estava perfeito, amor.

— Obrigado, princesa! — Sorri nos virando para cumprimentar o restante da família. — Ruth. — Beijei a mão da minha futura sogra, que se derreteu completamente, fazendo-me sorrir ainda mais.

— Meu querido, meus parabéns. Você estava magnífico.

— Obrigado, Ruth. Mãe. — Beijei o rosto de Emma, sendo abraçado carinhosamente por ela.

— Meu filho, parabéns! Estou tão orgulhosa de você.

— Eu vou me doar por completo, mãe.

— Eu sei que vai, meu querido.

— Esta no sangue essa doação extrema para a política, e principalmente o poder correto de governar. Tenha um ótimo governo, filho — meu pai disse apertando minha mão.

— Eu governarei usando todos os ensinamentos dos Scott, Governador.

— Então, o governo estará em boas mãos. — Sal também apertou minha mão.

— Com certeza, Chefe.

— Filho, eu e Ruth estamos organizando um jantar no palácio hoje, para comemorarmos sua posse.

— Ótimo! Cuidem de tudo, que agora eu e Linda temos algumas coisas para resolver. — As duas sorriram, porém nem imaginavam que o teor de nossa conversa seria... Bem, nem mesmo eu sabia, mas pelo semblante preocupado da minha namorada o assunto era grave. — Vamos?

— Vamos. Nos vemos à noite. — Ela beijou nossas mães, se despedindo também de George e Sal.

Resolvi que essa conversa teria que ser em um lugar reservado e discreto. Então, fomos direto para o palácio, mas precisamente, para nossa suíte.

O trajeto até lá foi feito em um absoluto silêncio, respeitado por mim, por saber e sentir Linda extremamente nervosa. Mas quando adentramos a suíte fui o primeiro a falar.

— Você pode me dizer agora o que aconteceu na porra daquele jornal na segunda-feira, que a fez fugir de mim por dois dias? — Linda respirou fundo, sentando-se em nossa cama.

— Eu só quero que você fique calmo, amor. — Percebi que sua voz já estava embargada.

— Como calmo? Olhe sua situação, Linda. — Comecei a me alterar.

— Na segunda feira, o Victor me chamou na sala dele e...

— E... Linda fale logo de uma vez.

— Ele me chamou para que eu decidisse entre meu *namorico* com o *Senador da República* — ela fez aspas com as mãos —, ou minha carreira no *New York Times*. — Escutar aquilo me fez fechar os olhos, furioso.

— Ele fez o que, Linda? — Eu não estava acreditando no que ouvia.

— Isso mesmo que você ouviu, Artur. Victor exigiu que eu escolhesse entre minha carreira no jornal, ou nosso namoro, alegando que minhas matérias poderiam ser corrompidas por uma paixonite, quer dizer, por nosso amor. — Ela abaixou a cabeça.

— Eu mato aquele desgraçado, ele não pode fazer isso com você. É completamente antiético. — Linda começou chorar, e foi então que percebi que ela poderia ter... — O que foi que você decidiu?

— Escolhi viver meu maior sonho, Artur. — Ela se levantou e veio em minha direção com os olhos cheios de lágrimas. — Escolhi viver esse grande amor, que a vida me deu de presente. O amor da minha vida inteira. — Acariciou meu rosto tenso. — Eu nunca escolheria algo que pudesse me afastar de você, amor. Pois percebi que mesmo antes de te conhecer pessoalmente, de você me presentear apenas por olhar para mim, eu já vivia inteiramente por você. Mas...

— Mas?

— Eu tenho medo, Artur. — Ela retrocedeu um pouco. — Medo de me tornar desinteressante. De não ver mais o mesmo brilho em seu olhar quando me apresentar para seus correligionários.

— O que você pensa que vejo quando olho para você, Linda Marilyn? Uma marca de jornalista famosa?

— Artur. — Ela sentou-se novamente na cama.

— Não, Linda. Eu vejo a mulher mais excepcional e verdadeira que já conheci. A menina mais meiga que me faz derreter e precisar dela a ponto de poder respirar melhor.

— Artur...

— Deixe-me falar. — A interrompi. — Um dia você disse que ainda era difícil colocar-me no patamar da sua realidade. E hoje vejo que isso se encaixa perfeitamente para se enxergar também. Eu nunca te colocaria em um patamar, menos que perfeita. — Agachei-me em sua frente, beijando seu rosto molhado. — Não me orgulho da jornalista do *New York Times,* Linda Marilyn. E sim pela mulher que está ao meu lado. Inteligente em qualquer área que escolher. Amável e receptiva, como uma maravilhosa primeira dama, e sexy, como uma amante perfeita na cama. — Ela sorriu fracamente. — Com certeza, Linda Marilyn, eu nunca me orgulhei apenas daquela jornalista. Eu a agradecerei para sempre sim, por tê-la trazido até mim. Mas você é bem mais do que isso, princesa.

— Eu te amo! Me perdoe por ficar confusa. — Ela respirou fundo, fazendo-me erguer seu olhar ao meu. — Mas nesses dois dias, minha única certeza foi que nunca seria feliz sem você ao meu lado.

— Eu também não, meu amor.

A puxei para meu colo, aninhando-a nos braços. Fazendo assim meu coração voltar a bater tranquilo. Seria inadmissível imaginar minha vida sem ela.

— E percebi isso hoje em cima daquele plenário, enquanto imaginava o que a tinha feito fugir de mim por todos esses dias. E descobri exatamente a mesma coisa que você. — Beijei sua testa. — Nada na minha vida faz sentido se você não estiver ao meu lado, princesa — ela sorriu em meio às lágrimas. — Eu preciso de você comigo, Linda. Como o ar que eu respiro.

— Eu amo você!

— Eu também amo você, princesa. Mas que tudo na minha vida. — Linda olhou-me fixamente nos olhos, como se pudesse enxergar a minha alma.

— Me desculpe por ter fugido, mas não tinha condições de fazer nada, nesses dois últimos dias. — Ela foi sincera.
— Imagino que para você não deva estar sendo fácil. — A vi balançar a cabeça.
— Não, não está. Mas eu nunca aceitaria aquilo. Foi nojento o modo com que ele se referiu a nós, Artur.
— Te conhecendo profissionalmente, sei que mesmo não tendo nossa relação em jogo nessa sujeira toda, você nunca acataria uma ameaça dessas, calada.
— Não, mesmo — disse firme.
— Você é verdadeira demais.
— Você me conhece tão bem, não é? — Ela sorriu e eu a apertei ainda mais no meu abraço.
— Mais do que imagina. — Beijei de leve seus lábios.
— Mas para mim, sabe o que foi mais difícil?
— O quê?
— Pensar na sua reação, conhecendo seu gênio. Não queria estragar sua posse em hipótese nenhuma. — Foi minha vez de balançar a cabeça.
— Linda, eu vou acabar com aquele jornalzinho. Esse cara não tinha o direito de fazer isso com você. — Ela respirou fundo. — Nós esperamos a eleição para não termos esse tipo de problema, e agora esse medíocre vem com uma história sem cabimento. Você é uma profissional, sempre foi. — Linda sorriu e retribuiu meu beijo.
— Amor, estamos falando do *New York Times*.
— E você está falando com Artur Scott, Linda Marilyn. — Minha voz era séria.
— Eu não me vejo mais fazendo parte dessa sujeira que é a mídia, Artur. Pensei muito nesses últimos dois dias, e cheguei a uma única conclusão. — Ela rebolou no meu colo, deixando-me confuso. — Eu quero viver a política um pouco mais na prática nesse momento.
— Eu posso abrir um jornal para você, ou uma revista especializada. — Linda mordeu meu pescoço.
— Será que podemos conversar sobre isso depois. Pois nesse exato momento estou tentando seduzir meu Senador. — Ri da minha devassa tomando conta do seu corpo. Amor... Estou bem,

juro. Eu quero apenas você ao meu lado, o resto nós vemos depois, mas agora — mordeu os lábios —, faz amor comigo.

Beijei-a apaixonado, virando nossos corpos e a jogando literalmente na cama.

— Eu posso até fazer, Linda Marilyn. Porém depois vou te comer até você perder a mobilidade das pernas, por me deixar aflito durante dois dias inteiros.

— *Ah* — ela gemeu fechando os olhos, dando-me o sinal necessário para que eu pudesse continuar.

Naquele momento estava em paz novamente. Eu tinha minha princesa ao meu lado, e agora, para sempre.

Segurei seu rosto entre minhas mãos, enquanto a beijava com carinho, vendo-a desabotoar minha camisa, com uma habilidade mestra. Nossas línguas se tocavam gentilmente, se entregando aquele sentimento profundo.

Levantei-me tirando meus sapatos. E Linda, sem perder tempo, terminou de desabotoar minha camisa, abrindo e abaixando minha calça, restando apenas a *boxer* preta.

— *Uau*! Nunca vi uma combinação tão perfeita. *boxer* preta e terno *Armani* — ela gemeu fazendo-me rir.

Puxei seu corpo a deixando de joelhos na cama, e tirei seu vestido creme, lentamente.

— Bem... Até que valeu a pena — beijei seu ombro nu, jogando seu vestido em algum lugar do quarto —, é um belo vestido.

— Eu disse que era. — Linda enlaçou seu braço no meu pescoço, me beijando loucamente.

— Você é linda, princesa! — Terminei nosso beijo, descendo minhas mãos por seu corpo, e encontrando sua intimidade já a minha espera, totalmente molhada. — Tão pronta.

— Para você, amor. Vem, preciso de você! — Puxou meus cabelos com força no momento que introduzi dois dedos nela, vendo-a jogar a cabeça para trás de prazer. — Amor... Eu quero você! — sussurrou sofregamente.

— Mais o que você quer, Linda Marilyn? Seja mais especifica. —

Sorri vendo-a bufar. Mas antes que ela pudesse dizer alguma coisa, beijei levemente seu seio, enquanto minha mão continuava a trabalhar freneticamente em sua intimidade.

Linda gemia fazendo-me gemer junto. Essa mulher era minha tentação em vida.

Tirei a boca dos seus seios com ela resmungando. E distribui beijos pelas suas costelas, barriga, até chegar onde eu queria... Até onde ela queria.

— Amor, por favor, não judia — pediu.

— Deixa-me fazer amor com você, Linda Marilyn. Deixa-me mostrar o quanto eu te amo... E que vou fazer valer a pena cada centímetro da escolha que fez.

— Eu nunca tive duvidas disso, amor. — Escutando isso passei a língua sensualmente por seu sexo, vendo-a se contorcer.

— Vem, princesa. Deixe me sentir seu gosto. — Seus gritos e gemidos eram música para meus ouvidos, e por eles sabia que Linda estava bem próxima de se derramar inteiramente para mim. — Vem, gostosa. — Senti seu corpo todo tremer, e então ela veio com tudo, não me fazendo desperdiçar nenhuma gota do seu líquido dos deuses.

— Jesus Cristo, isso foi...

— Perfeito, como sempre. — Subi distribuindo beijos, voltando a sua boca.

— Eu amo você. — Encaixei-me inteiramente nela, que ainda molhada me recebeu... De braços abertos, rindo.

— Gosta de ser surpreendida?

— Sempre. — Ela mordeu meu lábio inferior antes de me beijar furiosamente.

— Então rebola, devassa — Linda terminou nosso beijo, jogando-me para o lado da cama, e passou as pernas em volta da minha cintura, sem nos desconectar, gargalhando.

— Agora sim eu posso rebolar, Senador. — Porra, ela ia fazer aquela posição que me matava em dois minutos.

— Linda, assim eu não aguento muito tempo. — Ela se abaixou um pouco, lambendo minha orelha, e me afogando com seus cabelos.

— Aguenta, amor... Eu sei que aguenta.

Ela plantou os pés no colchão e começou a rebolar loucamente no meu pau.

— Mas não estávamos fazendo amor?

— Nós nunca fazemos amor, Senador... Eu quero que você me coma bem gostoso — a safada sussurrou no meu ouvido.

— É isso que você quer, então? — Ela confirmou e olhou para a janela do quarto. — Na janela?

— Com a capital do país aos nossos pés.

— Essa é a minha primeira dama. — Sorrimos juntos, diabolicamente nos desencaixando, e correndo para a janela.

Lá a penetrei sem dó novamente. Eu de pé com os joelhos apoiados na poltrona que Linda havia se apossado, e ela de costas para mim, com Washington a sua frente, como queria.

Com força segurei sua cintura, enquanto ela rebolava vindo de encontro a mim, aumentando o atrito entre nossos corpos.

— Como eu te amo!

— Também te amo, mais que tudo, princesa. — Naquele momento palavras não eram necessárias. Mas escutar de sua boca todo seu amor e senti-la tão entregue, fazia-me o homem mais feliz do mundo.

Porém para isso, Linda também teria que estar completa. E eu daria o mundo a ela se fosse necessário, apenas para vê-la feliz por inteiro novamente.

Não demorou muito para explodirmos juntos... Em perfeita sincronia.

Peguei-a no colo, levando seu corpo novamente para a cama, e caímos exaustos, apenas sentindo a maciez dos lençóis.

— Você tem certeza que ainda temos um jantar hoje? Eu estou completamente...

— Descadeirada. — Ela gargalhou, beijando meu peito.

— Exatamente.

— Mas hoje não teremos escapatória, Senhorita Stevens. É nosso primeiro jantar em família. — Linda sorriu lindamente olhando para mim.

— Estou tão feliz por isso.

— Você está sendo sincera, princesa? Nenhum tipo de arrependimento. Eu posso falar com o dono daquele... — Ela tapou minha boca com seus delicados e famosos dedos.

— Eu não me vejo mais lá, Artur. Não no lugar que não aceitou a mulher de Artur Scott, pois é isso que eu sou agora. — Sorri tortamente, como ela costuma dizer, ao ouvir aquelas palavras saindo da sua boca.

— Eu vou te dar o céu, princesa. Quero apenas que você seja feliz.
— Eu sou feliz. — Ela sorriu abertamente. — Mas falaremos sobre isso depois. Vamos para o banho, Senador.
— Não — a abracei com os braços e pernas —, agora deu preguiça.
— Nada disso. — A danada se desvencilhou do meu abraço, levantando e empurrando-me para fora da cama. — E só um banho certo, Artur Sebastian. Não posso chegar transparecendo sexo na frente dos nossos pais. — Gargalhei a jogando nas costas, indo em direção ao banheiro, e quase ensurdecendo com seus gritos.
— Não seja escandalosa, nossos pais não precisam saber o que estamos fazendo. — Ela esperneou ainda mais.
— Cachorro! — Linda me bateu mais um pouco. Porém, dando-se por vencida, riu e me beijou, quando a coloquei de pé no Box. — Amo você.
— Também amo você, minha escandalosa. — Ela me bateu mais um pouco, porém conseguimos tomar um banho decente, e em tempo recorde para nós dois.

— Estou bem?
— Como sempre maravilhosa! — Aproximei-me, enquanto ela terminava sua maquiagem de costas para mim, olhando para o grande espelho acima da cômoda. — Linda.
— Hum!
— Você vai contar para seus pais hoje sobre o jornal?
— Vou. — Ela virou para mim. — Eles têm o direito de serem os primeiros a saber... Depois de você é claro.
Deu-me um selinho se virando novamente para o espelho, como se estivéssemos conversando sobre algo banal.
— Linda, você tem certeza que está bem? — Puxei seu corpo ao meu, fazendo com que ela me olhasse.
— Amor, eu não vou mentir, e já te confessei. No começo fiquei com medo de decepcionar meus pais, você... E por isso me senti meio perdida, mas depois tive a certeza que eles me apoiariam.

Porque como seus pais, os meus me ensinaram a ser honesta, principalmente aos meus sentimentos. E não poderia continuar a trabalhar com uma pessoa, que em dois anos, não me conheceu profissionalmente. Não dando o mínimo valor ao trabalho que realizei.

— Eu tenho muito orgulho de você, sabia. Sua coragem e determinação são algo difícil de encontrar em alguém com sua idade. — Puxei ainda mais seu corpo ao meu. — Eu não poderia ter feito escolha melhor.

Vi seu sorriso mais lindo se abrir junto com os olhos marejados, e ali enxerguei a mais profunda sinceridade. Abracei-a, tentando transmitir naquele gesto, toda a proteção que daria a ela para sempre.

— Eu amo você, Linda Marilyn Stevens!

— Eu também te amo muito, meu lindo Senador Artur Sebastian Scott. — A beijei apaixonado.

— Vamos descer, então? — Estendi o braço, depois de terminarmos o beijou com dificuldade.

— Vamos. Não podemos deixar nossos pais esperando. Mas antes deixe retocar o batom que certa pessoa arrancou da minha boca — ela voltou para o espelho —, é melhor você se limpar também, amor. — Foi então que percebi que meu rosto estava borrado com seu batom também.

Devidamente descentes — palavras de Linda —, descemos de mãos dadas até a sala e fomos recepcionados por Emma e Ruth que conversavam animadamente.

— Como você está linda, minha querida.

— Isso pode ser considerado um pleonasmo, mamãe. Como seu nome em espanhol traduz, Linda está sempre maravilhosa. — Abracei minha princesa por trás, cheirando seu pescoço gostoso.

— Vou ficar mal acostumada desse jeito. — Ela olhou para mim, sorrindo. — e Emma... Obrigada! Você que sempre está impecável. — Emma a beijou.

— Querida, então também lhe agradeço. Sempre tão delicada. — Sorriu para mim.

— Mamãe. — Linda foi até Ruth e a abraçou carinhosamente.

— Oi, meu bebê! Você está diferente. Esses olhinhos... Linda, aconteceu alguma coisa? — A sensibilidade pelo que me parecia, já era algo comum na família Stevens, pois Sal que vinha do escritório com meu pai também sentiu o estado de espírito da filha, mesmo antes de vê-la.

— Linda, o que aconteceu?

— Oi pai! — Minha princesa foi até Sal e o abraçou. Ali eu senti uma cumplicidade imensa entre pai e filha. E isso me emocionou. — George — ela cumprimentou meu pai. — Conversamos depois.

— Princesa! Podemos conversar agora, se você não se importar, eles devem saber. — Acariciei seu rosto tenso.

— Aconteceu algo grave, Linda Marilyn? — Meu pai se preocupou.

— Desculpem, eu não queria atrapalhar nosso jantar.

— Não se preocupe, querida. Agora nos conte o que aconteceu. — Emma foi carinhosa.

— Pai, mãe. Eu fui demitida do *New York Times* por... — Linda respirou fundo —, por namorar Artur. — Ela me olhou, apertando ainda mais nossas mãos, agora entrelaçadas.

— O quê? Como você foi demitida por namorá-lo? — Sal se alterou.

— Desculpe, pai! — Linda começou a chorar e o pai a abraçou.

— Fique calma, minha querida. Só estou tentando entender. — Ela chorou ainda mais.

— Sal, aquele Parker — coloquei toda minha fúria ao pronunciar o sobrenome daquele crápula —, disse a ela que nosso namoro prejudicaria suas matérias no jornal.

— Mas, Artur. Vocês já estão juntos a mais de três meses e nada mudou, muito pelo contrário, a coluna de Linda é uma das mais lidas e recomendadas no meio político. — O tom de voz de Ruth era inconformado.

— É, mãe. Mas Victor acha que não sou profissional o suficiente para separar minha vida pessoal da profissional.

— Esse editor tem que ir para o olho da rua. — Ouvimos o outro Scott raivoso.

— Não, George. Hoje quem não se vê mais naquele jornal sou eu. Pai, mãe. — Linda olhou para os pais. — Eu sei que o maior orgulho de vocês foi ter conseguido uma ótima colocação dentro da minha profissão, mas não posso abrir mão da minha felicidade, e muito menos ser desonesta a meus princípios por um emprego. Eu só gostaria que os dois pudessem me perdoar. — Ela tentava controlar os soluços.

— Você não tem que nos pedir perdão, meu amor. Na verdade, esse gesto nos dá ainda mais orgulho da criação que demos para nossa única filha.

— Sua mãe tem razão. Você só nos dá orgulho, Linda. Desde sempre. E hoje acima de tudo, senti que tudo o que eu pude passar para você sobre sermos honestos, principalmente com si próprio, valeu a pena. — Sal a abraçou. — Você é uma ótima profissional, e não vai ser um jornal hipócrita que a fará perder seu brilho e talento nato.

— Obrigada! — Ela foi acolhida pelos dois. — Eu estava com tanto medo.

— Amor, não precisa ter medo, somos nós lembra. Seus pais queridos, mas acima de tudo, seus amigos. Você é maravilhosa, e talento igual não há, e não é porque é minha filha, não. — Ruth olhou para meus pais. — Linda é inteligentíssima.

— Nós sabemos, Ruth. E com certeza ela ressurgirá mais forte que nunca. — Minha mãe também a acolheu em um abraço.

— Mas ainda falaremos sobre aquele jornalzinho, e seu editor medíocre.

— Pai, falaremos sobre isso mais tarde.

— Eu não quero que façam nada, por favor, George. Eu agradeço, mas Victor não vale o esforço. — Linda estava decidida. Porém, os Scott também. Olhei para meu pai e vi o que precisava. O apoio para acabar com aquele calhorda.

— Linda Marilyn, conte conosco para tudo.

— Obrigada, George! Eu sei que posso contar com vocês.

— Mas agora vamos jantar, pois temos dois motivos para comemorar. A posse desse garotão aqui. — Emma apertou minha bochecha, fazendo-me revirar os olhos. — E a nova fase da minha querida futura nora. — Ela usou aquelas palavras com tanta emoção, que pude ver os olhos da minha princesa brilharem novamente.

— Obrigada, Emma. Eu não sei como agradecer. E peço

desculpas por atrapalhar o jantar, novamente.
— E a senhorita pare de pedir desculpas. — Minha mãe pegou as mãos de Linda. — Você já faz parte da família, Linda. E tudo que lhe afete, nos afetará também.
As duas se abraçaram e fomos para a sala de jantar.

— Pensei que seria mais difícil. — Já estávamos deitados na nossa cama, logo depois que subimos do jantar. E Linda estava bem mais calma.
— Eles te amam e sabem a educação que lhe deram. — Beijei seus cabelos.
— Eu sei, mas fiquei com medo de decepcioná-los. De decepcionar você.
— Isso aconteceria se você fosse covarde e aceitasse as condições de Parker.
— Nunca! — Linda levantou a cabeça, encarando-me. — Você sabe disso. — Sorri.
— Então, Sal e Ruth só têm motivos para se orgulharem da sua filha única, como eu da mulher que escolhi. — Ela sorriu maliciosa.
— Repete.
— Minha mulher.
— De novo...
— Minha mulher.
— Faz amor comigo de novo, amor. — Ela pediu manhosa.
— Amor, mesmo?
— Nunca será apenas fazer amor com você, Senador.
Joguei-a na cama, e nossa noite ainda nos rendeu alguns orgasmos, antes de cairmos mortos na cama, depois de um dia mais que longo.
Um dia decisivo...
O dia que mudaria sua vida para sempre...
Como a minha, que Linda Marilyn já havia mudado, desde que entrou de uma só vez, e para ficar. Ainda lá atrás, durante a festa de lançamento da minha campanha, nos imponentes salões do Hilton. Para sempre...

Capítulo 31

Linda

Vesti-me com minha melhor roupa, calcei o melhor sapato, escolhi a bolsa, joias e acessórios mais finos. E como combinado, religiosamente às oito da manhã da sexta feira, estava saindo do elevador no décimo andar do maior jornal de Nova Iorque, pela última vez.

Porém, apesar de toda minha insistência, não estava sozinha.

O que me fez sorrir também, observando o burburinho causado por quem se apossou, como sempre, da minha cintura, andando imponente ao meu lado.

Sim, eu estava com meu Senador, Artur Scott.

— Tudo bem? Algum problema? — Artur sussurrou enquanto andávamos pela redação até a sala do meu ex-editor chefe.

— Tudo ótimo! Embora ainda ache desnecessário você vir comigo com tantas coisas para fazer. — Ele parou de andar, fazendo com que eu automaticamente olhasse em seus olhos.

— Você sempre será minha prioridade, e nunca a deixaria vir sozinha, não depois...

— Chefinha. — Fomos interrompidos por Laila, como sempre, caminhando esbaforida na nossa minha direção. — *Er...* Bom dia, quer dizer... — Sorri vendo o efeito que Artur causava em todas as pessoas.

— Bom dia Laila! Tudo bem?

— Tudo sim. Você veio... — Ela não tirava os olhos do meu homem, e mesmo confiando na minha secretária, aquilo começou a me incomodar.

— Amor, essa é Laila, minha... Secretária. — Não precisaríamos falar abertamente ainda sobre minha demissão.

— Bom dia, Laila! — Artur usou de toda a sua educação e charme. E isso chamou a atenção de todos na redação.

— Bom dia, Senador! E... — Ela estava sem fala, o que me fez revirar os olhos. — Parabéns!

— Obrigado, Senhorita!

— Laila, estamos indo para a sala do Victor, mas não precisa nos anunciar, ok?

— Ok, chefinha! Qualquer coisa que precisar é só chamar.

— Pode deixar. E... Obrigada!

Sorri novamente para ela. Eu gostava de verdade de Laila. Ela era uma das poucas ali que me inspiravam confiança, sem falar em Mary, que ainda não havia chegado, mas já estava sabendo da nossa presença aqui.

— Vamos acabar logo com isso.

Chegando em frente à sala de Victor, respirei fundo entrando, sem bater.

— Ora! Ora! Se não é a nossa mais competente jornalista. — Ele abriu seu sorriso sarcástico, porém o fechou assim que observou que não estava sozinho.

— Aquela que mediocremente não soube respeitar. — Artur entrou como um tiro na sala. — E que despediu pelo simples fato de estar tendo um namorico com o Senador mais famoso da atualidade.

— Artur Scott.

— Quem mais poderia ser, Victor Parker? — Olhei para meu namorado em sinal de pausa, e determinada comecei a falar.

— Como o combinado, Senhor Parker. Estou aqui... Para pedir minha demissão. — Seus olhos que não haviam saído de Artur, se viraram para mim.

— Você só pode estar ficando maluca, abandonar uma carreira promissora, por um...

— Continue, Parker. — Artur estava com as mãos em punho. — Abandonar uma carreira promissora por um namorico? Era isso que ia dizer? Por acaso é isso que está vendo aqui? Algo apenas banal?

— Eu mesma respondo, amor? — Sorri sarcasticamente — Não, Parker. Você se enganou redondamente nesse caso. O namorico aqui é algo bem mais profundo do que sua mente rasa poderia imaginar. E estou sim, abandonando esse lixo coordenado por você, por não ter mais estômago em trabalhar com alguém tão burro.

— Você não sabe o que está falando, ele está te usando. E quando se cansar de brincar de casinha vai te dar um chute, que a trará rastejando até mim novamente. — Vi Artur avançar para cima dele, porém segurei sua mão, séria.

— Mais uma palavra eu aciono meus contatos e acabo com sua reputação. — Sim, eu estava sentindo-me poderosa. — Mais uma palavra, seus superiores saberão o motivo de estarem perdendo sua melhor colunista política. E não será nada fácil ter que explicar isso a eles. O porquê de uma perda tão grande, não acha, chefinho?

Ele me olhava acuado, e Artur? Sorria orgulhoso da nova mulher que estava se apresentando a sua frente. Forte e determinada.

— Não me subestime, Parker. Eu posso ser a namorada de Artur Scott, porém antes de tudo sou Linda Stevens, uma das melhores jornalistas desse país. — O olhava firme e superior. — Então era isso. Amor, estou indo para o departamento pessoal, nos encontramos no elevador, ok? — Dei-lhe um selinho, sabendo que a conversa entre os dois ainda não havia terminado. E eu a assistiria de camarote, junto com toda a redação, que olhava fixamente para a parede de vidro.

— Ok! — Artur soltou nossas mãos, ainda entrelaçadas e saí deixando a porta entreaberta, encontrando Mary e Laila logo na minha frente.

— O show vai começar. — Sorri, cruzando os braços e me virei para a sala do meu ex-chefe.

— Apenas lhe darei um único aviso, caro jornalista. — Artur usou da mesma ironia que eu há minutos atrás.

— Vai me dizer que não a iludiu como em suas promessas de campanha? Com aquela carinha de santa profissional, Linda Marilyn deve ser muito boa de cama, confesse, caro Senador.

— Oh, meu Deus! — Mary colocou as mãos na boca, no momento em que Artur meteu um soco no rosto do meu ex-chefe.

— Ele vai matar o Victor.

— *Shi!* Quieta, Laila. Eu preciso escutar.

— Desculpe, chefinha!

— Esse é o seu Senador. — Sorri cúmplice com Mary.

— Sim, ele é.

— Eu espero que tenha feito um bom estrago no seu nariz — o calhorda estava acuado com o rosto cheio de sangue —, para que eu possa deixar claro do que sou capaz quando alguém desrespeita MINHA MULHER — disse em alto e bom som, e pude ver o espanto nos olhos de Victor. — É isso mesmo o que você ouviu, Parker. MINHA MULHER. E sim, Linda Marilyn é maravilhosa em tudo que faz. Até mesmo em pedir pessoalmente para que eu não acabe com sua raça hoje mesmo. Porém, melhor ainda em algo que sua mediocridade — Artur desdenhou o olhando superiormente —, nunca irá entender. Tenho pena de você. Um jornalista tão inteligente, não conseguindo separar uma rivalidade política de famílias, da vida do jornal onde trabalha. Fazendo assim que seu próprio desempenho profissional saia prejudicado, pela perda de uma das suas maiores jornalistas.

— Você se sente um Deus todo poderoso não é, Scott? — Ele cuspiu sangue, fazendo respingar no terno impecável do meu *homem de ferro*.

— Não, Victor. Nossa diferença é que eu sou o todo poderoso, que saindo daqui, subirá direto para a sala do seu superior. O que será que eles vão dizer quando perceberem que sua coluna não terá mais o mesmo sucesso de vendas? — Ele usou de toda sua ironia. — Esse meu namorico vai lhe custar muito caro ainda, querido amigo.

— Você não tem o direito de adentrar minha sala, e me ameaçar com seu poder. — Artur gargalhou alto, fazendo-me estremecer.

— Eu não ameaço, Parker. Não sou baixo como você. Eu faço. E na verdade espero um castigo bem proveitoso para que possa repensar um pouco na sua vida profissional. E no nariz, faça um curativo, ele vai doer ainda por um bom tempo.

Não havíamos conversado sobre os donos do jornal, mas pela fúria de Artur, com certeza não conseguiria impedi-lo dessa vez. O que achava pouco, pela falta de respeito que havia sido tratada dentro lá dentro.

Resolvi que o circo já poderia se encerrado. E me virando, fiquei de frente ao vidro, que naquela hora servia de novela para a redação inteira.

— Prontinho, meu amores. O espetáculo chegou ao fim. Gostaram? Violet, querida. O que dizer dessa maravilhosa matéria? — Olhei em direção a cobra que se intitulava jornalista. — Vamos lá, querida, você consegue. —

Ela não conseguia mexer um músculo da sua face. Tão diferente das outras vezes. E isso estava deixando-me muito satisfeita. Estava gostando dessa nova fase de Linda Stevens.

— Tudo bem, eu a ajudo. Quem sabe... — pausei ironicamente — "Editor Chefe do *New York Times*, apanha por demitir por causa justíssima sua melhor jornalista... Ela estava envolvida em uma tórrida relação com Artur Scott". E aí, gostou? Também podemos pensar em algo assim... — Sorri sarcasticamente, vendo Artur sair da sala de Victor. — *Novo casal causa tumulto em redação* — Sim, eu estava sendo diabólica, mas cada um ali merecia engolir do seu próprio veneno. — Não poderão publicar esse show, não é? Ou muito menos fotografar. — Abracei Artur, que se aproximava e beijou minha testa. — Espero que a partir de agora vocês, na verdade, você — apontei —, Violet, e você — apontei novamente —, Jimmy. Tomem mais cuidado com o que jogarão nesse lixo, que teimam em chamar de página de entretenimento, mas que não passam de manipuladores de vida. Pensem que uma palavrinha fora do lugar, poderá custar a carreira de cada um aqui. Nós estamos felizes —, me apertei ainda mais a Artur, que permanecia calado, apenas escutando-me. — Enquanto vocês... — Olhei em direção a meu ex-chefe, que observava tudo do mesmo vidro assistido há alguns minutos. — Tudo isso é uma via de mão dupla, nunca se esqueçam. Um dia, vocês estão dando a notícia, no outro — virei, fixando meu olhar ao de Victor Parker —, poderão ser os noticiados. Foi muito bom trabalhar com vocês, mas melhor ainda é ver-me livre desse lixo intitulado como o melhor jornal do país. Vamos? — Entrelacei nossas mãos.

— Vamos. — Quando nossos olhos se encontraram pude ver o orgulho contido ali. — Você é excepcional, Linda Marilyn. — Sorri orgulhosa.

— Tenho um ótimo professor. — Eu lhe dei um selinho, despedindo-me de Mary e Laila. E saí daquele andar de cabeça erguida. Indo direto para o departamento pessoal. Enquanto Artur, mesmo eu dizendo que não era preciso, se enveredou até o último andar para conversar com os donos do jornal.

Assinando os últimos papéis para minha demissão, senti alguém logo atrás de mim, e curiosa virei para ver de quem se tratava.

— Victor? — O editor chefe, ainda ensanguentado, estava logo atrás de mim, e continha raiva em seus olhos, o que me fez respirar fundo.

— Vou dizer apenas o que disse para seu namorado. — Senti sarcasmo em sua voz, porém não me abati, inflando o peito. — Você está se sentindo no topo, Linda Marilyn. Mas tome cuidado. Nesses casos, quem sempre saí perdendo são os mais fracos.

— Já disse para tomar cuidado em como se dirige a palavra a mim, Parker. Não sou tão indefesa. — Ele sorriu.

— Mas é inexperiente diante das cobras que encontrará no seu caminho. — Ele balançou a cabeça, ainda rindo. — Não a querem ao lado dele, Linda Stevens. Esse romance tende ao fracasso. — Segurei-me para não terminar o serviço que Artur havia começado.

— Quem é você para falar assim comigo, Parker.

— Eu sei do que estou falando e sua imponência não durará muito. Existem pessoas próximas que não estão gostando nada desse romance.

Do que esse crápula estava falando? Mas na mesma hora um frio na espinha me acometeu, fazendo com que me contorcesse um pouco. Eu sabia de quem ele falava. Raquel e Ryan Laurence. Porém não poderia dar o braço a torcer, mostrando fragilidade, não naquele momento.

— Nós somos mais fortes que isso, Victor. Nosso amor — percebi lágrimas teimosas querendo descer dos meus olhos —, será bem mais resistente que uma capa de jornal. — Usei de toda a sinceridade, vinda do meu coração.

— Vamos ver então, quanto tempo esse lindo amor de capa de revista — ele me ironizou —, aguentará. Mas me decepcionei com você, Stevens. Poderia ter sido bem mais esperta.

— A inteligência não se mede por esperteza, Parker, e sim pelo que se carrega dentro do peito — apontei para meu coração. — Isso não te levará a nada, só ao fracasso. Posso me decepcionar, porém terei agido a favor dos meus princípios. E isso deveria fazer parte da sua profissão. Sendo você, um jornalista político e experiente. Não envolvendo pessoas do seu comando em jogos sujos e desonestos. Seja mais inteligente da próxima vez. — Virei para a bancada novamente, onde assinava meus papéis, olhando para atendente que assistia tudo de boca aberta. — Eram apenas esses?

— Sim, Senhorita Stevens.

— Obrigada — voltei meu olhar para Victor. — E passe bem, Victor Parker.

— Depois não diga que eu não avisei.

— Digo o mesmo para você. Na vida sempre encontramos bifurcações que nos deixarão em dúvida de para onde seguir. Eu segui meu coração e tenho certeza que não me arrependerei. Isso serve para você também. A partir de agora, tente ver as coisas com mais clareza, ou seu tombo poderá ser bem mais feio que o meu. Adeus, Victor.

Saí daquele lugar com o ar faltando nos pulmões. Sabia que dali pra frente minha vida não seria um conto de fadas. Estávamos no meio da vida real e nada seria perfeito.

Porém, havia tomado a decisão certa, e quando as portas automáticas se abriram para a rua, vi que minha nova vida reservava muitas coisas boas também.

Artur sorria linda e tortamente para mim, recostado em nossa — sim, nossa limusine — enquanto me esperava.

Eu havia escolhido o amor, e não me arrependeria disso nunca em minha vida. O amor mais lindo que Deus havia me presenteado. O amor forte que estávamos construindo e que até poderiam tentar atrapalhar, mas não conseguiriam. Eu tinha certeza disso.

Fui pega pelos seus braços. Aqueles que eram a cura para qualquer dor. O alivio de qualquer aflição. Aqueles que eram a minha casa. A Minha vida, o ar que respirava... Desde sempre.

— Tudo bem? — Artur beijou minha testa carinhosamente.

— Sim! Tudo resolvido. Vamos? — Ele sorriu, abrindo a porta de trás para mim.

— Que tal um almoço no *Daniel*? Há tempos não vamos lá.

— Ótima ideia! Mas estava pensando em algo para nosso final de semana. — Ele olhou-me curioso, enquanto sentava-se ao meu lado.

— O que seria, Senhorita Stevens?

— Que tal um final de semana na nossa Ilha? — Seu sorriso se iluminou.

— Perfeito! — Artur enquadrou meu rosto entre suas enormes mãos e me beijou. — Você tem certeza que está tudo bem, princesa?

— Eu sou a mulher mais feliz do mundo hoje, isso basta, Senador? — Artur sorriu tomando minha boca novamente.

— Eu farei de você a mulher mais realizada também, meu amor. — Sorri acariciando seu rosto.

— Eu sei disso. Mas pensaremos nisso depois. Agora quero almoçar com meu homem, em nosso restaurante preferido, e depois arrumar as malas para um final de semana delicioso.

— Ótima pedida!

— Eu te amo, Linda Marilyn.

— Também te amo, Artur Sebastian. Mais que minha própria vida.

E sentido o poder daquelas palavras, respirei fundo, deitando a cabeça no peito do meu *homem de ferro*, vendo-o dar às coordenadas para Jonathan, enquanto deixava para trás uma antiga vida, que guardaria com carinho, porém não com arrependimentos.

Minha nova vida traria bem mais que uma profissão. Ela tornaria meus sonhos reais e isso me deixava muito animada. A partir daquele momento, começaria a viver, além desse lindo amor, a política na prática.

Sim. Eu havia nascido para estar ao lado de Artur Sebastian Scott. Meu Senador...

Agradecimento

Agradeço primeiro a Deus, por me guiar até aqui, trilhando um caminho cheio de luz, fazendo-me crescer dia após dia como profissional. Inspirando-me, cada dia mais, para que possa iluminar a vida das pessoas através da escrita.

A minha família e em especial, ao meu marido Marcelo, que sempre será minha maior inspiração, pois com seu amor, me ensinou o que é amizade, companheirismo, cumplicidade e vontade de estar junto, de vencer juntos, me fazendo ser categórica no que escrevo a respeito do amor e da vida a dois.

A minha irmã Aline, por estar ao meu lado, dando-me força e serenidade sempre, com a certeza de que o amor e a amizade verdadeira existem.

A estrela mais linda do céu... Minha Lúcia. Que não está mais ao nosso lado fisicamente, porém a sinto diariamente comigo, emanando sua força e vontade única de viver. Todos os meus livros serão dedicados a você, mãe. Que me criou e ensinou que tudo podemos alcançar, apesar das dificuldades. Te amo, para sempre!

Continuarei agradecendo pelo resto da minha vida ao meu anjo do mundo literário, minha querida amiga Tatiana Amaral, que me ajudou, instruiu e me indica até hoje os melhores caminhos a seguir. Apresentando-me a pessoas incríveis, que me abriram as portas da literatura nacional. Obrigada!

A Ler Editorial, por mais uma vez me estender as mãos, acreditando no meu trabalho quando eu mais precisei. A você, Catia Mourão, sempre meus agradecimentos mais sinceros. Obrigada por apostar mais uma vez em mim e principalmente na minha trilogia, que agora encontrou sua verdadeira casa. A que a respeita e ama assim como eu.

A Lizzy Carvalho, meu amorzinho, a quem eu dediquei boa parte desse livro, transformando-a em parte integrante dele. Por sua imensa dedicação e por estar diariamente comigo, doando-se inteiramente, ajudando-me em tudo que preciso. Sempre disposta a estar ao meu lado, elaborando com muito amor o trabalho com os livros, ou apenas para ser meu ombro, minha amiga, conselheira, tornando-se extraordinária em tudo.

A Rosi Capatto, por sua amizade sincera de anos, iluminando e acalentando minha vida diariamente, apenas por tê-la ao meu lado. Agradeço a você por tudo amiga, desde os vídeos até as lembrancinhas perfeitas de nossos livros.

A Cláudia Zuliani e Fabiana Lustosa, minhas queridas amigas de todos os dias, revisoras e incentivadoras, mas acima de tudo minhas estrelas guias, iluminando meus caminhos através de todos seus gestos. Elas me abençoam com suas presenças, me dando força, paz, sorrisos, companheirismo, felicidade e amor.

A Daia Shmidt, meu querido anjo loiro, que Deus uniu a mim novamente em um lindo momento de ambas as partes.

A Erica, Rogério, Tia Juraci, Rosi, Daniela Maximiano Cunha, Maria Angela, Andreza, Heitor, Silvana, Kátia... que sempre fazem da minha estadia em São Paulo perfeita e aconchegante.

A Terezinha, Graziela, Andreza, Heitor, Nathalia, Carol Pass, Catarina Passos, Catia Mourão, Halice, Tatiana, JC e principalmente a Dani, por nos proporcionar uma Bienal maravilhosa em 2015, através do carinho, da receptividade e do amor, para que o lançamento do Senador no Rio de Janeiro se tornasse inesquecível.

A Irene Moreira e Ana Paula Magalhães, pela iniciativa da criação dos grupos de fãs, tanto no facebook como no Whatsapp, trazendo para mais próximo todas as minhas meninas, apaixonadas por nosso Artur Scott.

A todas as estrelas, junto com minhas inúmeras assistentes, agradeço por me ensinarem diariamente o significado dessa palavra tão linda chamada amizade, me fazendo uma pessoa melhor, para poder retribuir tudo que recebo de vocês.

Por fim, encerrando essa linda etapa com a trilogia que marcará nossas vidas para sempre, não poderia deixar de fora Stephenie

Meyer, por nos presentear com personagens fantásticos que nos fazem sonhar com novas histórias, transformando-as em lindas realidades através das *fanfics*, dando-me o impulso para começar a escrever. Mas também por me apresentar á duas pessoas que me ajudaram a me redescobrir: Robert Pattinson e Kristen Stewart, a quem eu devo minha nova vida, vida que ganhei através dos quatro intensos e felizes anos que passei à frente do Robsten Beloved, pois ali eu aprendi o que é escrever sobre o amor.

Ali eu vivi de perto um lindo e abençoado relacionamento verdadeiro, que hoje pode estar quietinho dentro daqueles dois coraçõezinhos, mas que nunca será esquecido por quem o acompanhou desde seu começo.

Obrigada!
E o Presidente é nosso!

O livro é de quem tem acesso às suas páginas e através delas consegue imaginar os personagens, os cenários, a voz e o jeito com que se movimentam.
São do leitor as sensações provocadas, a tristeza, a euforia, o medo, o espanto, tudo o que é transmitido pelo autor, mas que reflete em quem lê de uma forma muito pessoal.
É do leitor o prazer.
É do leitor a identificação.
É do leitor o aprendizado.
É do leitor o livro.

Martha Medeiros

Trilogia: Entre o Amor e o Poder

O Deputado — livro 1
O Senador — livro 2
O Presidente — livro 3

VISITE AS PÁGINAS OFICIAIS E SIGA NOSSO CANAL NO SKOOB

www.lereditorial.com

twitter@Ler_Editorial

www.facebook.com/lereditorial

www.instagram.com/lereditorial

www.skoob.com.br/lereditorial